I'r rhai sydd â diddordeb mewn cen[illegible] lyfr hwn fod yn ddarllen gorfodol. W[illegible] gar a sensitif, mae'r awdur yn dad[illegible] adol, a'u heffeithiolrwydd, cyn cynnig i'r [illegible] th newydd', a chyfeiriad gwahanol i genhadaeth [illegible] lai Cristnogion yng Nghymru a'r tu hwnt ystyried o ddifrif [illegible] an yn ei thro, gan fod y llyfr yn cynnwys dadansoddiad gafaelgar a phosibiliadau newydd.

Dr Geraint Tudur, Ysgrifennydd Cyffredinol Undeb yr Annibynwyr

Prin yw'r llyfrau sydd wedi eu hysgrifennu â chynifer o eglwysi mewn ystyriaeth. Fodd bynnag, mae'r trosolwg o genhadaeth yng Nghymru a geir yn y gyfrol hon yn dweud wrthym lle'r ydym wedi bod, beth sy'n gweithio a sut gallem symud ymlaen. Beth bynnag ein cefndir diwinyddol neu draddodiad, mae angen darllen y llyfr hwn ac ymrafael â'r heriau sydd o'n blaenau. Ni fu erioed mwy o angen i ystyried cenhadaeth newydd i Gymru.

Simeon Baker, Cyfarwyddwr Cenhadaeth Undeb Bedyddwyr Cymru

Mae'r astudiaeth arloesol hon yn cyfuno gwybodaeth hynod am ddulliau amrywiol mewn cenhadu a dealltwriaeth dreiddgar o gymhlethdod cymdeithasol, diwylliannol ac economaidd y Gymru gyfoes. Rwy'n ei chymeradwyo'n wresog i weinidogion, swyddogion eglwysig, gweithwyr Cristnogol a phawb arall sy'n ymboeni am lwyddiant y ffydd yn ein dydd. Dyma ddarllen angenrheidiol ar gyfer ymateb yn effeithiol i ofynion ysbrydol ail ddegawd yr unfed ganrif ar hugain.

D. Densil Morgan, Athro Diwinyddiaeth,
Prifysgol Cymru y Drindod Dewi Sant

Does dim cwestiwn nad yw Cymru'r 21ain ganrif yn faes i genhadu ynddi erbyn hyn. Wrth geisio yfory Eglwys Iesu yng Nghymru, ni allwn ond defnyddio dirnadaeth heddiw a ffurfiwyd drwy brofiad ddoe. Mae'r llyfr hwn yn ffrwyth gweddi, ymchwil a meddwl dwys ar yr ystyriaethau hyn. Wrth ei ddarllen yn weddïgar, efallai clywn eto y sŵn ym mrig y morwydd. Diolch i David am ein gadael yn ddiesgus unwaith yn rhagor. Dewch mentrwn.

Hywel Edwards, Gweinidog Gofalaeth Ardal Thomas Charles, Y Bala

Cenhadaeth Newydd i Gymru

Gweld eglwysi yn ffynnu ar draws Cymru yn yr unfed ganrif ar hugain

David Ollerton
Waleswide / Cymrugyfan

Addasiad Cymraeg gan
Meirion Morris

Dylunio a chysodi siartiau: David Dry

Golygydd y testun Cymraeg: Huw Powell-Davies
Trawsgrifio: Mair Owen

Golygydd Cyffredinol: Aled Davies
Cynllun y clawr a chysodi: Rhys Llwyd

ISBN: 9781859948194

Mae Cymrugyfan yn rhwydwaith o eglwysi a sefydliadau efengylaidd i bwrpas plannu a chryfhau eglwysi ar draws Cymru. Gwêl yr angen am ddynesiad bwriadol a chydweithredol i blannu a chryfhau eglwysi yng Nghymru. Mae Cymrugyfan yn gweithio gydag arweinwyr i sylweddoli sefydlu eglwysi, yn arbennig lle nad oes presenoldeb efengylaidd, a lle bo angen cryfhau eglwysi o ran eu heffeithiolrwydd.

Am fwy o wybodaeth, gweler www.cymrugyfan.org

Cyhoeddwyd gan:
Cyhoeddiadau'r Gair
Ael y Bryn, Chwilog,
Pwllheli, Gwynedd
LL53 6SH.

www.ysgolsul.com

Cynnwys

Cyflwyniad

Arferid gweld cenhadaeth fel rhywbeth yn cael ei wneud dramor ac y byddai eglwysi yn ei gefnogi. Arferem gymryd yn ganiataol bod ein gwlad yn un Gristnogol. Nid felly y mae hi bellach. Yn yr unfed ganrif ar hugain, mae Cymru yn byw ar ôl cyfnod 'gwledydd cred', ac mae seciwlariaeth, a materoliaeth bellach wedi ein tywys i fyd ôl-Gristnogol. Rhywbeth mewn enw yn unig yw'r hunaniaeth Gristnogol sy'n parhau, ac mewn llawer cymuned, mae hi'n anodd dod o hyd i bresenoldeb Cristnogol byrlymus. Mae Cymru yn faes cenhadol unwaith eto.

Nid felly y mae hi'n hollol ym mhob rhan o'r Deyrnas Unedig. Mae eglwysi yn cael eu plannu, eraill yn cael eu hadfywio ac yn tyfu. Pam nad yw hyn yn wir yma? Mae rhai yn tyfu, ond yn amlach na pheidio, yn gwneud hynny drwy ddenu rhai sydd eisoes yn Gristnogion gyda'r hyn maen nhw'n ei gynnig. Mewn sawl ardal, peth prin yw gweld pobl yn dod i ffydd o'r tu allan i'r eglwys. Mae mwy o bobl yn mynd i'r nefoedd nag sydd yn dod i'r eglwys am y tro cyntaf, ac mae penllwydni ar gynnydd!

Beth yw'r rheswm am hyn? Pam nad ydy'r ffyrdd gwahanol o genhadu ac efengylu sy'n llwyddo mewn lleoedd eraill yn llwyddo cystal yma? Beth sy'n wahanol am Gymru? Beth yn ein cyd-destun sy'n golygu fod angen dull sy'n dweud – 'Gwnaed yng Nghymru', a beth yw'r dull hwnnw? Fe fydd Iesu yn adeiladu ei Eglwys, ond mae angen i ninnau fod yn gyd-weithwyr doeth gydag Ef.

Mae'r llyfr hwn yn edrych yn gyntaf ar *Agweddau* gwahaniaethol Cymru (Rhan Un). Mae'n mynd ymlaen i edrych wedyn ar y ffordd yr ydym wedi cynnal cenhadaeth, a pha mor addas fu sawl *Dull* gwahanol yng nghyd-destun Cymru (Rhan Dau). Medrwn ddilyn hyn drwy edrych ar ymarfer da, a dysgu gwersi ar gyfer y dyfodol (Rhan Tri). Mae'r cyd-chwarae rhwng chwech o'r *Agweddau* a berthyn i'r cyd-destunau Cymreig, a'r chwe *Dull* o genhadaeth yn sylfaen i'r llyfr hwn.

Wrth ddarllen drwy'r llyfr, mi fydd yn demtasiwn i brysuro drwy'r *Agweddau* ar Gymru (Adran Un) a'r modd yr aeth y *Dulliau* gwahanol ati (Adran Dau), er mwyn cyrraedd yr adran sy'n cymhwyso'r wybodaeth (Adran Tri). Eich dewis chi fydd hynny.... ond, mi fydd y cwbl yn gwneud gwell synnwyr o ddeall yr *Agweddau* a'r chwe *Dull*. Efallai y byddwch am fynd yn ôl ac ymlaen er mwyn cael yr olwg lawnaf bosibl. Pa bynnag ffordd yr ewch ati, pwrpas y llyfr yw ein cynorthwyo ni i gyd i ddeall ein cyd-destun penodol ein hunain yn well, ac o ganlyniad, bod yn fwy effeithiol .... ac efallai yn fwy cenhadol wrth ystyried yr ardaloedd sydd y tu hwnt i'n cylch arbennig ein hunain.

Canlyniad i ymchwil *Cymrugyfan* dros y pum mlynedd ddiwethaf yw'r llyfr. Cwblhawyd yr holiadur gan gannoedd o arweinwyr o bob enwad a rhwydwaith yn 2012. Dilynwyd hyn gan fwy nag wythdeg o gyfweliadau yn 2013 a 2014, ac yna gan un ar bymtheg o gyfarfodydd rhanbarthol – 'Sgyrsiau', lle gwahoddwyd arweinwyr i gyfarfod er mwyn ystyried y presennol ac anghenion y dyfodol.

Yr oedd ffocws yr ymchwil ar eglwysi Anghydffurfiol, rhai traddodiadol a rhai modern, ond bydd y canfyddiadau yn gymwys i raddau, ar gyfer pob enwad. Nid rhesymau sectyddol oedd yn golygu na chynhwyswyd eglwysi Anglicanaidd, ond dau reswm ymarferol. Yn gyntaf, anfonwyd fersiwn o'r holiadur at lawer o arweinwyr Anglicanaidd, ond dim ond ymateb llond llaw a dderbyniwyd. Nid oedd *Cymrugyfan*, er sawl ymdrech, yn adnabyddus o fewn y cylch hwn o eglwysi. Yn ail, yr oedd maint y gwaith yn mynd yn fwy na'r hyn y gellid ei gyflawni yn rhesymol, felly penderfynwyd peidio ymestyn cylch y gwaith eto.

Gwnaed yr ymchwil yn wreiddiol fel gwaith doethuriaeth drwy Brifysgol Caer, ac felly roedd y canfyddiadau yn agored i werthuso manwl. Yr ydym wedi ceisio bod mor drwyadl â phosibl er mwyn bod mor berthnasol â phosibl. Yn y traethawd ymchwil caed dros 2,000 o droednodiadau, gyda thros 600 o lyfrau, erthyglau a ffynonellau i gefnogi honiadau, ac i gyfeirio at ddarllen pellach. Mae'r rhan fwyaf o'r rhain wedi eu hepgor yma er mwyn symleiddio'r gwaith. Gellir eu gweld yn gyfan drwy wneud cais ar wefan *Cymrugyfan*.

Ychydig eiriau o ddiolch:

- I'r cannoedd o arweinwyr yng Nghymru am gwblhau'r holiadur a rhoi amser i'r cyfweliadau a'r Sgyrsiau Rhanbarthol. Heboch chi, fyddai yna ddim llyfr.

- I dîm *Cymrugyfan*, ac yn arbennig i David Dry am oriau o gefnogaeth, cyngor a chymorth.

- I Keith Warrington am anogaeth ddi-baid, ac i Dewi Hughes am ei feddwl clir.

- I Meirion Morris am gyfieithu'r gwaith, i Mair Owen am deipio a chywiro ac i Huw Powell-Davies am olygu'r cyfan. Fe wnaed hyn oll mewn cyfnod rhyfeddol o fyr o ran amser, gan weithio drwy oriau man y bore, ac ar ben llwyth gwaith sylweddol yn barod. Mae fy niolch a'm dyled i chi yn enfawr.

- Fel bob amser, i Liz am dy gariad a'th amynedd.

David Ollerton
Gwanwyn 2016

Cyflwyniad i'r cyfieithiad Cymraeg

Yn dilyn bwrw fy mhrentisiaeth fel gweinidog ifanc ar drugaredd eglwysi yng Nghwmaman, ac yn ddiweddarach ym Mro Aled, Dyffryn Clwyd, cefais wahoddiad yn 1997 i fynychu cynhadledd newydd yn y Bala. Yr oedd y Cyfarwyddwr Plant ac Ieuenctid ar y pryd, y Parch. W. Bryn Williams wedi cyfarfod ag un o'r siaradwyr ar gyd-ddigwyddiad rhagluniaethol. Sais oedd y Parch. David Ollerton, ac er ei fod wedi cychwyn ei weinidogaeth yn Ne Cymru, yr oedd bellach yn weinidog yn Esher, Surrey. Yr oedd cynhadledd 'Menter Eglwysi' i ddod yn ddigwyddiad arwyddocaol i mi yn fy ngweinidogaeth. Yn ystod y blynyddoedd cynnar, yr oedd cyfraniadau hanesyddol y Parch. Dr Tudur Jones, a phrofiad presennol y Parch. David Ollerton, yn cyd-blethu yn rhyfeddol i ddangos beth oedd yn wir am ein hanes, a beth allai fod yn wir am ein presennol a'n dyfodol.

O'r cynadleddau hynny, datblygodd perthynas agos a chlos, a daeth David yn fentor ac yn ysgogwr i mi, ac i lawer o arweinwyr eraill. Ar waethaf fy amheuaeth y medrai unrhyw un oedd yn gweinidogaethu yn Esher fod â gair oedd yn berthnasol i weinidog Llansannan, eto dysgais gyfrolau o'n cyfeillgarwch. Ymhlith y gwersi mwyaf oedd gwersi mewn arweinyddiaeth, mewn disgwyliad ac mewn gweithredu bwriadol. Yr wyf yn ymwybodol o'm dyled i arweinwyr ac aelodau'r ofalaeth yno am fentro yn y broses o drawsffurfio, ac o'm dyled i David am fy arwain drwy'r broses honno, nid yn unig yn yr eglwysi, ond yn fy ngherddediad fy hun.

Dros y blynyddoedd mae David wedi dod yn fwyfwy ymwybodol o'r cyd-destun Cymreig, ac yn wir mae ei faich dros Gymru wedi pwyso arno. Yr oedd sefydlu *Cymrugyfan* yn fynegiant o hynny, ac felly hefyd y maes a ddewisodd ar gyfer ei ddoethuriaeth. Er y bydd yna rannau o'r gyfrol hon fydd yn amlwg iawn i Gymry Cymraeg, dylid cadw mewn cof fod yr awdur yn un sydd wedi dod atom, wedi dysgu'n hiaith, wedi ceisio deall ein diwylliant, ond yn fwy na dim, wedi profi baich ysbrydol dros ein heddiw a'n hyfory. Credaf fod y gyfrol yn gyfraniad gwerthfawr wrth geisio ymateb i'r heddiw ac i'r yfory hwnnw.

Wrth gloi, diolch eto i Sarah am ei hamynedd wrth i mi losgi'r gannwyll yn paratoi'r cyfieithiad, i Mair Owen am ei gwaith yn teipio'r llawysgrif, ac i bobl Gofalaeth Aled am oddef yr antur o geisio trawsffurfio gyda'n gilydd ac i Huw Powell-Davies am brawf-ddarllen y cyfan.

Meirion Morris

Adran Un:

Agweddau: Sut ac ym mha ffordd mae Cymru'n wahanol?

Gellir gwahaniaethu Cymru oddi wrth genhedloedd eraill y Deyrnas Unedig oherwydd datganoli gwleidyddol, iaith ac acenion, teyrngarwch ar y meysydd chwarae, a ffin sydd wedi ei gosod ar fap. Ond, o ran cenhadaeth, mae'n bosibl y gallai'r gwahaniaethau yma fod yn rhai arwynebol, ac felly heb fod yn berthnasol i genhadaeth. Bydd yr adran hon yn edrych ar y nodweddion ymddangosiadol sy'n perthyn i bobl Cymru, i'w chymdeithas, i'w hanes, i'w diwylliant, a'i lleoliad sydd yn arddangos elfennau Cymreig gwahaniaethol amlwg na ellir eu hanwybyddu gyda golwg ar gyd-destun.

Mae addasu ein cenhadaeth i gyd-destun penodol yn hanfodol:

> "Mae'r Efengyl Gristnogol yn efengyl ymgnawdoliad, neu nid yw'n efengyl o gwbl. Nid oes efengyl nad yw'n amlygu ei hun mewn cyd-destun penodol, mewn lle ac mewn amser. Nid yw'r dwyfol yn mynd heibio i'r cnawd, felly mae cwestiynau o hanes, diwylliant a hunaniaeth yn anochel ac yn ddilys yn ddiwinyddol".[1]

1 D. Morgan, *Wales and the Word: Historical Perspectives on Religion and Welsh Identity* (Cardiff: University of Wales Press, 2008), 120.

Er hynny, mae natur y cyd-destun Cymreig yn fater cymhleth sydd angen ei esbonio.[2] Yn ôl Rees, mae Cymru "yn gawl ... sydd wedi bod yn berwi ers miloedd o flynyddoedd".[3] Nid yw cyd-destun Cymru yn rhywbeth llonydd, ond yn hytrach yn esblygu, yn newid ac yn amrywiol. I'r rhai sy'n edrych ar Gymru o'r tu allan, mae'n bosibl bathu disgrifiadau arwynebol o ddefaid, pyst rygbi, olwynion uwchben y pwll glo, a merched yn gwisgo hetiau duon tal. Mae'r darluniau yma'n nodweddu traddodiad sy'n dirywio neu, mewn rhai achosion, wedi diflannu. O'r herwydd, efallai eu bod yn cynhyrchu rhyw fytholeg sy'n ddeniadol i ymwelwyr, ond nid oes gan y darluniau fawr i'w wneud â realiti.

Yr elfennau sy'n nodweddu gwahaniaethau gwirioneddol yw'r nodweddion hynny sy'n perthyn i fywyd bob dydd y Cymry, pethau fel chwaraeon, cerddoriaeth, iaith, agweddau, digwyddiadau diwylliannol, a'r cyfryngau. Mae Williams yn disgrifio'r rhain fel "ceidwaid y ffin" sy'n nodweddu pwy sydd, neu heb fod yn perthyn i Gymru.[4] Maent yn gymorth i wahaniaethu Cymru oddi wrth yr "eraill", y rhai nad ydynt yn Gymry, yn arbennig felly'r Saeson.[5] Mae yna nodyn yn rhestr cynnwys rhifyn 1880 o'r *Encyclopedia Britannica* oedd yn cyfeirio'r darllenwyr fel a ganlyn: "Am Gymru, gweler Lloegr".[6] Roedd hyn yn adlewyrchu polisi swyddogol y llywodraeth i geisio gwneud i ffwrdd â'r gwahaniaethau oedd yn perthyn i Gymru, gan gyfeirio at y wlad fel rhanbarth o Loegr. Cyfeiriwyd at y rhanbarth yn Neddf Uno 1535 fel "*Dominion of Wales*".[7]

---

2 G. Day, *Making Sense of Wales, A Sociological Perspective* (Cardiff: University of Wales Press, 2002), 27.

3 J. Rees, *Bred of Heaven* (London: Profile, 2011), 8.

4 C. Williams, "Passports to Wales? Race, Nation and Identity," yn *Nation, Identity and Social Theory: Perspectives from Wales* (gol. R. Fevre a A. Thompson; Cardiff: University of Wales Press, 1999), 82.

5 G. A. Williams, *When was Wales?* (Harmondsworth: Penguin, 1985), 304.

6 H. Carter, *Against the Odds: The Survival of Welsh Identity* (Cardiff: Institute of Welsh Affairs, 2010), 50.

7 A. Elias, "Political Representation," yn *Understanding Contemporary Wales* (gol.

Mae creu arwyddbyst clir i amddiffyn yr hunaniaeth benodol sy'n perthyn i'r wlad – yn arbennig o'i chyferbynnu â Lloegr a Seisnigrwydd – yn rhan hanfodol o hunaniaeth a chyd-destun Cymru.

Mae'r arwyddbyst hyn yn awgrymu gwahaniaethau, ac eto, nid ydynt yn cynhyrchu'r Cymro unffurf. Mae yna wahaniaethau yn rhanbarthau Cymru sy'n fwy arwyddocaol na'r ychydig nodweddion sy'n dal y wlad fel endid cyffredin. Rhennir Cymru rhwng y gogledd a'r de, y trefol a chefn gwlad, gan iaith, diwylliant, a graddau o Brydeindod. Gall yr elfennau hyn ddwyn mwy o anghytgord nag undod, gyda rhai pethau sy'n cael eu dal yn annwyl iawn mewn un rhan, yn peri i bobl mewn rhannau eraill deimlo yn ddieithr ac ar yr ymylon. Yn ôl Nicky Wire, aelod o'r *Manic Street Preachers*, "mae Cymru yn le llawer mwy cymhleth a rhanedig nag y mae rhai pobl yn ei dybio. Nid un endid o gymunedau wedi eu clymu at ei gilydd yw'r wlad hon. Mae yna raniadau hefyd."[8] Fe fyddwn yn gwneud ymgais i adnabod yr elfennau sy'n wahanol, ynghyd â'r elfennau sy'n gyffredin yn y wlad.

Er mwyn ceisio adnabod yr hyn sy'n nodweddiadol o Gymru, byddwn yn defnyddio chwe chategori: crefydd, daearyddiaeth, tarddiad ethnig, iaith a diwylliant, patrymau cymdeithasol a dyheadau gwleidyddol. Gyda'i gilydd, ac mewn cydberthynas amrywiol, mae'r agweddau hyn yn creu cyd-destun Cymru. Mae dealltwriaeth o'r modd y mae'r elfennau hyn yn plethu yn ei gilydd, mewn ardaloedd gwahanol, yn hanfodol er mwyn dirnad sut mae cenhadu yn effeithiol ymhob un o gymunedau amrywiol y wlad.

H. Mackay; Cardiff: University of Wales Press, 2010), 233.
8 H. Mackay, "Rugby - an Introduction to Contemporary Wales," yn *Understanding Contemporary Wales* (gol. H. Mackay; Cardiff: University of Wales Press, 2010), 6.

Cyd-destun Crefyddol Cymru

"**The Chapel**

A little aside from the main road,
becalmed in a last-century greyness,
there is the chapel, ugly, without the appeal
to the tourist to stop his car
and visit it. The traffic goes by,
and the river goes by, and quick shadows
of clouds, too, and the chapel settles
a little deeper into the grass.

But here once on an evening like this,
in the darkness that was about
his hearers, a preacher caught fire
and burned steadily before them
with a strange light, so that they saw
the splendour of the barren mountains
about them and sang their amens
fiercely, narrow but saved
in a way that men are not now."[9]

Yn naturiol, gan fod i genhadaeth Gristnogol gymhelliad crefyddol, bydd agweddau ar gyd-destun crefyddol Cymru yn cael eu hystyried yn gyntaf. Bydd yr adran hon yn ystyried tarddiad, twf, dirywiad, a'r hyn y mae Anghydffurfiaeth Gymreig wedi ei adael, tra ar yr un pryd yn ystyried y realiti ôl-Gristnogol sy'n ffurfio cenhadaeth yng Nghymru yn yr unfed ganrif ar hugain.

Tarddiad y Gymru Gristnogol

Am ganrifoedd, mae'r Cymry wedi ystyried eu hunain, ac wedi cael eu hystyried fel pobl Gristnogol.[10] Gellir olrhain y gwreiddiau hyn yn ôl i

9 R. S. Thomas, *Collected Poems 1945 - 1990* (London: Phoenix, 1993), 276. Ganed Ronald Stuart Thomas (1913-2000) yng Nghaerdydd. Yr oedd yn un o brif feirdd yr 20fed ganrif, ac yn Offeiriad Anglicanaidd. Mae'r dyfyniad hwn, fel y dyfyniadau eraill, wedi eu gosod fel y cawsant eu cyhoeddi ganddo.

10 Morgan, *Wales and the Word*, 211-213; J. Davies, *A History of Wales* (London:

gyfnod y Rhufeiniaid lle cawn adroddiadau am y Cristnogion cyntaf yng Nghymru. Ond, wrth i'r Sacsoniaid paganaidd ymfudo o ogledd Ewrop, gan feddiannu Lloegr yn arbennig, ni fu i'r traddodiad Cristnogol barhau ond ar yr ymylon gorllewinol eithaf. Yr oedd yr ardaloedd oedd o dan faner Rhufain yng Nghymru wedi aros gyda'r dylanwadau hynny ymhell ar ôl i'r Rhufeiniaid adael y wlad. Parhaodd de ddwyrain Cymru yn ddiwylliannol Rufeinig, ac yn grud yr Eglwys Geltaidd, crud a ymestynnodd ei dylanwad i adfywio ardaloedd eraill yn Ewrop.

Mae'r symudiad a adnabyddir fel "Oes y Saint",[11] yn cael ei weld fel rhywbeth sydd, ar y cyfan, yn annibynnol ar Rufain a'r gweithgarwch diweddarach yn Lloegr, ac wedi ei ganoli yng Nghaergaint. Rhoddodd hyn i'r Cymry hunaniaeth Gristnogol wahanol i'r Sacsoniaid yn y dwyrain. Er bod y gwahaniaethau yma'n cael eu gorbwysleisio, mae'n sicr eu bod wedi cael dylanwad cynnar ar hunaniaeth pan oedd y Cymry'n dechrau gweld eu hunain fel pobl, cenedl a diwylliant gwahanol.[12] Trwy hyn, sefydlwyd Cristnogaeth fel agwedd ganolog o hunaniaeth genedlaethol y Cymry. O 664OC, gwnaed cysylltiadau â Chaergaint, ac am y mil o flynyddoedd wedi hynny, yr oedd Cristnogaeth yng Nghymru yn rhan o Ewrop Gristnogol a Gwledydd Cred. Ni newidiodd y Diwygiad Protestannaidd bethau yn sylweddol yng Nghymru, ac mae'n debyg mai ond yn yr ail ganrif ar bymtheg wrth i eglwysi annibynnol gasglu ar batrwm Anghydffurfiol y bu i'r diwygiad hwnnw ennill ei dir.[13]

Elfen allweddol yn nhwf Anghydffurfiaeth Gymreig, ac yn ddiweddarach, hunaniaeth Gymreig, oedd cyfieithiad i'r Gymraeg o'r Testament Newydd

---

Penguin, 1994), 72-77.

11 G. Davies, *A Light in the Land: Christianity in Wales 200 - 2000* (Bridgend: Bryntirion, 2002), 16-21.

12 Morgan, *Wales and the Word*, 107, 211.

13 R. T. Jones, *Congregationalism in Wales* (gol. R. Page; Cardiff: University of Wales Press, 2004), 10-12, 18-19, 21.

gan William Salesbury yn 1551, ac o'r Beibl cyfan gan William Morgan yn 1588.[14] Awdurdodwyd cyfieithiad a chyhoeddiad Morgan gan Elisabeth y 1af fel modd i ddiogelu fod y Protestaniaid Cymreig yn ffyddlon i'r llywodraeth Saesneg.[15] Roedd yr hyn a fwriadwyd fel cam ar hyd y ffordd at hunaniaeth Seisnig a diwylliant oedd yn siarad Saesneg, wedi esgor yn fwy na dim arall ar fodd i ddiogelu'r iaith Gymraeg, ei diwylliant a'i hunaniaeth. Yn wir, mae'n anhebygol y byddai yna gyd-destun Gymreig wedi ei wahanu oddi wrth weddill y Deyrnas Unedig, oni bai am Feibl yr Esgob William Morgan.

Gwreiddiau Anghydffurfiaeth Gymreig

Mae amrywiaeth barn eang wrth ystyried twf a chryfder y mudiad Anghydffurfiol cynnar.[16] Roedd rhai eglwysi unigol yn gwasanaethu siroedd cyfan, gyda grwpiau bychan yn cyfarfod mewn pentrefi lleol bob wythnos ac yna'n teithio i gyfarfod â grwpiau eraill yn llai aml.[17] Roedd yr eglwysi yn fach, hyd yn oed o'u casglu o ardal eang, ac yn gysylltiedig â symudiadau tebyg yn Lloegr.

Ychydig dros gan mlynedd wedi cyhoeddiad Beibl William Morgan, cychwynnodd Griffith Jones – Rheithor Llanddowror yn Sir Gaerfyrddin – ei "Ysgolion Cylchynol" i ddysgu'r werin yng Nghymru i ddarllen. Roedd ei ysgolion yn defnyddio'r Beibl fel llawlyfr i ddarllen, cofio a dysgu, gan gynhyrchu diwylliant deallus a phoblogaidd fyddai'n nodwedd arbennig

14 Davies, *Light*, 49-53; Jones, *Congregationalism*, 8.
15 E. M. White, *The Welsh Bible* (Stroud: Tempus, 2007), 12, 34, 154; Jones, *Congregationalism*, 52.
16 E. Evans, *Daniel Rowland and the Great Evangelical Awakening in Wales* (Edinburgh: Banner of Truth Trust, 1985), 15; Jones, *Congregationalism*, 34-36, 73, 108-109.
17 R. T. Jones, "Trefniadaeth Ryngeglwysig yr Annibynwyr," *Cofiadur* 21 (Mawrth 1951): 16-30; Jones, *Congregationalism*, 60-78.

o Gymru yn y bedwaredd ganrif ar bymtheg. Cymhellion efengylaidd oedd i weithgarwch Griffith Jones, ond roedd yna ganlyniadau oedd yn addysgiadol, yn ddiwylliannol a chymdeithasol, canlyniadau a estynnodd i bob rhan o Gymru. Erbyn canol y bedwaredd ganrif ar bymtheg, roedd y Cymry'n siaradwyr Cymraeg llythrennog, gyda thrwch o lenyddiaeth Gymraeg eu hunain a oedd gan fwyaf yn llenyddiaeth Anghydffurfiol.

Mae cryfder y symudiad ymhob rhan o Gymru i'w briodoli yn bennaf i effaith y Diwygiad Methodistaidd. I fudiad a gychwynnodd fel gwaith i adfywio'r Eglwys Anglicanaidd, bu i'r ynni ledaenu trwy bregethu arweinwyr dynamig ac ymroddedig. Roedd y rhai oedd wedi dod i ffydd bersonol yng Nghrist trwy'r pregethu yma yn awr yn dod at ei gilydd mewn grwpiau bychain a elwid yn *seiadau*, grwpiau i ddysgu yn ymarferol sut oedd byw yn Gristnogol, i fod yn atebol, a hefyd yn cynnig gofal bugeiliol.[18] Erbyn y bedwaredd ganrif ar bymtheg, gwelwyd y seiadau yma yn y rhan fwyaf o bentrefi a chymunedau Cymru, a'r rhain ddaeth, yn ddiweddarach, yn gerrig sylfaen cymdeithas oedd yn ofni Duw. Cynhyrchwyd trefn gymdeithasol newydd o fewn i ddwy genhedlaeth, gan ledu Cristnogaeth oedd yn boblogaidd ac yn ddynamig. Mae rhai beirniaid yn ddiweddar wedi gweld hyn fel ymateb i'r rhesymoliaeth oedd yn perthyn i'r cyfnod, tra'r oedd y rhai oedd ynglŷn â'r gwaith yn ymwybodol mai canlyniad diwygiad, neu "dywalltiad o'r Ysbryd" oedd y gwaith hwn.[19]

Yr oedd i dwf ac i fywyd y Methodistiaeth newydd yma, mewn addoliad a thystiolaeth, ganlyniadau oedd i'w gweld ar draws Anghydffurfiaeth, ac yn wir, nid oedd modd gwrthsefyll y dylanwad hwnnw gan mor fawr

18 G. Tudur, *Howell Harris: From Conversion to Separation 1735 - 1750* (Cardiff: University of Wales Press, 2000), 63-81; E. Evans, *Bread of Heaven: The Life and Work of William Williams, Pantycelyn* (Bridgend: Bryntirion, 2010), 253-261.
19 Evans, *Rowland*, 243; J. M. Jones a W. Morgan, *The Calvinistic Methodist Fathers of Wales* (cyf. J. Aaron; Abertawe: Lewis Evans, 1895; repr. Carlisle: Banner of Truth Trust, 2008), 288.

ydoedd. Gwelwyd mwy a mwy o eglwysi Anghydffurfiol, o bregethwyr ac arweinwyr yn cael eu "methodisteiddio", ac yn raddol, naill ai bu i'r eglwysi ddod yn rhai mwy efengylaidd a brwdfrydig fel y Methodistiaid, neu bu iddynt gilio i ffurfioldeb neu resymoliaeth yr Undodwyr.[20]

Twf Anghydffurfiaeth Cymru

Cymraeg oedd cyfrwng y gweithgarwch hwn i gyd, i'r graddau fel y medrai Hywel Harris siarad am y Duw oedd ganddo fel "un oedd yn siarad Cymraeg". [21] Yr oedd Eglwys y Plwyf, yn aml gydag offeiriad oedd yn methu â siarad Cymraeg, a'r ffaith fod yr esgobaethau yn uniaith Saesneg gydag esgobion Seisnig oedd byth yn ymweld â'r esgobaethau hynny, yn cael eu gweld fel rhan o'r dosbarth canol Seisnig. Mae'r argraff hon wedi cymryd degawdau os nad canrifoedd i'w goresgyn. O ganlyniad, roedd y bobl gyffredin oedd yn siarad Cymraeg, ac yn awr yn byw mewn diwylliant gwahanol, yn gynyddol yn troi at Anghydffurfiaeth fel eu cartref ysbrydol.

Erbyn y bedwaredd ganrif ar bymtheg, bu i'r symudiad poblogaidd yma gyda phregethwyr adnabyddus ysgubo trwy'r wlad yn gyfan gwbl. Yr oedd Cymru ar fin wynebu holl droadau'r Chwyldro Diwydiannol, yn gymdeithasol ac yn economaidd, ac roedd Anghydffurfiaeth Efengylaidd yn prysur ddod yn nodwedd amlycaf ei chrefydd. O ganlyniad i gyfres o ddiwygiadau crefyddol, a hynny yn ychwanegu miloedd at fudiad Anghydffurfiol oedd yn tyfu'n gyflym ac yn lluosogi, medrai'r pregethwr Bedyddiedig, Christmas Evans, honni:

20 Davies, *History*, 337; Jones, *Congregationalism*, 105-107.

21 'God is a Welchman & can talk Welch & has s^{d} to many in Welch Thy sins are forgiven thee'. Howell Harris Diary 24.5.1770, dyfynnir yn E. M. White, "The People Called "Methodists"," *JWRH* 1 (2001): 16.

> "Efallai na fu erioed y fath genedl â'r Cymry sydd wedi eu hennill mor helaeth i glyw'r efengyl. Mae tai cwrdd wedi codi ymhob cornel o'r wlad ac mae'r mwyafrif o'r bobl gyffredin, bron bob un ohonynt, yn tyrru i wrando... Tebyg nad oes yma braidd yr un genedl arall sydd â'i haelodau yn y fath niferoedd wedi cyffesu'r efengyl mor helaeth, yn ne Cymru ac yn y gogledd".[22]

Erbyn cyfrifiad crefyddol 1851, yr oedd yna 2,813 o gapeli yng Nghymru, gydag un yn cael ei gysegru bob 8 diwrnod yn hanner cyntaf y ganrif. Mae nifer o amcangyfrifon ynglŷn â pha gyfran o'r 1,163,139 o boblogaeth oedd yn Anghydffurfwyr, ond awgrymir fod tua 52% yn mynychu lle o addoliad, ac o'r rheiny fod 75% yn Anghydffurfwyr. Er, nid yw hyn yn cynnwys y rhai oedd yn mynychu lle o addoliad yn arferol ond oedd yn absennol ar y dydd, ac mae'n wir hefyd fod rhai pobl wedi eu cyfrif ddwywaith oherwydd bod yna fwy nag un oedfa mewn diwrnod.

Does dim amheuaeth fod y darlun wedi ei chwyddo gan y capeli, am resymau gwleidyddol a chrefyddol, ond wedi dweud hynny, yr oedd maint y mynychu a graddau'r dylanwad y tu hwnt i'r hyn y gellir fod wedi ei ragweld dwy genhedlaeth ynghynt. Erbyn cychwyn yr ugeinfed ganrif, roedd gan yr Anghydffurfwyr 535,000 o aelodau, ynghyd â thua 950,000 o wrandawyr oedd ddim yn aelodau, a thua hanner miliwn o blant yn yr Ysgolion Sul. Oherwydd canran yr aelodaeth, y gwrandawyr, a'r rhai oedd â chydymdeimlad o fewn i gymdeithas Gymraeg, mae'n naturiol fod y gwaith o efengylu wedi colli ei bwysigrwydd. Roedd y capeli yn fyw yn gymdeithasol ac yn wleidyddol, gydag amrywiaeth eang o weithgarwch, ac roedd Anghydffurfiaeth wedi impio ei hunan ar y meddylfryd Cymreig. Adnabuwyd Cymru fel y "genedl Anghydffurfiol" ac mae'r darlun yma wedi gadael ei argraff yn bositif ac yn negyddol erbyn hyn. Mae presenoldeb miloedd o gapeli, p'un ai yw'r rheiny yn fywiog, yn farw, yn cau, wedi cau, neu wedi eu defnyddio i waith arall, yn atgof dyddiol ymhob rhan o Gymru o'r dylanwad oedd gan Anghydffurfiaeth ar gymdeithas Cymru.

22 Dyfyniad yn Morgan, *Wales and the Word*, 29.

Dirywiad Anghydffurfiaeth yng Nghymru

Mae dirywiad Anghydffurfiaeth Gymraeg wedi digwydd mor sydyn braidd â'i dwf. Dechreuodd yr ugeinfed ganrif gyda hyder, ac o fewn pedair blynedd, roedd pethau yn edrych yn addawol iawn. Oherwydd bod diwygiad crefyddol 1904 a 1905 yn ddigwyddiad rhyng-genedlaethol, roedd y disgwyliadau a'r honiadau yn sôn fod dros 100,000 o bobl wedi eu hychwanegu i'r eglwysi. Er, erbyn 1907, ceir tystiolaeth fod y nifer oedd yn mynychu'r oedfaon wedi dychwelyd i'r hyn oedd yn wir cyn y diwygiad.[23] Yn y degawdau oedd i ddilyn, ni fu i ddylanwad y diwygiad atal dim ar y dirywiad. Roedd Anghydffurfiaeth Gymraeg yn ymddangos yn gryf o'r tu allan, ond yr oedd "effaith diffyg credo glir, ac yn wir agweddau o ddim credo o gwbl, ynghyd â'r seciwlareiddio cyffredinol oedd yn mynd rhagddo" bellach yn tanseilio'r Anghydffurfiaeth yma.[24] Parhaodd y nifer o bobl oedd yn aelodau i gynyddu tan y 1930au, ond dirywio oedd y rhai oedd yn mynychu, ac roedd y rhai oedd yn cael eu hadnabod fel "gwrandawyr" bellach bron wedi diflannu. Rhwng diwedd yr Ail Ryfel Byd a 1970, roedd y nifer oedd yn mynychu'r capeli wedi haneru. Roedd y gwerthoedd oedd wedi mowldio cenedlaethau o Anghydffurfwyr wedi colli eu gafael ar ymrwymiad a dychymyg y bobl.

Erbyn diwedd yr ugeinfed ganrif, roedd Anghydffurfiaeth wedi ei adael gan y Cymry ac yn wynebu ei dranc. Mae'r golled yma yn destun galar, hyd yn oed i'r rhai nad oeddent yn mynychu capeli, oherwydd ei fod yn arwydd o ddiwedd cyfnod ac yn arwyddo colli rhywbeth oedd yn hanfodol Gymreig. Mae Davies yn mynegi hyn gyda hiraeth nodweddiadol,

---

23 R. Pope, *Building Jerusalem: Nonconformity, Labour and the Social Question in Wales, 1906 - 1939* (Cardiff: University of Wales Press, 1998), 218-219; R. T. Jones, *Faith and the Crisis of a Nation* (gol. R. Pope; cyf. S. P. Jones; Cardiff: University of Wales, 2004), 348, 362-363, 369.

24 D. Morgan, *The Span of the Cross: Christian Religion and Society in Wales 1914–2000* (Cardiff: University of Wales Press, 1999), 16.

> "Nid gwrthryfela yn erbyn Cristnogaeth a wnaeth y Cymry; ond yn hytrach bu iddynt lithro o'i afael, ac y mae capeli gwag yn destun tristwch a gofid, hyd yn oed i'r rhai na dywyllodd y drysau".[25]

Daeth y cynulleidfaoedd yn raddol yn gynulleidfaoedd canol oed a hen. Erbyn 2011, roedd y wasg yn siarad am argyfwng mewn Anghydffurfiaeth ac yn darogan y diwedd, gyda'r dirywiad yn sylweddol fwy nag mewn ardaloedd eraill ym Mhrydain. Y mae Chambers yn rhagweld dirywiad pellach gydag ond 2% o'r capeli ar agor wedi deng mlynedd ar hugain o'i gymharu â'r rhai oedd yn weithredol ar ddechrau'r mileniwm. Yn ei eiriau ef, y mae yna "deimlad anochel fod pethau yn dod i ben",[26] gyda gweinidogion Anghydffurfiol yn "brin iawn". Mae Chambers, yn ôl teitl ei erthygl, yn honni fod Anghydffurfiaeth, "*Out of Taste and Out of Time*".

Mae'r rhesymau dros ddirywiad hanesyddol Anghydffurfiaeth Gymreig yn amrywiol. Gwelodd rai y dirywiad fel canlyniad i'r newidiadau o fewn i Anghydffurfiaeth ei hun. Mae Alun Tudur yn olrhain y newidiadau yn ystod y bedwaredd ganrif ar bymtheg, o grwpiau bychain oedd wedi eu seilio ar deuluoedd yn cyfarfod mewn tai ac mewn ysguboriau, i enwadau oedd wedi eu trefnu yn fanwl ac yn broffesiynol.[27] Mae'n dangos sut y bu i adeiladu capeli esgor ar ryw barchusrwydd oedd yn cymryd lle brwdfrydedd a'r berthynas agos oedd yn nodweddiadol o Fethodistiaeth gynnar. Erbyn yr ugeinfed ganrif, maent yn cynrychioli rhywbeth o'r diwylliant Fictorianaidd ffurfiol a oedd ar drai, "capsiwl teithio amser i'r gorffennol agos".[28] Arweiniodd hyn at deimlad cyffredinol o fewn y

25 Davies, *History*, 642.
26 P. Chambers, "Out of Taste, Out of Time: The Future of Nonconformist Religion in Wales in the Twenty-First Century," *Contemporary Wales* (2008): 87-94.
27 A. Tudur, "O'r Sect i'r Enwad: Datblygiad Enwadau Ymneilltuol Cymru, 1840 - 1870" (PhD, Prifysgol Cymru, 1992), 177-197; Jones, *Congregationalism*, 80-81, 151.
28 P. Chambers, *Religion, Secularization and Social Change in Wales* (Cardiff:

gymdeithas fod y cyfan yn amherthnasol ac nad oedd Anghydffurfiaeth ei hunan yn medru ymrafael â dyfodol ei chapeli. O ran hyn, fe welwyd fod y capeli wedi eu cloi i mewn i ffordd Gymreig o fyw a ystyrid bellach fel rhywbeth yn perthyn i hanes, a hyd yn oed yn rhagrithiol. Mae eraill wedi cysylltu'r dirywiad gyda mabwysiad cyffredinol o ddiwinyddiaeth Ryddfrydol,[29] gyda'i efengyl gymdeithasol, ac iachawdwriaeth bersonol yn cael ei danbrisio. Arweiniodd hyn at fywyd eglwysig nad oedd yn pwysleisio efengylu ac ymestyniad, ac os nad oedd pobl newydd yn ymuno â'r eglwys, yna roedd yn anochel y byddai yna ddirywiad. Mae eraill yn priodoli'r dirywiad i newidiadau mewn cymdeithas: mewnlifiad o Loegr, mwy o amser rhydd, rygbi, twf sosialaeth, neu adwaith i gefnogaeth y capeli i'r Rhyfel Byd Cyntaf.

I lawer, culni tybiedig y Piwritaniaeth oedd yn perthyn i Anghydffurfiaeth, gyda'r pwyslais cymdeithasol oedd yn nodi llwyr ymwrthod a pharchu'r Sul, a arweiniodd at y ffaith fod pobl wedi troi eu cefnau. Sonient am afael llethol Anghydffurfiaeth Gymreig. Mae Thomas yn dyfynnu amryw o awduron sy'n dangos eu sarhad at yr Anghydffurfiaeth yma:

> "the dark chapels, squat as toads, raised their faces stonily ... grim fortresses of an oppressive theocracy ... Pompous, bully preachers; lying, lustful, avaricious, hypocritical deacons; morally constipated chapel members; chapel stooges of industrial robber barons ... no nation has come nearer to being a theocracy, a people in vassalage to its preachers ...".[30]

Efallai bod y disgrifiadau yma yn eithafol, ond maent yn adlewyrchu'r newid fu mewn barn gyhoeddus, a hynny lai na chanrif ar ôl dyddiau bri mawr Anghydffurfiaeth. Roedd y ffordd y gwelodd bobl eu bywyd a'u

University of Wales Press, 2005), 73.

29 Morgan, *Span*, 16, 20; Davies, *History*, 505; Chambers, "Out of Taste," 91; Jones, *Faith*, 220-223, 252, 416.

30 M. W. Thomas, *In the Shadow of the Pulpit: Literature and Nonconformist Wales* (Cardiff: University of Wales Press, 2010), 19, 30, 115.

hunaniaeth wedi newid, a'r rhagolygon am genhadaeth Gristnogol hefyd yn sgîl hynny. Mae'r hyn sy'n angenrheidiol i genhadaeth Gristnogol hefyd wedi newid. Mae'r traddodiad yn gallu bod yn etifeddiaeth negyddol iawn wrth geisio diogelu cenhadaeth gyd-destunol yng Nghymru yn yr ugeinfed ganrif ar hugain.

Adnewyddiad Anghydffurfiaeth

I rai, roedd diwygiad 1904 yn cynrychioli marwnad yr hen draddodiad Cristnogol Gymreig... "*swansong of the old religious tradition of Wales ... the compulsive flush of death*".[31] Ond i'r cenadaethau Efengylaidd a Phentecostalaidd a darddodd o'r diwygiad, yr oedd yn chwa o awyr iach, ac yn gwneud toriad arwyddocaol oddi wrth yr enwadau traddodiadol hŷn oedd yn gynyddol dueddu at Ryddfrydiaeth. Roedd yna "broblem gyda'r hen grwyn" lle gwrthododd, neu y bu i'r capeli fethu ildio i'r gwin newydd. Yn ôl Eifion Evans, awgrymir fod y rhan fwyaf o'r colledion cyntaf o'r capeli wedi bod yn elw i'r neuaddau "Efengylu" neu "Neuaddau Cenhadol" newydd.[32] Felly, nid oedd colled y capeli yn golled i'r gymuned Gristnogol yn gyfan gwbl. Yn wir, bu'r symudiad yma yn un rhyfeddol o ran plannu eglwysi. Yn ôl un o'r dychweledigion, "ni all y rhai sydd wedi eu geni yn y tân fyw yn y mwg".

Yr oedd rhai o "Blant y Diwygiad" yn gobeithio am ddychweliad at Gristnogaeth apostolaidd. Dechreuwyd plannu Cenadaethau Pentecostalaidd, naill ai allan o, neu ochr yn ochr â Neuaddau Efengylu. Mae'r cysylltiad rhwng y diwygiad a'r symudiad Pentecostalaidd cynnar yn fwy o ysbrydoliaeth nag achos, er ei fod wedi "ei siglo yng nghrud

31 J. G. Jones, "Ebychiad Mawr Olaf Anghydffurfiaeth yng Nghymru," *Cymmrodorion* 11 (2005): 134.
32 E. Evans, *The Welsh Revival of 1904* (Port Talbot: Evangelical Movement of Wales, 1969), 186.

Cymru" yn ôl Bartleman, un o arweinwyr cynnar Pentecostaliaeth. Mae Jones yn gweld y diwygiad fel "man cychwyn symudiad ysbrydol aruthrol", yn gymaint â bod y mudiad Pentecostalaidd byd-eang, gyda'i filiynau o aelodau, yn ganlyniad uniongyrchol.[33]

Oherwydd bod yr eglwysi Efengylaidd a Phentecostalaidd yng Nghymru yn aml wedi eu nodweddu gan gynulleidfaoedd bychain, anwybyddwyd hwy gan yr enwadau Anghydffurfiol oedd yn llawer iawn mwy. Ond, wrth i'r duedd at ddirywiad yn yr enwadau mwyaf hyn gynyddu, dechreuodd rhai o'r eglwysi Efengylaidd a Phentecostalaidd gryfhau a phlannu eglwysi newydd. Cyflymwyd y broses hon pan fu i nifer o eglwysi oedd â'u tuedd yn efengylaidd, ynghyd â'u harweinwyr a'u haelodau, dorri allan o'r enwadau yn y 1960au oherwydd y Mudiad Eciwmenaidd neu'r Mudiad Carismataidd. Erbyn diwedd y ganrif, y rhain oedd yr eglwysi mwyaf yng Nghymru, a nifer ohonynt yn parhau i dyfu, yn arbennig felly yn y trefi a'r dinasoedd. Dyma ran o'r hyn mae Bebbington yn ei alw yn "Yr Adfywiad Efengylaidd yn niwedd yr Ugeinfed Ganrif".[34]

Y Newid yn y Cyd-destun Crefyddol

Bu i'r nifer o bobl oedd yn disgrifio eu hunain fel "Cristnogion" yng Nghymru yng nghyfrifiad 2001 a 2011 ostwng o 72% i 57.6% o'r boblogaeth. Mae arolwg *Tearfund* yn 2007 yn rhoi darlun llawer mwy tywyll.[35] Rhannwyd y rhai a ymatebodd i dri chategori: "rhai oedd yn mynychu eglwys", "y rhai nad oeddent yn mynychu eglwys" a'r "rhai oedd wedi datgysylltu o'r eglwys". Mae'r rhain yn cynrychioli'r rhai sy'n mynychu (faint bynnag

33 Jones, *Faith*, 337-349.

34 D. W. Bebbington, *Evangelicalism in Modern Britain* (London: Routledge, 1999), 249-270.

35 *Tearfund*, "Church Going in the UK," 11. http://news.bbc.co.uk/1/shared/bsp/hi/pdfs/03_04_07_tearfundchurch.pdf

mor anaml), y rhai nad ydynt erioed wedi mynychu, a'r rhai oedd yn arfer mynychu ond nad ydynt yn mynychu mwyach. Ymatebodd 20% eu bod yn mynychu, 28% yn dweud nad oeddent yn mynychu, a 51% yn dweud eu bod wedi bod yn mynychu ond ddim yn mynychu mwyach. Mae'r ffigwr olaf hwn yn adlewyrchu realiti sefyllfa grefyddol Cymru ac mae'r canran yma'n sylweddol fwy nag yng nghenhedloedd eraill y Deyrnas Unedig. Mae mwy na hanner o'r rhai a ymatebodd yng Nghymru yn dweud eu bod, yn y gorffennol, wedi bod â chysylltiad â llefydd o addoliad, ond ddim mwyach. Roedd bron i dri chwarter yn dweud nad oedd posibilrwydd bellach y byddent yn mynychu yn y dyfodol. Mae cenhadaeth yng Nghymru yn yr unfed ganrif ar hugain yn genhadaeth mewn cyd-destun ôl-Gristnogol, neu hyd yn oed wrth-Gristnogol, byd a ddisgrifir gan y rhai sy'n astudio cenhadaeth fel byd lle nad oes mwyach 'wledydd cred'.

Mae seciwlariaeth, materoliaeth ac ôl-foderniaeth wedi effeithio ac wedi cael mynegiant yng Nghymru. I'r eglwysi, mae dirywiad y byd Cristnogol yn llawer mwy arwyddocaol. Yr oeddent wedi tybio mai poblogaeth Gristnogol mewn enw, gyda'r angen i gael eu denu i mewn i adeiladau eglwysig oedd ganddynt. Yn eu gweinidogaeth, bwriwyd cysgod llwyr ar swyddogaeth apostol ac efengylwr gan yr un o fugail ac athro. Lle gwelwyd esiamplau o efengylu, roedd hyn yn debycach i'r hyn y mae Hirsch yn ei alw yn "ymestyn i feddiannu" neu "ymestyn allan a diddanu", ac mae hyn yn symudiad i mewn i adeiladau eglwysig a chymuned.[36] Mae'n fodel oedd yn denu ac yn tynnu allan, yn hytrach nag yn un cenhadol ac yn ymestyn allan.[37] I Hirsch, mynegwyd ffydd o fewn adeiladau eglwysig yn hytrach nag o fewn y gymuned ehangach.[38] O ganlyniad, ystyr cenhadaeth oedd

36 A. Hirsch, *The Forgotten Ways* (Grand Rapids: Brazos, 2006), 34, 60, 65, 129-130, 220, 276.
37 S. Murray, *Church After Christendom* (Milton Keynes: Paternoster, 2004), 21-22.
38 Hirsch, *Forgotten*, 238.

annog pobl i fynd i gapel, yn hytrach na chenhadaeth gan y bobl i mewn i'w cymunedau. Roedd diogelu traddodiadau oedd yn cael eu hadnabod fel pethau nodweddiadol Gymreig ac, o ganlyniad, yn bethau i'w hamddiffyn a'u diogelu yn siŵr o gynhyrchu toriad gyda'r gymdeithas oddi amgylch, gan wneud yr eglwys yn fregus iawn mewn byd oedd yn newid.

Nid yw'r eglwysi bellach yn gweithredu mewn cymdeithas sy'n derbyn y byd-olwg Cristnogol,[39] ac o ganlyniad mae'r eglwys yn y gorllewin yn dioddef o "sioc dyfodol", yn yr ystyr fod yr Eglwys yn parhau i gael trafferth mynd i'r afael â'r byd newydd, dieithr hwn. Bydd rhai sydd â dyheadau fel Newbigin oedd am "feddiannu tir uchel gwirionedd cyhoeddus", neu ddyheadau i drawsnewid y diwylliant, bellach yn gorfod gwarchod rhag unrhyw ymdrech anfwriadol i ail-sefydlu model diwylliannol gwledydd cred. Mewn cyd-destun lle mae gwledydd cred yn perthyn i'r gorffennol, mae'n anorfod fod y dulliau a'r breintiau yn perthyn i'r un gorffennol. Os nad anghofir y modelau yma, ni ragwelir y bydd y patrymau presennol o ddirywiad yn gwneud dim ond parhau.[40] Mewn byd cyn-Gristnogol, yr oedd Cristnogaeth yn newyddion newydd a ffres, ac yn cael ei gyhoeddi fel opsiwn grefyddol a chymdeithasol gwahanol. Mewn cymdeithas ôl-Gristnogol, mae'n rhwydd iawn i Gristnogaeth gael ei weld fel rhywbeth amherthnasol a hen ffasiwn, gydag ond ychydig iawn i'w gynnig. Mae'n ymddangos fel rhywbeth y bu profi arno, a'i gael yn brin, a bod y rhai sy'n edrych am atebion i gwestiynau cyfoes yn edrych am atebion newydd. Am y rhesymau hyn, bydd raid i'r sialens genhadol yng Nghymru yn yr unfed ganrif ar hugain gael ei gweld trwy wydr ôl-Gwledydd Cred. Y mae Chambers, er hynny, yn awgrymu nad yw lefelau uchel o blwraliaeth crefyddol o anghenraid yn arwain at lefelau is o fynychu eglwysi neu gred crefyddol. Mae'n gweld dirywiad crefydd sefydledig fel rhywbeth sy'n

39 T. J. Keller, *Center Church* (Grand Rapids: Zondervan, 2012), 181-182.
40 Murray, *Church After Christendom*, 24, 39-45.

creu cyfle ar gyfer parhad a thwf yr eglwysi hynny sydd â golwg genhadol yn perthyn iddynt.[41]

Yn Adran Dau, fe fyddwn yn ystyried pa mor effeithiol fu i'r chwe *Dull* o genhadaeth addasu ar gyfer y cyd-destun crefyddol newydd, ac yn Adran Tri, byddwn yn ceisio dysgu gwersi a strategaethau ar gyfer y dyfodol.

41 Chambers, *Religion*, 38.

Cyd-destun Daearyddol Cymru

"**Boundaries**

Where does the town end
And the country begin?

Where is the high-water mark
Between the grey tide and the green?

We walk an invisible margin remembering glory ..."[42]

Mae Cymreictod, ac unrhyw ystyriaeth o gyd-destun Cymreig, yn gorfod cyfeirio'n rhannol at dir, at ardal o fewn i derfynau penodol sy'n diffinio Cymru. Mae ymwybyddiaeth neu brofiad o Gymru yn anwahanadwy oddi wrth y syniad o le. Mae siâp y tir a'r tirwedd wedi effeithio ar hanes, cymdeithas, gwleidyddiaeth, economi a hunaniaeth y wlad a'r bobl.

Mae'r rhai hynny sydd wedi eu geni o fewn i derfynau Cymru, neu'r rhai sy'n ddisgynyddion i'r rheiny, fel arfer yn ystyried eu hunain fel Cymry. Mae'n golygu cael eich geni mewn gwlad, yn fwy na byw yn y wlad, a dyma yw Cymreictod. Mae hunaniaeth genedlaethol yn golygu rhyw fath o gymuned sydd â lle cymdeithasol, "lle sydd wedi gosod ffiniau gweddol glir gyda'r aelodau yn uniaethu â'i gilydd".[43]

Yn wahanol i'r Alban neu'r Iwerddon, nid yw'r ffin yng Nghymru yn gyfan gwbl yn golygu môr neu fynydd. Nid yw'r "penrhyn Cymreig" i'r gorllewin

42 R. S. Thomas, *Collected Later Poems: 1988 - 2000* (Tarset: Bloodaxe, 2004), 258.
43 A. D. Smith, *National Identity* (London: Penguin, 1991), 9.

o Loegr wedi ei ystyried yn gyfan gwbl genedlaethol, oherwydd yr oedd ei ddaearyddiaeth yn ei adael yn agored i fewnlifiad o'r dwyrain. Mae dyffrynnoedd yr afonydd Hafren, Dyfrdwy a'r Wysg sy'n llifo i'r dwyrain yn naturiol, yn ddyffrynnoedd sy'n agored i drafnidiaeth diwylliant, ynghyd â thrafnidiaeth pobl i mewn i ganol y tir a'r mynydd.

Er hynny, fe fu pellter rhannau helaeth o Gymru oddi wrth ganolfannau grym Seisnig yn gymorth i ddiogelu iaith, diwylliant a hunaniaeth wahanol. Fodd bynnag, mae'n debyg mai nodwedd ddaearyddol a adeiladwyd gan ddyn oedd yr un peth a ddiogelodd hunaniaeth benodol i'r Cymry. Adeiladodd Offa, brenin Wessex, fur o bridd a phren i amddiffyn ei hun rhag ymosodiadau o'r gorllewin yn yr wythfed ganrif.[44] Wrth wneud hynny, corlannodd amrywiaeth o lwythau o Geltiaid, gan gynorthwyo i uno gweddillion yr hen deuluoedd Brythonaidd i fod yn bobl arbennig. Oherwydd y gwahanu, datblygodd y Cymry y tu hwnt i'r clawdd eu hunaniaeth eu hunain: yr oeddent yn adnabod pwy oeddent "o'i gymharu â'r hyn nad oeddent". Mae'r gair "*Welsh*" yn dod o'r hen air Sacsonaidd, "Wealh", sy'n golygu "dieithryn", tra bo'r gair a ddefnyddiodd y bobl i ddisgrifio eu hunain, sef "Cymro", yn golygu "cymrawd, neu un sy'n sefyll ochr yn ochr mewn byddin". Mae'r geiriau gwahanol yma yn darlunio'n glir effaith seicolegol Clawdd Offa. Mae'r ffin yma, a'r tir y mae'n ei wahanu, wedi creu rhyw ddealltwriaeth o genedl oedd yn cael ei gadarnhau gan fapiau, gan y cyfrifiad a chan sefydliadau. Gyda'i gilydd, maent yn cyfrannu i adeiladu cenedl a hunaniaeth.[45]

44 Davies, *History*, 64-66, 80.
45 B. Anderson, *Imagined Communities: Reflections on the Origins and Spread of Nationalism* (London: Verso, 1991), 6.

Clytwaith y Rhanbarthau

Mae Mike Perrin yn disgrifio'r gwahanol ranbarthau yng Nghymru fel "yr einion lle mowldiwyd a ffurfiwyd y genedl Gymreig."[46] Llwyddodd y mynyddoedd yn y canol i wahanu'r gwahanol lwythau Celtaidd, ond effeithiodd hefyd ar ddiffyg cyfathrebu rhwng y rhanbarthau hyn. Arweiniodd hyn at ddiffyg undod cenedlaethol, ond yr oedd y mynyddoedd hefyd yn lle diogel i'r rhai hynny oedd yn brwydro yn filwrol i amddiffyn y tir. Fe ddywedir fod "brwdfrydedd y Saeson yn methu uwchlaw tua 600 troedfedd", ac arweiniodd hyn at oresgyniadau anghyflawn a'r galw parhaus am ymgyrchoedd newydd.

Yn gyffredinol, mae'r tywydd yn wlyb, y tir yn wael, ac ansawdd y tir yn anodd. Lle ceir tir da, mae hynny fel arfer ar yr ymylon a heb fod yn eang. Mae'r bobl wedi goroesi trwy addasu i diroedd uchel anodd ei drin. Fe ffurfiwyd yr arferion cymdeithasol oherwydd y ddaearyddiaeth, ac arweiniodd hyn at ddisgrifiad Day o'r Cymry fel "pobl ymylol yn byw mewn tir ymylol, ac yn dal gafael yn ddewr yn erbyn amgylchiadau anodd iawn – rhai naturiol a rhai dynol".[47] Nid oedd gan Gymru fawr o drefi tan y bedwaredd ganrif ar bymtheg, ac yn wir, hyd heddiw, mae Cymru yn genedl o bentrefi a threfi bychain, yn "gymuned o gymunedau".[48] Yr hyn oedd gan y tir, er hynny, oedd rhai ardaloedd toreithiog iawn, gyda'r holl adnoddau angenrheidiol i gynhyrchu glo a dur. Taniodd y rhain y Chwyldro Diwydiannol a arweiniodd at fewnlifiad anferth o rannau eraill o Ynysoedd Prydain.

Mae Balsom yn awgrymu "Model Driphlyg",[49] lle mae Cymru, o'r

---

46 M. Perrin, *From Shore to Shore* (Bridgend: Bryntirion, 2000), 17.
47 Day, *Making Sense*, 16.
48 G. Day, "Place and Belonging," yn *Understanding Contemporary Wales* (gol. H. Mackay; Cardiff: University of Wales Press, 2010), 43.
49 D. Balsom, "The Three-Wales Model," yn *The National Question Again* (gol. J.

gorllewin i'r dwyrain, yn trawsnewid o'r "Fro Gymraeg" (h.y. pobl cefn gwlad, diwylliannol, oedd yn siarad Cymraeg); i'r "Gymru ddi-Gymraeg" (h.y. yr ardaloedd oedd yn arfer bod yn ddiwydiannol lle siaradir Saesneg gan fwyaf); i'r "Gymru Brydeinig" (h.y. yr ardaloedd hynny sy'n gyfochrog neu sydd wedi eu siapio gan Seisnigrwydd /Prydeindod). Mae'r glytwaith hon o ardaloedd yn gartref i rywbeth dros dair miliwn o bobl, y rhan fwyaf ohonynt yn byw mewn pentrefi neu drefi bychain. Mae'r mynyddoedd yn parhau i wahanu cymunedau, gan wneud teithio yn hir ac yn bell. Parodd y datblygiadau economaidd fod cefn gwlad a'r ardal ddiwydiannol yn cael eu gwahanu fwyfwy, yn arbennig gan yr iaith oedd yn cael ei siarad. Mae ffactorau daearyddol wedi ffurfio diwylliant Cymru, wedi ffurfio ei chymdeithas a'r cymunedau y mae'r genhadaeth Gristnogol yn ceisio ymwneud â nhw.

Mae tirweddau gwledig a diwydiannol yn adlewyrchu dwy ddelwedd o Gymru, er, mewn cymunedau penodol, bod agweddau o un yn aml yn cael ei weld yn y llall. Mae darluniau o gymunedau gwledig, o ddefaid, mynyddoedd, a phentrefi bach tawel wedi goroesi fel darlun o Gymru, ond y tu ôl i'r darlun, mae'n yna ddiboblogi, tlodi a newid demograffedd sy'n adlewyrchu cymunedau mewn argyfwng. Ar yr un pryd, mae tri chwarter poblogaeth Cymru yn byw ar drydedd ran o'r tir, ac felly mae darluniau o'r Cymoedd diwydiannol wedi dod i'r bri. Datblygodd diwydiannau trwm ar draws y bedwaredd ganrif ar bymtheg, yn arbennig felly wrth i'r helaethu fu ar godi glo yn Sir Forgannwg dynnu'r boblogaeth o'r wlad ar raddfa na welwyd o'r blaen. Yr oedd y trawsnewid dramatig hwn yn haeddu'r hyn y mae Cordell yn ei alw yn "*Rape of the Fair Country*".

Aeth bri diwydiant Cymru heibio bellach, ac wrth i'r diwydiannau hynny oedd wedi byw a bod ar dynnu o'r tir ddirywio, bu graddfa eu lleihad bron mor gyflym â'u cynnydd. Yn yr ugeinfed ganrif, trawsnewidiwyd darluniau

---

Osmond; Llandysul: Gomer, 1985), 1-17.

o gydsefyll trefol yn ogystal â harmoni cefn gwlad, gan ddarluniau o ddirywiad, tlodi a diweithdra. Collwyd hyd at drydedd ran o swyddi yn y maes cynhyrchu rhwng 1979 a 1983, gan adael economi oedd yn byw i raddau helaeth ar wasanaethu, a hynny'n arwain at gyflogau isel iawn. Arweiniodd hyn at golli hunanhyder ymhlith y bobl, a thanseilio'r ymwybyddiaeth o gymuned. Mae Nicky Wire, aelod o'r band *Manic Street Preachers*, a dyfodd i fyny yn un o'r Cymoedd diwydiannol, yn disgrifio ei gymuned ef ei hun bellach fel un sydd â "chwerwder afiach"[50] yn ei nodweddu.

Gwladgarwch a Brogarwch

Mae'r amrywiaeth o ardaloedd a chymunedau yng Nghymru, ynghyd â'r ffordd y maent wedi eu gwahanu oddi wrth ei gilydd, wedi arwain at ymwybyddiaeth gref o, a ffyddlondeb at le. Trwy'r canrifoedd, mae teyrngarwch y Cymry wedi bod yn lleol iawn. Diffinnir yr unigolion yn ôl y lle y maent yn byw, ac yn aml, y cwestiwn cyntaf a ofynnir yw "O ble ydych chi'n dod?" sy'n arwain at gredu fod eu cartref neu eu lleoliad yn fwy pwysig na'u cyfenw. Nid yw anthem genedlaethol Cymru yn cyfeirio at frenhiniaeth Prydain Fawr, ond yn hytrach at 'wlad', y tir yma. Mae gan bobl Cymru gariad a theyrngarwch i'r tir cenedlaethol, ond yn arbennig i'r rhan yna o'r tir lle cawsant eu magu. Mae gwladgarwch yn amlwg mewn perthynas â chenhedloedd eraill neu mewn gemau rygbi, ond mae'n ddatblygiad lle gwelir fod pobl yn credu eu bod yn perthyn i gymuned genedlaethol, ond sydd wedi ei seilio ar eu teyrngarwch lleol. Yn wir, gellir dadlau fod y teyrngarwch lleol yma wedi bod yn fwy pwysig na theyrngarwch i'r genedl gyfan erioed. Defnyddir y gair "Bro" mewn ffordd sy'n adlewyrchu "lle" unigolyn, neu "ran o'r dyffryn", eu pentref,

50 C. Sullivan, "Wales," *Guardian* (15.02.2008).

eu tirwedd, eu hardal, neu ranbarth. Mae'r syniad yma yn ffurfio'r modd y mae unigolion yn gweld ac yn mynegi eu hunaniaeth genedlaethol, a hynny yn bennaf trwy berthynas gymdeithasol a phrofiadau cyffredin. Dyma sail yr "hiraeth" Cymraeg, y dyheu am gartref, sy'n cael ei fynegi yn aml gan rai sy'n byw oddi cartref.

Felly, clytwaith yw Cymru o gymunedau lleol, cymunedau economaidd sy'n golygu fod yr hyn a ellir ei ddweud am un cyd-destun daearyddol yn wir, i raddau helaeth, am y cyd-destun hwnnw'n unig. Mae'r amrywiaeth yma'n galw am frogarwch yn ein dynesiad at genhadaeth. Wrth geisio mynd i'r afael â'r amrywiaeth yma, fe welir ym Mhennod Dau pa mor llwyddiannus y bu'r *Dulliau* gwahanol mewn cenhadaeth, ac o ganlyniad, gobeithir medru cyflwyno strategaethau priodol yn Adran Tri.

Cyd-destun Ethnig Cymru

"Reservoirs[51]

There are places in Wales I don't go:
Reservoirs that are the subconscious
Of a people, troubled far down
With gravestones, chapels, villages even;
The serenity of their expression
Revolts me, it is a pose
For strangers, a watercolour's appeal
To the mass, instead of the poem's
Harsher conditions ...

Where can I go, then, from the smell
Of decay, from the putrefying of a dead
Nation? I have walked the shore
For an hour and seen the English
Scavenging among the remains
Of our culture, covering the sand
Like the tide and, with the roughness
Of the tide, elbowing our language
Into the grave that we have dug for it."

Nid yw'n bwysig, fel y cyfryw, os oes gan bobl syniad clir neu syniad dychmygol o'u cefndir ethnig; mae eu dealltwriaeth ohono yn siŵr o effeithio arnynt ac unrhyw genhadaeth i mewn i'w cyd-destun. Mae'r term 'ethnig' yn dod o'r gair Groeg am 'genedl', ἐθνη, a mabwysiadwyd hyn gan gymdeithasegwyr yn ei ffurf Ffrengig, *ethnie,* er mwyn cyfleu ymwybyddiaeth o berthynas, o rannu diwylliant ac o gydsefyll. Mae'n ymwneud â'r synnwyr o "ni" mewn gwrthgyferbyniad â "nhw", ac fel arfer fe'i mynegir mewn enw, mewn tir, mewn diwylliant neu mewn mythau ac atgofion o wreiddiau a hanes. Mae syniadau gwahanol am ethnigrwydd wedi eu mynegi mewn ffyrdd gwahanol, ond maent yn tueddu i bwysleisio'r ddau brif gategori. Mae'r dehongliad "cyntefig" o'r gair yn ceisio olrhain hanes llythrennol pobl o gyfnod cyn-hanesyddol, tra bod dehongliad "lluniad cymdeithasol" yn edrych ar yr hyn y mae pobl yn ei dybio am ethnigrwydd.

51 Thomas, *Poems 1945-1990*, 194.

Cefndir Celtaidd Cymru

Yr oedd myth a hanes cynnar yn honni fod y Cymry yn perthyn i'r bobl Geltaidd neu Frythonig a darddodd o ganolbarth Ewrop, a hyd yn oed mor bell â de Hindustan. Yr oedd yr Henadur Cato, 234-149CC, yn nodi fod y Celtiaid yn ymhyfrydu, yn fwy na dim arall, mewn ymladd yn dda a siarad yn dda. Mae Gerallt Gymro, yn y ddeuddegfed ganrif, yn cyfeirio at bobl Cymru fel rhai arbennig gyda golwg ar eu gallu i frwydro, eu hymlyniad i deulu, eu lletygarwch, cydraddoliaeth, a'u cariad at ganu. Mae'r nodweddion unigryw yma sy'n perthyn i bobl Cymru, gan gynnwys y "tân Celtaidd", yn bethau a honnir sydd wedi deillio o'u cyndadau.

I raddau helaeth iawn, mae'r olwg yma ar hunaniaeth y Cymry wedi ei seilio ar gofnodion yr hanesydd Gildas o'r chweched ganrif. Mae Gildas yn ei dro yn honni fod y llwythau Celtaidd, ar un adeg, yn meddiannu pob rhan o dir Prydain, a hynny trwy gydol cyfnod y Rhufeiniaid nes i'r Eingl-Sacsoniaid symud i mewn o ogledd Ewrop i Loegr. Yn ôl ei ddisgrifiad ef, bu'r fath fewnlifiad o ogledd Ewrop fel bod y Celtiaid wedi eu gwthio i'r gorllewin a'r gogledd, gan golli eu tir ac eithrio'r "ymylon Celtaidd" ar Ynysoedd Prydain, yn benodol Iwerddon, Cernyw, Cymru, Yr Alban, a gogledd Lloegr. Mae'r Cymry yn parhau i ddefnyddio'r ymadrodd *Saeson* wrth gyfeirio at bobl Lloegr [h.y. yr un gair â Sacson] hyd heddiw. Fel y nodais ynghynt, un o ganlyniadau adeiladu Clawdd Offa oedd cau'r llwythau yma i mewn, a chyda iaith a diwylliant gwahanol, diogelwyd ethnigrwydd gwahanol hyd nes y bu'r mewnlifiad yn ystod y canrifoedd diwethaf. Mae'r olwg yma ar hanes yn mynnu gwahaniaeth sylfaenol o ran hil rhwng y Cymry a'u cymdogion. Cadarnheir hyn gan iaith benodol a diwylliant, ac ar yr un pryd, cyfiawnhaodd hefyd ymwybyddiaeth o gam gyda golwg ar y "tiroedd coll" i'r dwyrain, ynghyd â'u deall eu bod mewn peryg o ymosodiadau ar eu rhyddid, eu diwylliant, eu llwyddiant, a hyd yn oed ar eu parhad. Yr oedd yr *ethnie* Cymreig felly yn cael ei ddeall fel pobl oedd wedi eu hecsbloetio ar hyd y canrifoedd ers cyfnod eu hynafiaid.

Mae'n wir fod golwg felly ar hanes wedi dal ei dir tan y 1960au pryd y cwestiynwyd nifer o'r cysyniadau oedd yn perthyn i'r ddealltwriaeth yma. O ganlyniad, daethpwyd i'r casgliad fod maint mewnlifiad yr Eingl-Sacsoniaid i Brydain ar raddfa lawer iawn llai, rhywbeth yn debycach i goncwest y Normaniaid yn yr unfed ganrif ar ddeg. Yn ôl y ddealltwriaeth yma, bu i ddosbarth gorthrymol feddiannu grym yn raddol, a dwyn rhywfaint o'r iaith a'r diwylliant, ond i raddau helaeth iawn yn integreiddio gyda'r bobl oedd eisoes yn byw yn y rhan a adnabyddir bellach fel Lloegr. Mae'r olwg yma yn awgrymu fod y Cymry yn dod o'r un cyff â'u cymdogion, ac o ganlyniad, ceisiwyd meithrin ymwybyddiaeth o'r Prydeindod sy'n gyffredin i ni. Roedd y Cymry yn Gymry oherwydd eu bod wedi "dyfeisio eu hunain" i ddefnyddio ymadrodd plaen Williams.[52] Medrent ddewis i fod yn Gymry, yn Saeson, neu i fod yn Brydeinwyr, ac fe fyddai eu hymwybyddiaeth a'u diwylliant yn cael ei ffurfio yn ôl y dewis hwnnw.

Roedd yr agwedd yma yn boblogaidd iawn yn wleidyddol o safbwynt Prydeinig, gan ei fod i raddau helaeth yn ceisio dileu'r syniad o ethnigrwydd Cymreig. Eto, mae'r farn hon wedi ei chwestiynu yn sylfaenol. Er enghraifft, nid yw'r farn yn medru esbonio pam nad oes braidd ddim geiriau o'r Gymraeg neu'r Frythoneg yn yr iaith Saesneg, neu absenoldeb pentrefi Brythonaidd, a chreiriau o gyfnod y goncwest ymlaen. Ond mae'n debyg mai'r prif beth sy'n tanseilio'r ddadl yw'r hyn ddigwyddodd yn ystod ymchwil diweddar mewn geneteg. Gellir gweld fod arwyddion ar y cromosom gwrywaidd 'Y' yn cael eu hetifeddu trwy bob cenhedlaeth wrywaidd heb eu newid, ac o ganlyniad yn medru dangos o ble mae pobl arbennig yn deillio o ran rhanbarth. Yn dilyn ymchwil gan Thomas ac eraill, gwelir gwahaniaeth clir yn enynnol rhwng poblogaeth

---

52 Williams, *When was Wales*, 2.

sefydlog Lloegr a Chymru, gyda newid graddol ar hyd y ffin gyda Lloegr.[53] Mae'r Cymry, yn ôl Weale, yn perthyn yn agosach i bobl Gwlad y Basg yng ngogledd Sbaen nag i'w cymdogion o Loegr.[54] Mae hyn yn awgrymu mewnlifiad cynoesol o bobl oedd yn arfer byw yng ngorllewin Ewrop, yn hytrach nag uniad gyda phobl o'r dwyrain. Ers y mudo Celtaidd yma, mae mwy o bobl wedi symud i mewn a symud allan yn peri fod y darlun yn llawer mwy amwys, ac yn hynny yn gwneud y gwahaniaeth geneteg yn anodd ei ddeall.

Effeithiau Mewnfudo ac Allfudo

Yn dilyn concro tiroedd isel Cymru gan y Normaniaid ac Edward y 1af, ac yna'r meddiannu a fu yn ystod cyfnod Harri'r 8fed, agorwyd y ffordd i fewnlifiad gan rai nad oeddent yn Gymry i'r rhannau mwy proffidiol yng Nghymru. Wedi dyfodiad y Rhufeiniaid, ac yna'r ffaith i nifer o arglwyddiaethau Normanaidd gael eu sefydlu yn y de ac ar hyd y ffin, ynghyd â mewnlifiad pobl Ffleminaidd yn ne Penfro, a sefydlu cymunedau Seisnig o amgylch cestyll Edward, cyflwynwyd amrywiaeth eang o bobloedd i mewn i Gymru. Golyga hyn fod tiroedd cynhyrchiol yn y de, a'r trefi cyntaf yng Nghymru, yn Saesneg o ran cymeriad ac iaith, a dyma lle'r oedd canolbwynt grym a deddfwriaeth. Yr oedd y Cymry yn cael eu hadnabod fel "dieithriaid" mewn trefi o'r fath. Arweiniodd hyn at ardaloedd o deyrngarwch Cymreig gyda golwg ar iaith a diwylliant, a chanrifoedd o frwydr yn erbyn yr "arall", nid yn unig y rhai oedd yr ochr draw i'r ffin, ond bellach hefyd y rhai oedd oddi fewn iddo.

---

53 C. Capelli et al., "A Y Chromosome Census of the British Isles," *CURR BIOL* 13 (11 2003): 979, 983. Ar y we: http://www.freewebs.com/flanneryclandna/PDFPAPERS/YCAPELLI2003.pdf; Weale et al., "Y Chromosome Evidence," 1018.

54 Weale et al., "Y Chromosome Evidence," 1009.

Wrth i'r chwyldro diwydiannol gychwyn yn y ddeunawfed ganrif a'r bedwaredd ganrif ar bymtheg, tynnwyd y gweithwyr angenrheidiol yn wreiddiol o'r ardaloedd gwledig, lle'r oedd safonau byw ac incwm hyd yn oed yn is na'r hyn a welwyd ym mryntni y trefi oedd yn tyfu o amgylch y pyllau glo a'r chwareli. Erbyn ail hanner y bedwaredd ganrif ar bymtheg, roedd gweithwyr yn cael eu tynnu i mewn i Gymru, gan fwyaf o Loegr ac Iwerddon. Tyfodd y boblogaeth o tua hanner miliwn ar ddechrau'r bedwaredd ganrif ar bymtheg i ddwy filiwn a hanner yn 1911. Erbyn 1891, roedd un o bob saith o bobl Cymru yn bobl oedd wedi symud yma o Loegr, 121,653 yn Sir Forgannwg yn unig. Erbyn cyfrifiad 2011, roedd 27% o boblogaeth Cymru wedi eu geni yn rhywle arall, ond roedd y symudiad yma i ardaloedd gwledig yn hytrach nag i ardaloedd diwydiannol. Yn yr ardaloedd gwledig hyn, roedd y canrannau yn fwy o ran y bobl oedd wedi dod o du hwnt i Glawdd Offa: Sir Fôn 29%, Gwynedd 33%, Sir Ddinbych 36%, Ceredigion 37%, Conwy 40%, a Phowys 45%. Mae mewnlifiad, yn arbennig felly i ardaloedd gwledig, yn cael ei weld gan y boblogaeth wreiddiol fel ymosodiad sydd yn peryglu eu diwylliant, eu hiaith, a'u sefydlogrwydd. Felly, ceisiodd y boblogaeth leol adeiladu muriau cymdeithasol yn erbyn syniadau o "gyfoeth, balchder ac ansensitifrwydd Seisnig".[55] Yr oedd pobl o ganolfannau trefol Lloegr yn edrych am le gwell i fagu eu teuluoedd ac yn "trawsnewid ardaloedd gwledig i mewn i gymunedau dosbarth canol". Mae rhai wedi cyfeirio at y symudiad yma fel "encilio i gefn gwlad",[56] neu yn achos yr henoed, fel "mewnlifiad geriatrig", gydag arfordir y gogledd yn cael ei adnabod yn arbennig fel "*Costa Geriatrica*". O ganlyniad, cododd prisiau tai ymhell y tu hwnt i'r hyn oedd yn fforddiadwy i deuluoedd lleol. Ychwanegwyd at y pwysau wrth i bobl brynu eiddo fel tai haf, ac arweiniodd hyn at ymgyrch losgi yn niwedd y 1970au.[57] O ganlyniad i hyn,

---

55 Day, *Making Sense*, 179.
56 Carter, *Against the Odds*, 76.77.
57 Carter, *Against the Odds*, 86.

ynghyd â gofidiau eraill, tyfodd cenedlaetholdeb yng Nghymru.

Effeithiwyd ar y sefyllfa hefyd gan bobl yn symud i Loegr. Yn 2011, yr oedd 506,619 o bobl oedd wedi eu geni yng Nghymru, yn byw yn Lloegr. Yn ystod y dirwasgiad rhwng y ddau ryfel byd, Cymru oedd yr unig ran o'r Deyrnas Unedig lle gwelwyd gostyngiad yn y boblogaeth. Mae yna fedd yn Nhrealaw sy'n darllen, "heb farw ond wedi mynd i Slough". Mae Day yn siarad am gomedi trasig lle mae "llawer o'r rhai sydd wedi eu magu yma yn awyddus i ddianc, a nifer o'r rhai na fagwyd yma yn awyddus i ddod i mewn".[58] Arweiniodd hyn at wrthdaro ethnig a drwgdybiaeth o'r rhai oedd yn rhan o'r mewnlifiad.

Ethnigrwydd a Hunaniaeth Gymreig

Os mai'r cwestiwn cyntaf a ofynnir wrth gyfarfod â phobl o Gymru yw o ble y maent yn hanu, yr ail gwestiwn yw i bwy y maent yn perthyn, gan fod coeden deuluol pobl yn ennyn cryn ddiddordeb. Mae hyn yn deillio'n rhannol o gyfreithiau Hywel Dda, brenin y Deheubarth yn y ddegfed ganrif yn ne-orllewin Cymru, a fynnai fod teuluoedd yn adnabod eu llinach am naw cenhedlaeth, a hynny er mwyn diogelu iawndal mewn achos megis llofruddiaeth. Roedd llinach y Cymro, felly, yn profi ei berthynas â llwyth arbennig, ac roedd hyn yn ei dro yn cael ei annog gan gysylltiad tybiedig i deulu ehangach o bobl Geltaidd.

Gwnaeth hyn felly yr *ethnie* yn ganolog i hunaniaeth bersonol, teuluol a chenedlaethol, ac mae wedi ei ddefnyddio i bwrpas diwylliannol a gwleidyddol. Cyn Cyfrifiad 2001, roedd y ffrae ynglŷn â bocs oedd yn nodi'r hawl i unigolion gyfeirio atynt eu hunain fel "Cymry" yn arddangos dyhead ymhlith llawer i fynegi eu hynodrwydd. Yr oedd Cyfrifiad 2011

58 Day, *Making Sense*, 183.

yn rhoi lle i bawb i nodi eu hunaniaeth, ac roedd mwy nag un opsiwn i'w ddewis. Ar gyfer Cymru drwyddo draw, yr oedd. 57.5% yn disgrifio eu hunain fel "Cymry" yn unig, 7.1% fel "Cymry" a "Phrydeiniwr", 16.9% fel "Prydeiniwr" yn unig, 11.2% fel "Saeson" yn unig, ac 1.5% fel "Saeson" a "Phrydeinig". Er hynny, gwelwyd amrywiaethau eang yn rhanbarthol ac mae'r gwahaniaethau hyn yn adlewyrchu ffactorau gwahanol:

- Ym Mhowys, gwelir effaith y mewnlifiad o dros y ffin gyda 44.7% yn nodi eu bod wedi eu geni yn Lloegr. Fe welir hefyd gryfder Prydeindod, gan i 28.8% o'r boblogaeth ddisgrifio eu hunain fel Prydeinwyr mewn rhyw ffordd, tra bod llai na hanner y boblogaeth yn disgrifio eu hunain fel Cymry.

- Yn Sir Fôn, sy'n ardal a gysylltir yn gyffredinol gyda chryfder yr iaith Gymraeg gyda 57.2% yn siarad yr iaith, fe welir effaith y mewnlifiad i'r trefi twristaidd yn glir, gyda 28.8% o'r boblogaeth yn y trefi hyn wedi eu geni yn Lloegr. Mae yna ddwy gymuned benodol yn bodoli. Mae'r canran sy'n siarad Cymraeg yn gyfartal â'r rhai sy'n adnabod eu hunaniaeth fel Cymry, tra bod Saesneg a Phrydeinig yn cael ei nodi fel hunaniaeth y 30% o'r boblogaeth a aned tu allan i Gymru.

- Yn Sir Rhondda Cynon Taf, un o'r Cymoedd ôl-ddiwydiannol yn ne Cymru, mae'r ymwybyddiaeth o hunaniaeth Gymreig yn uwch nag unrhyw ranbarth gyda 73.3% o'r boblogaeth yn nodi hynny, er mai dim ond 12% sy'n honni eu bod yn medru siarad Cymraeg. Mae'r ddealltwriaeth yma o Gymreictod wedi ei sefydlu ar leoliad, nid iaith, ac mae absenoldeb mewnlifiad o Loegr yn amlwg.

Nid yw mesuriadau fel hyn o hunaniaeth o reidrwydd yn cefnogi syniadau cyntefig neu luniadol ethnig wrth ystyried hunaniaeth yr unigolyn, ond maent yn dangos graddau o "yr arall" mewn perthynas â'u cymdogion Seisnig. Mae'r ymchwil genynnol a wnaed gan Thomas, Weale ayb, yn arddangos elfen o ethnigrwydd cyntefig, yn arbennig gyda golwg ar un ardal yng nghanol Sir Fôn, lle'r oedd y boblogaeth wreiddiol yn siarad Cymraeg a heb eu heffeithio gan y mewnlifiad. Mewn ardaloedd eraill megis Merthyr, mae'n amlwg fod yr ethnigrwydd yn rhywbeth lluniadol, a hynny ar waethaf y mewnlifiad anferth yn ystod y cyfnod diwydiannol. I raddau, gellir gweld hwn fel hunaniaeth oedd yn cael ei ddychmygu neu ei adnabod yn bersonol, ond yn parhau'n gryf. Mae bod ymhlith y Cymry, mewn gwrthwyneb i fod o Loegr neu yn Brydeinig, yn ffurfio nodwedd arbennig o hunaniaeth a chyd-destun.

Ychydig iawn fydd y graddau y mae ethnigrwydd Cymreig fel rhan o hunaniaeth Gymreig wedi ei sylfaenu ar hanes neu ddychymyg, yn ei olygu o ran ystyried unrhyw ymateb cenhadol i'r sefyllfa. Beth bynnag yw'r Cymry, mae unrhyw honiad o ethnigrwydd gan unigolyn neu gymuned yn ddylanwadol. Mae'r graddau y mae poblogaeth leol yn gweld ei hunan fel grŵp ethnig ar wahân yn gorfod cael ei ystyried wrth geisio cenhadu'n effeithiol. Mae'r modd y bu i'r *Dulliau* gwahanol ymateb i'r realiti yma, a'r modd y bu iddynt ddarganfod atebion Cymreig, patrymau Cymreig, hyd yn oed arweinwyr Cymreig, i'w weld ym Mhennod Dau, ac fe fyddwn yn ystyried modelau priodol yn Adran Tri.

Cyd-destun Ieithyddol a Diwylliannol Cymru

"The Old Language
England, what have you done to make the speech
My fathers used a stranger at my lips,
An offence to the ear, a shackle on the tongue
That would fit new thoughts to an abiding tune?
Answer me now. ... When spring wakens the hearts
Of the young children to sing, what song shall be theirs?"[59]

Un o ganlyniadau adeiladu Clawdd Offa oedd diffinio rhanbarth ddaearyddol ac i roi ffin i'r boblogaeth Geltaidd oedd yn bodoli, i raddau helaeth, y tu hwnt i'r ffin hon. Beth bynnag, y gwahaniaeth mwyaf arwyddocaol a welwyd gan y ffin oedd yr iaith. Yr oedd yr iaith Frythoneg oedd wedi bod mewn bri yng ngogledd a gorllewin Lloegr wedi datblygu i'r Gymraeg o amgylch yr wythfed ganrif, ac roedd y rhai oedd yn siarad yr iaith hon wedi eu lleoli bron yn ddieithriad o fewn y tir a ddaeth i'w adnabod fel Cymru. Roedd yr ardaloedd eraill, gydag ieithoedd Brythoneg oedd yn debyg i Gymraeg (Cernyw, de'r Alban, a gogledd Lloegr), wedi ildio yn raddol i'r iaith Saesneg ac i ffurfiau rhanbarthol o Seisnigrwydd.

Mae'r ffaith fod gan Gymru iaith arbennig, gyda phoblogaeth oedd i raddau helaeth iawn yn uniaith, wedi arwain at ddealltwriaeth arbennig o'r syniad o "arwahanrwydd" mewn perthynas â Lloegr. Dyma oedd bathodyn amlycaf hunaniaeth Gymreig, gan wahanu Cymru oddi wrth ei chymdogion. Oherwydd hyn, daeth yr iaith yn arwyddocaol gyda golwg ar gyd-destun a dealltwriaeth y Cymry o'r hyn ag yr oeddent am fil o

59 A. Thwaite, ed., *R. S. Thomas* (London: Everyman, 1996), 18.

flynyddoedd cyn yr ugeinfed ganrif. Effaith arall oedd gosod y Cymry ar wahân yn gymdeithasegol, yn ddiwylliannol ac yn wleidyddol, hyd nes i fasnach, mewnlifiad ac ymosodiadau arwain at ardaloedd oedd yn siarad Saesneg ac o dan ddylanwad Lloegr. Mae parhad hanesyddol yr iaith Gymraeg yn ei gwneud yn un o'r ieithoedd hynaf a siaredir yn Ewrop.[60]

Yn Neddfau Uno 1536 a 1543, cyhoeddwyd fod Cymru yn rhan o Loegr, a gwnaed y bobl yn ddarostyngedig i'r Goron Saesneg. Bwriad yr Undeb oedd gorfodi unffurfiaeth oddi fewn i'r deyrnas ac roedd i gynnwys chwalu'r iaith. Gwaharddwyd siaradwyr Cymraeg rhag llenwi swyddi cyhoeddus ac roedd pob gweithgarwch cyfreithiol a gweinyddol yn cael ei wneud trwy'r Saesneg yn unig. Dilynwyd hyn gan ddyhead yn Lloegr i "sicrhau fod yr iaith Brydeinig yn cael ei difa, a'i gyrru allan o Gymru gan y Saesneg".[61] Yn ôl *Brad y Llyfrau Gleision* yn 1847, sef adroddiad gan y Llywodraeth i addysg yng Nghymru, honnwyd fod ysgolion y wlad yn annigonol, a hynny, yn bennaf, oherwydd dylanwad parhad yr iaith Gymraeg a'r ysgolion Sul. Arweiniodd hyn at gynddaredd yn y wlad, ond gadawyd yr argraff fod y Cymry'n anwybodus ac na fyddai gwelliant heb i bobl fabwysiadu'r Saesneg. Yn gynyddol, gwelwyd Cymry yn siarad Saesneg gyda'u plant er mwyn eu cynorthwyo i "symud ymlaen" yn y byd. Gwaharddwyd y Gymraeg o'r ysgolion ac roedd y rhai oedd yn cael eu dal yn siarad yr iaith yn gorfod gwisgo'r "*Welsh Not*", gyda'r person oedd yn ei wisgo ar ddiwedd y diwrnod ysgol yn cael ei gosbi. Ysgrifennodd Matthew Arnold yn y *Times* ar 8fed Medi, 1866,

"Yr iaith Gymraeg yw melltith Cymru. Mae'r ffaith ei fod yn cael ei siarad cymaint, ac anwybodaeth am y Saesneg wedi, a hyd yn oed yn awr, yn cau allan y Cymry o wareiddiad eu cymdogion... Gorau po gyntaf y

---

60 Day, *Making Sense*, 22; Jones, *Desire*, 73, 90.
61 M. Parker, *Neighbours from Hell? English Attitudes to the Welsh* (Talybont: Lolfa, 2007), 50.

bydd pob arbenigedd Gymraeg yn diflannu o wyneb y ddaear".[62]

Mae'r atgof am y digwyddiadau hyn yn y cymunedau Cymraeg wedi gadael chwerwder sydd wedi para hyd heddiw. Roedd yr ymosodiadau ar yr iaith wedi dylanwadu'n gryf ar y Cymry yn arbennig trwy danseilio eu hyder yn siarad yr iaith, a hefyd creu'r syniad eu bod o dan ymosodiad parhaus. Mae Dr Dilys Davies, uwch seicolegydd sy'n cynghori Llywodraeth y Cynulliad, yn esbonio effeithiau seicolegol y dylanwad Seisnig yma ar ddiwylliant a hunaniaeth genedlaethol y Cymry, ac mae'n galw am ymateb arbennig o du'r gwasanaethau iechyd er mwyn ymateb iddo.[63]

Dirywiad yr Iaith

Ar waethaf gwrthwynebiad y Saeson i'r iaith a mewnlifiad o siaradwyr Saesneg, gwelwyd yn y bedwaredd ganrif ar bymtheg gynnydd parhaol yn y nifer oedd yn siarad Cymraeg. Cyrhaeddodd benllanw o 977,366 yn siarad yr iaith yn 1911, sef tua hanner y boblogaeth. Ond rhwng 1911 a 1971, mae pob cyfrifiad wedi dangos dirywiad ymhob grŵp oedran. Mae'r rhesymau dros y dirywiad yn gymhleth, er bod y mewnlifiad, dyheadau'r rhieni a'r manteision ymddangosiadol o siarad Saesneg, ynghyd â dylanwad economaidd a chymdeithasol y Llywodraeth Brydeinig, yn ffactorau cryf. Ar gychwyn yr ugeinfed ganrif, yr oedd yr ardaloedd hynny lle y siaradwyd Cymraeg wedi lleihau. Gellid sôn am dri choridor oedd yn rhedeg o'r gogledd i'r de: y rhan ddwyreiniol braidd yn gyfan gwbl Saesneg, a'r rhan orllewinol i raddau helaeth yn Gymraeg. Erbyn diwedd y ganrif, roedd hyn wedi chwalu ymhellach i glytwaith o ardaloedd bychain oedd yn siarad yr

62 Carter, *Against the Odds*, 61.
63 D. Davies, *Speaking the Invisible* (Felinfach: All Wales Network Committee for Arts Therapies Professions, 2002), Ar y we: http://www.wales.nhs.uk/sites3/documents/415/Speaking-the-Invisible.pdf. 37-42.

iaith. Roedd ardaloedd y Fro Gymraeg lle cynhelid bywyd y gymdeithas drwy gyfrwng y Gymraeg, yn lleihau ar garlam. Erbyn cyfrifiad 2011, roedd y Gymraeg wedi dod yn iaith y lleiafrif ymhob rhan ac eithrio Môn a Gwynedd.

I'r cenedlaetholwyr, mae parhad yr iaith, a'r diwylliant y mae'n ei fagu, yn hanfodol i ddyfodol Cymru fel endid, ac "os yw'r iaith yn diflannu, mi fydd Cymru i raddau helaeth yn peidio â bod".[64] Yn narlith enwog *Tynged yr Iaith* yn 1962, bu i un o sylfaenwyr Plaid Cymru, Saunders Lewis, ddadlau fod amddiffyn a diogelu ein diwylliant yn fwy pwysig na sicrhau hunaniaeth wleidyddol, oherwydd bod yr hunaniaeth yna'n dibynnu ar y diwylliant.[65] Galwad Saunders Lewis am weithredu uniongyrchol i ddiogelu'r iaith a'i diwylliant arweiniodd at sefydlu *Cymdeithas yr Iaith Gymraeg*. Dyma gymdeithas sydd, trwy ei gweithredu uniongyrchol, wedi gwneud llawer i ddylanwadu ar bolisi Cymraeg y Cynulliad Cenedlaethol. Mae Llewelyn yn sôn am Gymreictod yn marw gyda'r iaith wrth i filoedd o bobl o Loegr symud i mewn i ardaloedd Cymraeg: "bob tro y mae tŷ yn *Y Fro Gymraeg* yn mynd i estron, yr ydym yn marw; bob tro y mae Cymru ifanc yn gadael *Y Fro Gymraeg* yr ydym yn marw...mae'n gwlad, Cymru, yn peidio â bod".[66] Yr oedd mater yr iaith wedi arwain at agwedd "amddiffynnol" iawn, a hyd yn oed rhai galwadau am "lanhad ethnig" lle'r oedd cartrefi Cymru i'w dychwelyd i siaradwyr Cymraeg.[67] Nid dyma'r lle i drafod cryfder na gwendid y math yma o ddadl, ond mae'n ffaith fod hyn yn cael ei ystyried yn y cefndir yn mynnu ein bod ninnau yn ei ystyried wrth ymateb i'r cyd-destun Cymraeg.

---

64 Day, *Making Sense*, 23.
65 S. Lewis, "Tynged yr Iaith," Ar y we: http://quixoticquisling.com/testun/saunders-lewis-fate-of-the-language.html .
66 Dyfynwyd yn Day, *Making Sense*, 213.
67 Day, *Making Sense*, 214.

Mae yna arafu, er hynny, wedi bod ar y tueddiadau hyn oherwydd y twf mewn dysgu trwy'r iaith Gymraeg, yn enwedig gan y plant o gartrefi Saesneg sy'n mynychu'r ysgolion hyn. Gellir rhagweld cynnydd yn nifer y siaradwyr, a hynny'n amodol ar fod y rhai sy'n gadael yr ysgolion Cymraeg yn parhau i siarad Cymraeg fel oedolion. Os dyma fydd yn digwydd, bydd y nifer sy'n siarad Cymraeg ymhob grŵp oedran yn cynyddu i'r un canran â'r rhai sy'n siarad Cymraeg yn ystod oed ysgol. Mae'r tueddiad yma'n cael ei gefnogi gan y statws gyfartal sydd bellach yn eiddo i'r Gymraeg, ynghyd â'i statws gyfreithiol mewn cymdeithas ddwyieithog, ac mae hyn wedi normaleiddio'r defnydd o'r iaith fel ffordd o gyfathrebu. Mae'r dylanwad hefyd wedi cynyddu oherwydd brwdfrydedd y cyfryngau Cymraeg. Er bod yr iaith yn fregus, nid yw mwyach yn anochel y bydd yn dirywio. O ran y cyd-destun cenhadol, mae'n debyg y bydd y modd mae Cymru yn edrych yn ieithyddol yn newid yn ystod hanner cyntaf yr ugeinfed ganrif ar hugain.

Y Traddodiad Diwylliannol Cymreig a'r Iaith

Mae iaith yn fwy na modd o gyfathrebu; mae hefyd yn fodd i hyrwyddo diwylliant. Dyma'r hyn sy'n ffurfio perthynas gymdeithasol a gwerthoedd y gymdeithas sy'n siarad yr iaith honno.[68] Oherwydd hyn, mae iaith a diwylliant pobl yn anwahanadwy. Mae lle canu, a chanu corawl, pethau a nodwyd gan Gerallt Gymro, yn parhau i roi mynegiant poblogaidd i'r traddodiad barddonol hwn. Wrth esbonio'r cynnydd yn y grwpiau sy'n canu yn y Gymraeg, mae Nicky Wire, aelod o'r *Manic Street Preachers*, yn honni, "Ond un peth am ein rhan ni o dde Cymru yw bod pawb yn medru canu. Dyma ein hunaniaeth genedlaethol... mae'r pwyslais ar ganu bron â bod yn rhan o bwy ydym." Mae'r traddodiad barddonol a chorawl wedi

68 Carter, *Against the Odds*, 17.

mwynhau cyfnod o ddeffroad yn ystod y bedwaredd ganrif ar bymtheg trwy ail greu yr *eisteddfod* oedd yn cael ei chynnal yn lleol, yn rhanbarthol ac yn genedlaethol.[69] Daeth y rhain yn eu tro yn "arddangosfa o Gymreictod", a thrwy'r cystadlaethau, gellid eu cymharu i "gemau Olympaidd meddyliol un genedl".[70]

Mae'r tueddiadau sydd wedi cryfhau'r Gymraeg fel iaith drefol hefyd i'w gweld yn gynyddol. Mae ffilmiau yn y Gymraeg, teledu, theatr, hyd yn oed sylwebaeth rygbi wedi ail-ddiffinio'r hen ddarlun a rhoi dyfodol newydd i'r iaith. Mae'r "*Cŵl Cymru*" yn cynrychioli diwylliant Cymreig newydd: seciwlar, soffistigedig, ôl-Gristnogol, a phroffesiynol. Mewn cymdeithas ddwyieithog, fe ddarganfu pobl broffesiynol oedd yn medru siarad yr iaith gyfleoedd anghyffredin a llwyddiant sydd wedi arwain at eiddigedd a chwerwedd ymhlith rhai sydd heb fod yn medru siarad yr iaith.

Yr Iaith fel Nodwedd sy'n creu Gwahaniaeth

I lawer oedd yn byw yng Nghymru, yr oedd eu dealltwriaeth o hunaniaeth yn fater diwylliannol oedd wedi ei ffurfio gan eu hiaith, eu crefydd, eu harferion a'u darluniau. Iddynt hwy, "nid rygbi, corau a bara lawr sy'n diogelu" hunaniaeth Gymreig. Ond, wrth i'r nifer o siaradwyr Cymraeg ddirywio, fe ddechreuwyd herio a gwrthod rôl yr iaith yn ffurfio hunaniaeth. Wrth i gymunedau ddod braidd yn gyfan gwbl i siarad Saesneg, daeth yr iaith yn achos rhaniadau, gan arwain at ymwybyddiaeth ymhlith y di-Gymraeg o ran iaith eu bod yn ddinasyddion eilradd yn eu gwlad eu hunain, a hyd yn oed heb fod yn Gymry o gwbl. Yn y Cymoedd ôl-ddiwydiannol yn y de, ymatebodd y boblogaeth trwy wrthwynebu'r iaith

69 R. T. Jones, *The Desire of Nations* (Llandybie: Christopher Davies, 1974), 153; Day, *Making Sense*, 21.
70 E. Humphreys, *The Taliesin Tradition* (Bridgend: Seren, 1989), 128, 132, 142.

a'r symudiad cenedlaetholgar. Roedd yna deimlad eu bod yn cael eu cau allan o ddiwylliant gwledig gogledd a gorllewin Cymru a'r *Eisteddfod*, ac er eu bod, efallai, yn gofidio am eu methiant i siarad yr iaith, fe gododd y cyfan wahanfur oddi fewn i ddiwylliant, hunaniaeth a'r gymdeithas Gymreig. Roedd y rhai oedd yn siarad Cymraeg a gobeithion gwell ganddynt am swyddi oherwydd eu dwyieithrwydd, yn cael eu hamau o ffurf ar elitiaeth diwylliannol. Yn wir, yn rhai o'r cyfryngau cyfrwng Saesneg, ac ymhlith llawer o'r boblogaeth a oedd wedi ei Seisnigo, roedd gwrthwynebiad i ffurflenni gael eu cyhoeddi'n ddwyieithog gan y Llywodraeth. Mae un yn cyfeirio at *Gymdeithas yr Iaith Gymraeg* fel "Y Taliban Cymraeg".[71] Mewn erthygl yn y *Western Mail* yn Chwefror 1968, honnwyd fod angen i Gymru fod yn fan lle y siaredid yr iaith Saesneg, a phwysleisiwyd nad oedd hunaniaeth yn ddibynnol o gwbl ar iaith. Yr oedd yr iaith, felly, wedi dod yn symbol o raniad yn hytrach na hunaniaeth genedlaethol, yn her i ddidwylledd Cymreictod y di-Gymraeg yn hytrach nag yn symbol ohono. Yn Arolwg 2001 o'r Gweithlu, cymoedd de Cymru oedd yn adnabod eu hunain gyda'r lefel uchaf o hunaniaeth Gymreig, a hyn wedi ei sylfaenu ar leoliad eu geni a'u hymrwymiad i rygbi, yn hytrach nag iaith a diwylliant traddodiadol.[72] Mae'r ffurf yma o Gymreictod wedi ei fynegi mewn acenion, mewn baneri, mewn anthemau, ac yng nghynhesrwydd cymdeithasol "Gavin a Stacey". Mae Cymreictod o'r persbectif hwn yn cael ei ddisgrifio fel "agwedd meddwl – weithiau'n seicopathig, yn aml yn hael, fel arfer yn gyfeillgar a phob amser yn frwd". Dyma'r darluniau a welodd Anderson fel cynhwysion "cymuned wedi ei dychmygu", cymuned sydd wedi ei chreu gan bobl, ac yn cael ei mynegi gan gân Catatonia, *"Every day when I wake up, I thank the Lord I'm Welsh"*, neu'r undod sy'n cael ei greu gan fuddugoliaeth Cymru ar y maes chwarae.

71 R. Lewis, "The Tyranny of the Welsh Taliban," Daily Mail. 15.01.13.
72 Carter, *Against the Odds*, 106.

Mae eiconau a darluniau diwylliant, boed hynny yn iaith, chwaraeon, cerddoriaeth neu lenyddiaeth, i'w gweld i raddau gwahanol yn y mynegiadau rhanbarthol o Gymreictod. Mewn sawl ffordd, bydd y cyd-destun lleol, ynghyd â'r diwylliant, yn cael ei ddiffinio gan yr eiconau hyn.

Gall y ffordd yr ydym yn ymgymryd â chenhadaeth mewn un ardal fod yn briodol neu yn ddieithr, yn dibynnu ar y cyd-destun. Mewn ardaloedd lle mae'r Gymraeg yn cael ei siarad gan y mwyafrif, bydd eglwysi sy'n addoli ac yn gweithio yn Saesneg yn cael eu hadnabod fel enghraifft arall o'r coloneiddio o Loegr. Mae Chambers yn siarad am yr arafwch diwylliannol sy'n peri fod eglwysi sy'n addoli yn yr iaith Gymraeg wedi dewis peidio ag addasu i newidiadau yn eu diwylliant a'u cymunedau.[73] Mae'r capeli hyn wedi eu dal mewn cell amser, mewn diwylliant sydd wedi newid yn sylfaenol. Yn ôl Rowan Williams, "mae'r Gymraeg wedi ail-ddiffinio ei hunan, tra bod Cristnogaeth Gymraeg, i raddau helaeth, heb wneud hynny."

Bydd Adran Dau yn dangos pa mor sensitif ac effeithiol y bu i'r *Dulliau* gwahanol o ymagweddu at genhadaeth addasu i'w cyd-destun. Bydd Adran Tri yn awgrymu sut y gellir gwneud hynny yn effeithiol.

73 Chambers, *Religion*, 70-71.

Cyd-destun Cymdeithasol Cymru

"He lives here
and a pulpit grew up under my feet
And I climbed into it and
It was a cage
of the mine-shaft down down down
to preach to the lost souls
of the coal-face reminding
how green is the childhood
of a glib people taunting
them with the abandonment
of the national for the class struggle."[74]

Oherwydd natur ddaearyddol Cymru, un o'r canlyniadau oedd bod y cymunedau yn fychan ac, yn aml, ar wahân. Datblygodd cymunedau Cymru mewn ffordd wasgaredig, ond eto, agos iawn, ac ni welwyd fawr o ddylanwad mewnlifiad gyda theuluoedd estynedig yn hanfod y cymunedau hyn. Yn y cyd-destun hwn, gellir dweud fod brogarwch wedi cymryd y flaenoriaeth dros wladgarwch, i'r graddau fod lleoliad unigolyn yn golygu mwy iddynt na'u cenedlaetholdeb, ac o ganlyniad, disgrifir Cymru yn aml fel "cymuned o gymunedau".

O dan y bonheddwyr Seisnigedig, roedd llu o bobl gyffredin, heb unrhyw fath o ddosbarth canol gweladwy, gyda'r diwylliant yn cael ei benderfynu gan iaith oedd yn ei dro yn arwain at arwahanrwydd oddi wrth ddylanwadau allanol. Mae'r patrwm hwn oedd yn nodweddu cymdeithas Gymraeg wedi

74 R. S. Thomas, *What is a Welshman?* (Llandybie: Christopher Davies, 1974), 1.

ei ddylanwadu gan y rheolau etifeddol lle rhennir y stâd yn gyfartal rhwng y meibion wedi marwolaeth, hyn o'i gymharu â system Seisnig, lle'r oedd y mab hynaf yn derbyn y cyfan. Roedd y stadau'n rhannu'n gyson ac yn atal teuluoedd o'r un llinach rhag rheoli ardaloedd eang, ac o ganlyniad, bu i hynny arwain at hanes o ymrafael rhwng brodyr. Gwnaeth hyn Gymru yn wlad anoddach ei llywodraethu, ond, ar yr un pryd, yn wlad anoddach ei choncro gan nad oedd yr un arweinydd yn cynrychioli pawb.[75] Bu i'r ffactorau penodol hyn gyda golwg ar deulu, cymuned a strwythur cymdeithasol arwain at batrymau cymdeithasol unigryw.

Y Werin

Un o effeithiau'r arwahanrwydd gwledig, ynghyd â daearyddiaeth y Cymoedd diwydiannol a wahanai y naill oddi wrth y llall gan gadwyni o fryniau, oedd iddo arwain at elfen gref o gyd-ddeall a chydweithio o fewn cymunedau. Roedd y werin yn byw oddi ar y tir drwy eu llafur, a hwy oedd "calon ac enaid y genedl Gymreig, pobl oedd yn meithrin ymdeimlad cryf o barch a chydymdrechu".[76] Mae'r gair Cymraeg *gwerin* yn cyfeirio yn ei hanfod at "dyrfa", gyda'r awgrym o gorff unplyg o bobl. Roedd bywyd cymdeithasol Cymru wedi ei ganoli ar yr aelwyd, a dyma lle dysgwyd sgiliau cymdeithasol, dyma brif feithrinfa addysgol y bobl, a dyma hefyd lle y trefnwyd y gymdeithas. Mae hanfod hunaniaeth y bobl yn deillio o'u teuluoedd ac mae ymrwymiad a ffyddlondeb i'r teulu yn rhan hanfodol o ddeall y gwreiddiau. Roedd cymdeithas yng Nghymru yn darparu gwerthoedd a sefydlogrwydd ar gyfer ei phobl. Mae Jones yn disgrifio'r gwerthoedd teuluol hyn fel:

75 Carter, *Against the Odds*, 222.
76 Williams, *When was Wales*, 237-238.

> "Caredigrwydd, gweithredoedd da, darbodaeth, lletygarwch, haelioni tuag at y tlawd, a dyfalbarhad – yr oedd gan y rhain i gyd le o barch yn y patrwm. Roedd bywyd teuluol i'w barchu, ac er bod anffyddlondeb ymhlith pobl ifanc dibriod yn cael ei oddef, a thra bod y plentyn siawns yn cael ei drin gyda charedigrwydd mawr, yr oedd godineb yn cael ei ystyried fel rhywbeth cwbl ddiesgus. Rhoddwyd parch anghymharol i famau, ac fe welwyd plant yn cael eu trin gyda thiriondeb cynyddol."[77]

Wrth i'r cwlwm cymunedol ddatblygu, parodd hyn yn naturiol ymwybyddiaeth gref o berthyn ac o gyd-ddibyniaeth. Yn ychwanegol i gydweithredu o fewn i deulu estynedig, roedd ffermwyr a chymdogion, o'r cyfnod canoloesol, wedi datblygu dulliau cydweithredol a adwaenid fel *cymhortha*. Roedd y drefn yma yn hanfodol i sicrhau datblygiad cymunedol, ynghyd â pharhad cymuned. Yn yr un modd, disgwylid darpariaeth lletygarwch tuag at ddieithriaid. Yr oedd y cydberthyn yma wedi creu cymdeithas lle'r oedd pob aelod yn bwysig. Yn ôl un ymwelydd oedd yn mynychu angladd "mae pawb yn troi allan i angladd yn yr ardal hon. Pan gyrhaeddais, tybiais fod rhywun pwysig yn cael ei gladdu, ond yna deuthum i sylweddoli fod pawb yn y pentref yn bwysig."

Datblygwyd y darlun hwn o gymdeithas egalitaraidd ymhellach yn ystod cyfnod oes aur Anghydffurfiaeth, lle'r oedd pawb yn y capeli i fod yn gyfartal gerbron Duw, gyda'r gweithwyr ar y tir yn rhannu'r sêt fawr efo'r cyflogwyr. Y *werin* oedd ffurf sylfaenol gwleidyddiaeth, ac roedd mynegi syniadau democrataidd, a hyd yn oed gweriniaethol, yn rheol y weriniaeth. Datblygodd cysylltiad gwleidyddol ac fe ddylanwadodd Rhyddfrydiaeth o ganlyniad i hyn.

---

77 Jones, *Faith*, 62.

Y Traddodiad Sosialaidd Cymreig

Ni chollwyd y patrymau cefn gwlad hyn yn gyfan gwbl wrth i ddiwydiannau trwm dynnu'r gweithlu yn gynyddol i weithio mewn ffwrneisi ac o dan ddaear. Yn y Cymoedd diwydiannol, gwelwyd y gymdeithas egalitaraidd ar raddfa llawer ehangach, a datblygodd hyn i mewn i'r hyn a adwaenid fel "sosialaeth grefyddol". Yr oedd cymunedau'r pwll a'r graig yn tynnu glo a llechi o'r ddaear dan amgylchiadau anodd iawn, a'r cymunedau hyn yn goroesi trwy gyd-ddibyniaeth. Ymhlith y dosbarth gweithiol tlawd hwn, cynyddodd y cydymdeimlad at egwyddorion sosialaidd yn ddi-os o fewn i'r capeli, ac yn ddiweddarach, ar wahân i'r capeli. Yr oedd yr hen ymrwymiad i wleidyddiaeth Gymreig Ryddfrydol Lloyd George bellach yn gwegian wrth i boblogrwydd sosialaeth Keir Hardie ddod i'r amlwg yn dilyn ei lwyddiant yn esgyn i fod yn Aelod Seneddol Merthyr Tudful yn 1900. Saesneg oedd iaith y sosialaeth yma, gyda chydymdeimlad Prydeinig, a hyd yn oed rhyng-genedlaethol, ac yn gynyddol yr oedd yn ddiddordeb secwlar.

Am y can mlynedd nesaf o fywyd diwydiannol, yr oedd ymrwymiad di-gwestiwn i'r Blaid Lafur yn y cymunedau glofaol. Mewn termau gwleidyddol, aeth Cymru yn wlad Llafur, gyda sosialaeth yn greiddiol ar draws haenau cymdeithas. I raddau, y Blaid Lafur ddaeth yn blaid y werin, ond nid oedd y weriniaeth yma wedi ei diffinio mor glir â'r hyn a welwyd o fewn Anghydffurfiaeth.

Erbyn diwedd y ganrif ddiwethaf, roedd y capeli a'r pyllau glo yn cau ac, o ganlyniad, yr oedd y Cymoedd ôl-ddiwydiannol yn colli eu syniad o undod. Gwelwyd anawsterau cymdeithasol yn lluosogi o fewn i fywydau teuluol, mewn addysg, ac mewn cyfraith a threfn. Yn gynyddol, gwelwyd anawsterau gyda chyffuriau, a daeth syniad cyffredinol o anobaith mewn cymdeithas o'r fath. Mae'r dreftadaeth hon o ddirywiad diwydiannol i'w chymharu yn drawiadol gyda'r cynnydd amlwg mewn cyfoeth yn y dinasoedd sydd ar hyd yr arfordir. Bu i'r eithafoedd yma gyhoeddi diwedd unrhyw argraff o gymdeithas Gymreig egalitaraidd ac o werin.

Rygbi fel Cwlwm Cymdeithasol

Dadleuwyd fod egalitariaeth gymunedol Gymreig yn fwy amlwg yn ein chwaraeon cenedlaethol, Rygbi'r Undeb yn benodol, sydd wedi ei alw gan rai yn "opiwm newydd y bobl". Mae rygbi yng Nghymru yn rhywbeth democrataidd lle mae'r meddyg yn ymuno yn y sgrym, ochr yn ochr â'r glöwr. Yng ngogledd Cymru, fel ag yn y de gynt, mae rygbi bellach wedi dod yn symbol cymdeithasol neu yn arwydd o hunaniaeth o Gymreictod, ac yn un o'r ychydig, os nad yr unig ffenomena cymdeithasol sy'n uno holl bobl Cymru. Fe fu i'r dyhead cenedlaethol, sydd wedi'i adleisio trwy'r canrifoedd, ddarganfod mynegiant yng nghân y 'Stereophonics' yn 1999, *"as long as we beat the English, we don't care"*. Defnyddiwyd cymysgedd o hanes cymdeithasol gan Phil Bennett mewn sgwrs cyn-gêm ac yntau ar fin arwain Cymru allan yn erbyn Lloegr yn 1977:

> "Mae'r rhain wedi cymryd ein glo, ein dŵr, ein dur. Maent yn prynu ein cartrefi ac yn byw ynddynt am ryw bythefnos y flwyddyn. Beth yw'r hyn a gawsom yn gyfnewid? Dim o gwbl. Yr ydym wedi ein hecsbloetio, ein treisio, ein rheoli a'n gormesu gan y Saeson – a dyna pwy yr ydych yn chwarae pnawn 'ma".[78]

Mae'n amlwg felly nad yw'r syniad o gymuned yn ymestyn tuag at y rhai sy'n byw ar draws y ffin, ac mae'n anodd cynnal fod y Cymry bob amser yn genedl oddefgar a chydymdeimladol gyda phobl! Er hynny, mae yna draddodiad sylweddol o gyd-fyw, o gyd-ddeall ymhlith y bobl eu hunain.

78 Phil Bennett, dyfynwyd yn Rees, *Bred*, 151.

Mae hyn wedi ei herio gan unigolyddiaeth ôl-foderniaeth, ynghyd â'r byd-olwg pliwralaidd. Er hynny, mae yna batrwm cymdeithasol a thraddodiad cryf o ysbryd cymunedol a chyd-ymdrechu yn amlwg yn y ffurfiau sy'n trawsnewid o genhedlaeth i genhedlaeth.

Mae'r graddau y mae cymuned yng Nghymru yn adlewyrchu traddodiad o gymhorthfa, o werin neu sosialaeth angen ei werthuso. Yn sicr, os yw am geisio osgoi ymddangos yn ddieithr yn y gymuned y mae'n dymuno ei wasanaethu, bydd cenhadaeth gyd-destunol yng Nghymru yn gorfod bod yn ymwybodol o'r ysbryd hwn ac ymateb i'r newidiadau presennol. Bydd Adran Dau yn dangos sut y bu i'r amryw *Ddulliau* lwyddo ai peidio yn hyn, cyn y gellir edrych ar 'ymarfer da' ar gyfer y dyfodol.

Cyd-destun Gwleidyddol Cymru

"Welsh History[79]

We were a people taut for war; the hills
Were no harder, the thin grass
Clothed them more warmly than the coarse
Shirts our small bones.
We fought, and were always in retreat,
Like snow thawing upon the slopes
Of Mynydd Mawr; and yet the stranger
Never found our ultimate stand
In the thick woods, declaiming verse
To the sharp prompting of the harp.

Our kings died, or were slain
By the old treachery at the ford ...
We were a people bred on legends,
Warming our hands at the red past.
The great were ashamed of our loose rags ...
We were a people, and are so yet.
When we have finished quarrelling for crumbs
Under the table, or gnawing the bones
Of a dead culture, we will arise
And greet each other in a new dawn."

Mae'r realiti daearyddol a gynhyrchwyd gan Glawdd Offa, ynghyd â'r iaith a'r diwylliant, ac o ganlyniad, ymwybyddiaeth o *ethnie* unigolyddol, dros y canrifoedd, wedi creu yn y Cymry ddyhead am annibyniaeth wleidyddol a rhyddid oddi wrth reolaeth Seisnig. Y mae i Gymru ei ffiniau cymdeithasol, ond ar yr un pryd, mae wedi dyheu am fod yn genedl ar wahân yn wleidyddol, yn genedl annibynnol.

Mae Gerallt Gymro (1146-1223) yn sôn am y Cymry fel pobl oedd yn "angerddol am eu rhyddid ac am amddiffyn eu gwlad: dros y rhain y maent yn ymladd", ac ymhellach "y mae'r Saeson yn ymegnïo i feddiannu grym, mae'r Cymry yn ymdrechu i ennill rhyddid... Mae'r Saeson yn dymuno gyrru'r Cymry allan o'r ynys a'i meddiannu iddynt eu hunain".[80] Mae hefyd

79 Thomas, *Poems 1945-1990*, 36.
80 Gerald of Wales, *The Journey Through Wales and The Description of Wales* (London: Penguin, 2004), 233, 274.

yn dyfynnu unigolyn oedd yn cael ei adnabod fel "hen ŵr Pencader", a ddywedodd:

> "Nid wyf yn meddwl ar y Dydd Olaf o Farn y bydd unrhyw genedl ac eithrio'r Cymry nac unrhyw iaith yn gorfod rhoi ateb i Farnwr pawb am y gornel fechan yma o dir".[81]

Mae'r broffwydoliaeth dybiedig hon o hunaniaeth barhaus i'r Cymry, ynghyd â'i lleoliad, wedi dod dros y canrifoedd yn sail ac yn ysbrydoliaeth i lawer o gerddi canoloesol sy'n arddangos y frwydr yn wyneb y grym oedd yn eu hwynebu o Loegr.

Yr oedd yna gyfnodau byr o annibyniaeth gymharol, hyd yn oed os nad oedd hyn yn golygu diogelwch, lle y caed arweinwyr oedd yn ceisio gosod sylfeini cenedlaetholdeb. Roedd dwy senedd Owain Glyndŵr, yn ardal Machynlleth yn 1404 a 1406, wedi dilyn cyfnodau o deyrnasiad gan amryw o arweinwyr ar rannau helaeth o Gymru. Bu i'r rhain osod pwynt mewn hanes, neu fytholeg, y gallai cenedlaethau diweddarach edrych yn ôl arnynt fel symbol o'r rhyddid a gollwyd. Er hynny, mewn gwirionedd, marwolaeth Llywelyn ein Llyw Olaf yn 1282, oedd gwir ddyddiad colli ein hannibyniaeth.

Credodd rhai bod gobaith y proffwyd wedi ei sylweddoli pan fu i Harri Tudur o Sir Fôn ennill ar Faes Bosworth i ddod â Rhyfel y Rhosynnau i ben. Er bod Cymru wedi gwneud yn dda yn y Llys am dymor, nid oedd hyn i bara. Bu i fab Harri Tudur, Harri'r 8fed, gwblhau'r hyn ag yr oedd Edward wedi ei gychwyn gyda Deddf Uno 1535 a 1542.

> (the) "dominion of Wales shall stand and continue for ever from henceforth incorporated united and annexed to and with his realm of England ... minding and intending to reduce them to the perfect order notice knowledge

81 Gerald of Wales, *Journey & Description*, 274.

> of the laws of this realm and utterly to extirpate all and singular the sinister customs and usages differing ".[82]

Bwriad y Ddeddf oedd dileu yn gyfan gwbl gyfreithiau'r Cymry, ynghyd â'u ffordd o fyw, eu harferion, eu hiaith, a thrwy hynny ddistrywio hunaniaeth Gymreig. Yng ngeiriau Humphreys, "Yr oedd Harri'r 8fed bob amser yn un oedd yn mynnu llawer fel carwr. Yn rhy aml, gallai ei gofleidio annwyl droi yn gusan marwolaeth".[83] O amser y Ddeddf Uno, polisi swyddogol y Wladwriaeth oedd sicrhau fod ei goresgyniad o "diriogaeth Cymru" yn golygu cydymffurfiad gyda'r "*realm of England*".

Bu i'r polisïau hyn arwain llawer yng Nghymru i dderbyn Prydeindod, er mai estyniad o hunaniaeth Seisnig oedd hyn. Tyfodd y dymuniad i fabwysiadu Seisnigrwydd er mwyn llwyddo. Yr oedd eraill yn teimlo fel dieithriaid neu fel dinasyddion ail-ddosbarth yn eu gwlad eu hunain. Yr oedd y Saeson yn cael eu hadnabod fel pobl hunandybus, pobl oedd yn ystyried y Cymry yn ddim ond cenedl wladaidd, hen ffasiwn a diddorol.[84] Beth bynnag am wirionedd neu beidio y math yma o ddarluniau, yr oedd yn anorfod fod hyn yn effeithio ar y ffordd yr oedd y Cymry yn gweld eu hunain. Mae llawer wedi disgrifio nodweddion y genedl Gymreig fel rhai â diffyg hyder, diffyg mentergarwch, gwasaidd, pobl sy'n dibrisio eu hunain, ac yn meddu ar "berthynas ddeublyg gydag optimistiaeth".[85]

---

82 J. Raithby, gol., *Statutes at Large of England and of Great Britain* (London: George Eyre a Andrew Strahan, 1811), 243-245, 407-408.
83 E. Humphreys, *Conversations and Reflections* (gol. M. W. Thomas; Cardiff: University of Wales Press, 2002), 110.
84 J. Glyn, "I Ba Raddau y mae Gwead 'Psyche' Hunaniaethol y Cymry yn Brawf o'u 'Coloneiddiad'?" (MA, Prifysgol Cymru Aberystwyth, 2006), 16; Davies, *History*, 66.
85 Williams, *When was Wales*, 113; Rees, *Bred*, 151.

Gwreiddiau Cenedlaetholdeb Gymreig

Oherwydd y diffyg annibyniaeth gwleidyddol a hunan ymreolaeth, yr oedd hyn yn gwneud y syniad o genedl Gymreig yn un broblematig, o ystyried ei hisraddoldeb gwleidyddol i Loegr. Yr oedd cof cenedl am fuddugoliaeth y Saeson, a'u hymdrech i lyncu'r wlad, wedi arwain at syniadau amrywiol o'r hyn a olygai cenedlaetholdeb Gymreig. Yn ôl R. S. Thomas, y bardd, "... Ni allwch fyw yn y presennol. O leiaf, nid yng Nghymru ...".

Mae'n debyg y gellir dweud fod cenedlaetholdeb gwleidyddol yng Nghymru wedi datblygu yn ystod yr ugeinfed ganrif fel ymateb i sosialaeth ryng-genedlaethol, yn ogystal â rheolaeth Prydeinig. Un o'r pethau a drodd syniad i mewn i ymgyrch oedd adeiladu'r ysgol fomio ym Mhenyberth ar Benrhyn Llŷn yn 1936, ac yna yn ddiweddarach, boddi Cwm Tryweryn yn 1963.[86] Yr oedd realiti adeiladu ysgol fomio – oedd yn ddiweddarach i gael ei distrywio gan dân – ac yna boddi'r Cwm er mwyn darparu dŵr ar gyfer Lerpwl, a hynny mewn ardaloedd Cymraeg eu hiaith, wedi esgor ar ymwybyddiaeth a chydymdeimlad cenedlaetholgar. Er bod yna wrthwynebiad eang, eto anwybyddwyd hyn, ac yn ei dro, esgorwyd ar fudiad eang. Fe ddaeth y Blaid Genedlaethol, *Plaid Cymru*, a *Chymdeithas yr Iaith Gymraeg* i amlygrwydd fel canlyniad.

Erbyn 2012, roedd gan *Blaid Cymru* un o'r pedair sedd yn Senedd Ewrop, tair o'r deugain sedd Gymreig yn Senedd Llundain yn 2015, a 206 o'r 1,264 o seddau mewn awdurdodau lleol. Yn 2011, llwyddodd *Plaid Cymru* i sicrhau 19% o'r bleidlais yn etholiadau'r Cynulliad. Roedd llawer yn gweld y bywyd Cymreig yn cael ei adfywio gan genedlaetholdeb, er, mae'n deg dweud fod y cenedlaetholdeb gwleidyddol yma ond yn un agwedd ar genedlaetholdeb diwylliedig ehangach.

---

86 E. Thomas, *Capel Celyn: Deng Mlynedd o Chwalu 1955-1965* (Llandybïe: Cyhoeddiadau Barddas a Chyngor Gwynedd, 1997), 6-14; Carter, *Against the Odds*, 24, 93.

Cenedlaetholdeb Sifig

Ers sicrhau datganoli a sefydlu'r Cynulliad Cenedlaethol ar ddiwedd y 90au, mae'n deg dweud fod cenedlaetholdeb sifig wedi tyfu gyda hynny, gan ddod â hunanhyder newydd. Yr oedd diffyg sefydliadau sifil yn fwlch yn y genedl Gymreig ar hyd y blynyddoedd, ond trwy'r ugeinfed ganrif, fe'i sefydlwyd yn gynyddol yng Nghymru. Bu iddynt ddatblygu yn raddol o tua 1870, a hynny wedi ei sylfaenu ar y newidiadau cymdeithasol ac economaidd oedd yn digwydd ar y pryd. Roedd y rhain i gynnwys y Llyfrgell Genedlaethol, yr Amgueddfa Genedlaethol, y prifysgolion Cymreig, yn dilyn Aberystwyth yn 1893, yr anthem genedlaethol, rhanbarth BBC Cymru, ynghyd â Chaerdydd yn cael ei enwi fel prifddinas genedlaethol gan Loegr yn 1955, y Swyddfa Gymreig yn 1964, S4C yn 1982, Addysg Gymraeg a Deddf yr Iaith Gymraeg, ac yna'r Cynulliad Cenedlaethol. Ochr yn ochr ag eiconau cerddorol, artistig, ac ym myd chwaraeon, ynghyd â'r hawl i ddeddfu, datblygodd cyd-destun cenedlaethol oedd ar wahân i Loegr. Er bod y broses hon wedi bod yn raddol o ran ei thwf, eto gwelwyd cynnydd sylweddol ar ddiwedd yr ugeinfed ganrif a dechrau'r unfed ganrif ar hugain. Mae llawer yn tystio fod yna Gymru newydd a hyderus wedi esblygu, ac mae Carter yn disgrifio hyn fel " twf Cymreictod diwygiedig".[87]

Er hynny, ni ellir dweud fod y datblygiadau hyn yn ddyhead pob un sy'n byw yng Nghymru. Enillwyd y bleidlais i sicrhau'r Cynulliad Cenedlaethol yn 1997 gan fwyafrif bychan iawn. Er hynny, ac yr ydym wedi olrhain hyn, mae'r cynnydd yn y bleidlais boblogaidd o blaid cenedlaetholdeb a'r pentyrru fu ar sefydliadau cenedlaethol, i gyd yn dangos fod y cyd-destun bellach yn newid a phobl yn dod yn gynyddol hyderus yn eu cenedligrwydd. P'un ai y bydd hyn yn arwain at annibyniaeth wleidyddol lwyr yn y dyfodol ai peidio, mae'n sicr fod yr elfen o gydymdeimlad sydd

87 Carter, *Against the Odds*, 145.

i ddyheadau cenedlaethol o fewn i ardaloedd gwahanol yn mynd i fod yn ffactor allweddol i ddeall y cyd-destun.

Mae'r ffordd y mae Cristnogion yn ymwneud â gweithredu gwleidyddol fel mynegiant o'u cenhadaeth yn cael ei gwestiynu mewn diwylliant sy'n gynyddol secwlar ac ôl-Gristnogol. Mae'n sicr fod llais proffwydol yr Eglwys yn cael ei glywed fwyfwy o ymylon y Gymru Gymraeg a'r Gymru Brydeinig. Wedi dweud hynny, sefydlwyd llawer o egwyddorion sylfaenol cenedlaetholdeb Cymraeg y ganrif ddiwethaf gan bobl o argyhoeddiadau Cristnogol, ac mae nifer o arweinwyr *Plaid Cymru* a *Chymdeithas yr Iaith Gymraeg* yn yr unfed ganrif ar hugain wedi bod yn Gristnogion neu yn bobl sydd â chydymdeimlad sylweddol i argyhoeddiadau Cristnogol. Fel mewn agweddau eraill o gyd-destun Cymreig, fe fydd ymwneud gwleidyddol mewn cenhadaeth yn dibynnu ar gyd-destun.

Bydd Adran Dau yn dangos sut mae'r *Dulliau* gwahanol wedi amrywio wrth ymateb i'r cynnydd yma mewn Cymreictod, mewn sefydliadau, mewn annibyniaeth, ac mewn llywodraeth, tra bod Adran Tri yn awgrymu sut y gellir manteisio ar gyfleoedd newydd.

Adran Dau:

Dulliau: Sut mae Eglwysi wedi bod yn cyflawni cenhadaeth?

Rydym nawr am ystyried cyflwr a chryfder eglwysi yng Nghymru, cyn edrych ar y modd y maent wedi bod yn cyflawni cenhadaeth ar gychwyn y trydydd mileniwm. Bydd hyn yn golygu edrych yn fanwl ar y modd mae chwe *Dull* gwahanol o'r un genhadaeth wedi datblygu, gan ddangos ei effeithiau ar yr eglwysi, ynghyd â'r cymunedau y maent yn eu gwasanaethu. Wedi dweud hynny, bydd angen i genhadaeth eglwysi lleol yng Nghymru ddangos cynnydd mewn niferoedd, yn y presennol ac yn y dyfodol, os yw eu cenhadaeth i oroesi. I rai eglwysi, roedd cynnydd o'r fath yn nod sylfaenol, ond bydd angen i nifer cynyddol o eglwysi, arweinwyr ac aelodau gael eu hysgogi, er mwyn cynnal ac ymestyn y genhadaeth hon.

Anghydffurfiaeth Gymreig ar Gychwyn yr Unfed Ganrif ar Hugain

Mae'r colledion o ran niferoedd a welir mewn Anghydffurfiaeth Gymreig wedi ei amlinellu yn yr adran flaenorol. Mae'r wasg, ochr yn ochr ag ysgolheigion ym maes diwinyddiaeth a chymdeithaseg, wedi dangos y dirywiad yma droeon, gyda'r rhain yn siarad am y ffordd y mae Anghydffurfiaeth yn prysuro tuag at ddifodiant. Mae'r rhai sy'n ymwneud â gweinidogaeth yng Nghymru, yn arbennig felly yn yr enwadau hanesyddol, yn siarad am yr "*anialwch ysbrydol*",[88] ac o enwadau'n diflannu.[89] Mae'r wlad oedd yn arfer cael ei hadnabod fel Gwlad y Diwygiadau bellach yn cael ei disgrifio fel gwlad sy'n "anialwch o ran ffydd", gwlad sydd "wedi anghofio Duw".

Mae'n anodd anghytuno gyda'r darlun hwn, yn arbennig felly o ran yr enwadau hanesyddol. O fewn i Eglwys Bresbyteraidd Cymru, sydd, yn hanesyddol, wedi bod y mwyaf ymhlith yr enwadau Anghydffurfiol, gwelwyd dirywiad o 1169 o eglwysi yn 1982, i 885 yn 1995, a 680 yn 2010.[90] Yn 2011, rhagwelodd Brierley na fyddai ond 630 o eglwysi erbyn 2015, ond erbyn Ionawr 2014, roedd y nifer eisoes wedi disgyn i 599. Roedd y 220 o weinidogion yn 1982 wedi dirywio i 62 yn 2010. Gwelwyd dirywiad mewn aelodaeth o 37,000 i 22,504 (-40%) dros yr un cyfnod.[91] Erbyn Ionawr 2014, nid oedd ond 51 o weinidogion, gyda nifer ohonynt yn agosáu at

88 M. Ll. Davies, "Eglwys y Dyfodol," *Traethodydd* 160 (2005): 230.
89 S. Bell, "Eglwys y Dyfodol," *Traethodydd* 160 (2005): 234, 239.
90 P. Brierley a B. Evans, *Yr Argoelion yng Nghymru: Adroddiad o Gyfrifiad yr Eglwysi, 1982* (London: Marc Europe, 1982), 32-33; P. Brierley, *UK Church Statistics 2005-2015* (Tonbridge: ADBC, 2011), 10.1.
91 Mae ystadegau'r Enwad ei hun yn tynnu darlun mwy tywyll, gan ddangos dirywiad o 66% dros y cyfnod.

ymddeoliad. Yn Medi 2013, cwynodd Llywydd y Gymanfa fod 50% o eglwysi heb ofal bugeiliol, cyflwr oedd wedi ei ddangos fel un o'r pethau mwyaf arwyddocaol wrth edrych ar ddirywiad cynulleidfaoedd.

> "Mae dros hanner ein heglwysi o fewn yr enwad heb oruchwyliaeth fugeiliol, ac fe fydd y rhan fwyaf o'n gweinidogion llawn amser yn ymddeol o fewn y deg mlynedd nesaf. Mae nifer o'n heglwysi gyda deg neu lai o aelodau, ac o ganlyniad, cynulleidfa o tua dau neu dri, llawer ohonynt yn drist ac yn ddi-fywyd ac yn cael eu blino wrth ystyried mai hwy fydd y genhedlaeth olaf o addolwyr yn eu hardal."[92]

Mae'r patrwm demograffedd o fewn yr enwadau traddodiadol yn siŵr o arwain at ddirywiad cynyddol dros y degawd nesaf wrth i'r genhedlaeth olaf farw. Bydd hyn yn cael ei ddwysáu gan y realiti fod nifer o aelodau byth braidd yn mynychu addoliad, gan wneud dim mwy na thalu eu tâl aelodaeth er mwyn diogelu perthynas gyda chapel y teulu, un o eiconau Cymru wledig. Bydd y dirywiad ymhlith y rhai sy'n mynychu yn tynnu'r eglwys islaw'r hyn sy'n angenrheidiol ar gyfer goroesi.

Bu i Undeb yr Annibynwyr Cymraeg, *yr Annibynwyr,* ddangos yr un tueddiad. Roedd 746 o eglwysi yn 1982 wedi dirywio i 421 erbyn 2012 (-44%), gyda 210 o weinidogion wedi dirywio i 76 (-64%), gyda rhagolwg y byddai yna ond 382 o eglwysi a 54 o weinidogion yn 2015.[93] Gwelodd yr Eglwys Fethodistaidd ddirywiad cyffelyb gyda 553 o eglwysi a 100 o weinidogion yn 1982, yn newid i 208 o eglwysi (-62%) a 58 o weinidogion (-42%) yn 2010, a'r aelodaeth yn disgyn o 17,600 i 9,025. O ran yr Eglwys Ddiwygiedig Unedig, roedd ganddynt 163 o eglwysi yn 1982, a ddirywiodd i 110 yn 2010 (-33%), gyda'r aelodaeth yn disgyn o 53% rhwng 1995 a 2010, i 2,696.

---

92 T. Lewis, "Trefor's Challenge to Transform Tomorrow," *The Treasury* (September, 2013): 1.

93 Brierley and Evans, *Yr Argoelion yng Nghymru*, 36-37; Brierley, *Statistics 2005-2015*, 10.2.

Mae Eglwysi'r Bedyddwyr yng Nghymru yn dangos darlun mwy cymysg. Ar y wyneb, mae'r ffaith fod 20% yn llai o gynulleidfaoedd rhwng 1995 a 2007 yn awgrymu'r un patrwm. Er hynny, mae yna ddwy Undeb y Bedyddwyr yng Nghymru: Undeb Bedyddwyr Cymru (BUW), ac yna'r eglwysi Saesneg sy'n perthyn i Undeb Bedyddwyr Prydain Fawr (BUGB). Roedd gan y ddwy Undeb gyda'i gilydd 833 o eglwysi yng Nghymru a 311 o weinidogion yn 1982, nifer oedd wedi lleihau i 515 o eglwysi gan Undeb Bedyddwyr Cymru a 177 gan eglwysi Undeb Bedyddwyr Prydain Fawr yn 1995. Erbyn 2010, roedd y niferoedd wedi dirywio ymhellach i 429 o eglwysi oedd yn perthyn i Undeb Bedyddwyr Cymru (-17%) gyda 108 o weinidogion, a 116 o eglwysi Undeb Bedyddwyr Prydain Fawr (-35%) a 61 o weinidogion. Mae'n wir nodi fod y canran o weinidogion i eglwysi, yn arbennig felly yn yr eglwysi Saesneg eu hiaith, yn llawer uwch nag yn yr enwadau eraill, a hyn yn adlewyrchu dirywiad arafach, ac, mewn rhai achlysuron, tystiolaeth glir o dwf. Er hynny, o ran yr eglwysi Cymraeg eu hiaith, gwelwyd yr un dirywiad a'r un prinder gweinidogion â'r enwadau Cymraeg traddodiadol eraill.

Mae'n debyg bod yr eglwysi Bedyddiedig Saesneg eu hiaith wedi eu dylanwadu gan dueddiadau oedd yn dod o'r tu allan i Gymru. Bu iddynt ddysgu o dwf eglwysi Efengylaidd Annibynnol, eglwysi Pentecostalaidd, a'r rhai a ddylanwadwyd neu a gychwynnwyd fel canlyniad i'r Mudiad Carismataidd. Roedd yr eglwysi Efengylaidd Annibynnol yn gyfrifol am sefydlu eglwysi newydd gyda chysylltiad â rhwydweithiau Efengylaidd amrywiol. Roedd gan yr Eglwysi Efengylaidd yng Nghymru (AECW) 56 o eglwysi yn 1995, a 4,964 yn mynychu. Yn 2012, roedd 57 o eglwysi, 54 o weinidogion a 2,893 o aelodau. Roedd nifer y rhai oedd yn mynychu yn uwch na'r aelodaeth yn yr eglwysi Efengylaidd, ac roedd y canran uchel o weinidogion i eglwysi efallai'n esbonio absenoldeb y dirywiad a welwyd yn yr enwadau hŷn. Roedd gan y rhwydweithiau eraill, sydd â'u canolfannau yn Lloegr, lai o eglwysi Efengylaidd yng Nghymru, ond eto'n adlewyrchu'r un patrwm. Roedd Cymdeithas yr Eglwysi Efengylaidd (FIEC) wedi tyfu o 3 eglwys yn 1995 i 25 yn 2010, a bu i'r Gymdeithas Efengylaidd o Eglwysi Cynulleidfaol dyfu o 3 i 7 eglwys.[94] Yn ôl Brierley, roedd yna 44 o eglwysi annibynnol eraill yn 1995, rhif oedd wedi cynyddu i 48 erbyn 2010. Gwelwyd y datblygiadau yma mewn Anghydffurfiaeth Gymreig yn cychwyn yn gynnar yn yr ugeinfed ganrif wrth i amryw adael y capeli enwadol yn dilyn Diwygiad 1904/5. Gwelwyd gwahanu pellach yn ail hanner y ganrif, hyn o ganlyniad i wrthwynebiad i dueddiadau eciwmenaidd, ac fe ddilynwyd hyn ymhellach gan eglwysi oedd yn plannu eglwysi newydd ar ddechrau'r unfed ganrif ar hugain.

Mae'r tueddiadau at dwf yn yr Eglwysi Efengylaidd Annibynnol yn cael ei adlewyrchu hefyd yn nhwf Pentecostaliaeth yng Nghymru, mudiad a gychwynnodd eto yn dilyn Diwygiad 1904. Yn ôl Brierley, roedd gan yr Eglwys Apostolaidd 19 o eglwysi yng Nghymru yn 1995, 37 yn 2005, a 38 yn 2010. Roedd gan yr *Assemblies of God* 73 o eglwysi yn 1995 a 66 yn 2010, er bod y rhai oedd yn mynychu wedi tyfu o 4,194 i 6,700 yn yr un cyfnod.[95] Roedd gan Eglwys Bentecostalaidd Elim 29 o eglwysi yn 1995 a 36 yn 2010, er bod y rhai oedd yn mynychu wedi dirywio o 2,729 i 2,650 yn yr un cyfnod. Mae Brierley yn rhoi cyfanswm o 163 o eglwysi Pentecostalaidd, 248 o weinidogion, a 13,507 o aelodau yn 2010. Efallai ei bod yn arwyddocaol fod y nifer o weinidogion Pentecostalaidd yn fwy na'r holl weinidogion sydd gan yr enwadau traddodiadol, hynny yw y Presbyteriaid, yr Annibynwyr, y Methodistiaid a'r Eglwys Ddiwygiedig Unedig gyda'i gilydd.

Ochr yn ochr ag ail gyfnod twf eglwysi Efengylaidd, mae'n bwysig nodi fod y mudiad Carismataidd yn Lloegr wedi dechrau dylanwadu a chychwyn

94 Brierley, *Statistics 2005-2015*, 5.2, 5.3.
95 J. Gallacher, *Challenge to Change* (Swindon: BFBS, 1995), n.p.; Brierley, *Statistics 2005-2015*, 9.1.4.

eglwysi yng Nghymru. O'r 1980au ymlaen, cychwynnwyd nifer o eglwysi gan *Pioneer, New Frontiers, Ichthus, Ground Level, Ministries Without Borders, Multiply, Salt and Light, Covenant Ministries* a rhwydweithiau *Vineyard*. Ochr yn ochr â grwpiau bychain eraill ac eglwysi newydd, mae Brierley yn cyfrif bod yna gyfanswm o 57 o eglwysi o fewn y rhwydweithiau hyn yn 2010, gyda 85 o arweinwyr a 4,885 o aelodau. Nid oes gan yr un o'r rhwydweithiau hyn, er hynny, unrhyw gynrychiolaeth mewn eglwysi lle mae'r Gymraeg yn iaith gyntaf nac mewn cymunedau lle mae'r Gymraeg flaenaf. Fe fyddai eu Seisnigrwydd ymddangosiadol, a'r cysylltiad cryf gyda'u canolfannau yn Lloegr, yn arwain pobl i'w gweld fel dieithriaid mewn cymunedau o'r fath. Mae yna eglwysi eraill, yn arbennig eglwysi o leiafrifoedd ethnig neu Eglwysi Pentecostalaidd Affricanaidd eu natur, wedi eu cychwyn mewn ffordd gyffelyb, o'r tu allan i Gymru, ac mae 18 o'r rhain, gyda 30 o weinidogion a 1,722 o aelodau yn 2010, a hynny gan fwyaf yn yr ardaloedd dinesig.[96]

Mae'r twf yn y nifer o eglwysi mwy newydd yn dueddiad arwyddocaol ac, mewn llawer ardal yng Nghymru, yn cynrychioli adfywiad mewn Anghydffurfiaeth sydd, yn gyffredinol, yn dirywio. Mewn cymhariaeth â'r nifer o adeiladau Anghydffurfiol sydd wedi eu gwasgaru ar draws Cymru, maent yn parhau i fod yn lleiafrif sylweddol, ond o gyfrif y nifer o arweinwyr, y patrwm demograffaidd, y cynulleidfaoedd newydd, a'r syniadau newydd am genhadaeth sy'n cael eu hystyried, maent yn cynrychioli'r twf. Bydd y bennod hon yn ceisio esbonio a yw eu hymagwedd at genhadaeth, ac unrhyw addasiadau i'r hyn sy'n wahanol yn y cyd-destun Cymreig yn medru cael ei ystyried fel cyfrinach eu twf a'u dylanwad.

Yn 1995, bu i awduron yr ymchwil ddiweddaraf ar eglwysi yng Nghymru siarad am y dydd hwnnw pryd y byddai'r nifer o eglwysi newydd sy'n tyfu yn fwy na'r rhai oedd yn cau:

---

96 Brierley, *Statistics 2005-2015*, 9.2.4-9.3.4, 11.2.1-6.

> "Y trydydd tueddiad yw o genhedlaeth newydd o eglwysi, o gefndiroedd a thraddodiadau amrywiol, yn cael eu plannu ers 1960. Mae'r niferoedd yn fach ond yn cynyddu. ... Wrth i'r tueddiadau hyn i gyd weithredu ochr yn ochr, bydd yn ddiddorol gweld ar ba bwynt y bydd effaith dirywiad yn cael ei oddiweddyd gan effaith twf."[97]

Nid oedd wedi digwydd yr adeg hynny ac ni ellid dweud yn gyffredinol fod hyn i'w weld yn amlwg ddegawd i mewn i'r unfed ganrif ar hugain. Er hynny, mae'r tueddiadau at dwf sy'n cael eu disgrifio uchod yn arwydd fod yr hyder a fynegwyd bryd hynny yn dal yn ddilys heddiw, a phymtheg mlynedd yn ddiweddarach, mae'r dystiolaeth fod yna eglwysi sy'n effeithiol ac yn tyfu yn fwy amlwg.

---

97 Gallacher, *Challenge*, pennod chwech.

Arolwg *Cymrugyfan* 2012

Yn 2011 a 2012 anfonodd *Cymrugyfan* holiadur i arweinwyr eglwysig gyda'r nod o geisio darganfod natur ac effeithiolrwydd cenhadaeth yng Nghymru. Gyda chydweithrediad y rhan fwyaf o arweinwyr yr enwadau yng Nghymru, y Gynghrair Efengylaidd a Mudiad Efengylaidd Cymru, nodwyd enwau 588 o weinidogion Anghydffurfiol; ymatebodd 386 i'r holiadur, gyda 283 yn ymateb yn llawn. Mae canlyniadau'r Arolwg felly yn adlewyrchu amgylchiadau a safbwynt tua hanner y rhai sy'n gweinidogaethu yng Nghymru yn negawd cyntaf yr unfed ganrif ar hugain, ac yn adlewyrchu sbectrwm yr enwadau Anghydffurfiol. (Siart 1, gweler Atodiad.) Roedd arweinwyr y rhwydweithiau newydd, ynghyd â'r eglwysi Bedyddiedig oedd yn gweinidogaethu yn Saesneg, yn adlewyrchu'r symudiad mewn twf a chryfder oddi wrth enwadau hanesyddol y Paedofedyddwyr (Presbyteriaid, Annibynwyr, Methodistiaid Wesleaidd a'r Eglwys Ddiwygiedig Unedig).

Roedd yr holiadur yn gofyn am fanylion twf a dirywiad. Mae'n debygol felly fod y rhai hynny oedd â rhyw synnwyr o ddatblygiad a llwyddiant yn fwy tebygol o lenwi'r holiadur, tra ar y llaw arall, mae'n debyg fod arweinwyr eglwysi oedd yn lleihau ac yn dirywio yn llai tebygol o ymateb. Nid yw'r ymatebion ychwaith yn cynnwys y cannoedd o eglwysi sydd heb weinidogaeth ffurfiol. Yn achos Eglwys Bresbyteraidd Cymru, mae hynny'n golygu fod hanner ei heglwysi heb dderbyn holiadur. Mae hyn hefyd yn arwyddo fod y dirywiad yn yr enwadau hanesyddol yn fwy nag mae'r ffigyrau yn ei awgrymu. Wedi dweud hyn, a chymryd y ffactorau hyn i ystyriaeth, mae'r wybodaeth a dderbyniwyd trwy'r holiadur yn cynrychioli'r ymchwil mwyaf manwl i gyflwr a chenhadaeth eglwysi yng Nghymru ers ymchwil 1995.

Patrymau o Dwf a Lleihad

Yn achos eglwysi'r arweinwyr wnaeth ymateb, mae ffigyrau'r rhai sy'n mynychu yn 2010, o'u cymharu â'r rhai oedd yn mynychu yn 2000, yn dangos fod hanner yr eglwysi hyn wedi tyfu o ran rhif. Mae hyn yn wahaniaeth sylweddol i'r patrwm sydd wedi ei ddisgrifio eisoes, ac efallai, yn adlewyrchu amharodrwydd pobl i ymateb lle nad oes twf. Mae'r eglwysi hynny sy'n tyfu yn cael eu rhannu rhwng y rhai sydd â thwf ymylol, a rhai sydd â thystiolaeth o dwf dros y degawd cyfan ynghyd ag yn y flwyddyn 2010. Y llinyn mesur a fabwysiadwyd oedd rhai oedd yn dangos o leiaf pump yn ychwanegol dros y degawd, a dau mewn unrhyw flwyddyn unigol – yr eglwysi '5:2' sy'n rhoi rhyw fath o fesur o lwyddiant parhaol, o leiaf yn nhermau rhif (Siart 2).[98]

Mae'r ychwanegiadau sy'n cael eu cofnodi yn ystod y degawd ac mewn blwyddyn unigol yn cael eu rhannu rhwng y rhai hynny oedd wedi proffesu ffydd yng Nghrist o'r tu mewn i gymuned eglwysig, hynny yw y *tröedigaethau mewnol*, a'r *tröedigaethau allanol*, sef y bobl oedd wedi eu hychwanegu o'r tu allan i gymuned yr eglwys. Mae'r data yn dangos fod yna fwy o dwf o'r tu allan i'r eglwysi nag o'r tu mewn, ac mae hyn yn galonogol ac yn arwydd o barhad i'r dyfodol. Er hynny, mae'r canran o bobl sy'n cael eu hychwanegu at eglwys sy'n addoli yn yr iaith Gymraeg yn fychan iawn, yn arbennig rhai sydd yn dod i mewn o'r tu allan i gymuned yr eglwys. Mae'r ychwanegiadau i'r cymunedau sy'n addoli mewn eglwysi iaith Gymraeg yn dod o'r tu fewn gan fwyaf, yn yr ystyr eu bod eisoes

98 Mae'n deg dweud fod y llinyn mesur wedi ei osod yn isel gan nad oedd fawr iawn o eglwysi wedi gweld unrhyw ychwanegiadau o gwbl a llai fyth yn sylweddoli twf mwy na'r 5:2. Mae'r ddau ffigwr yn cael ei ddefnyddio i ddangos ychwanegiadau dros gyfnod, yn hytrach nag ychwanegiad sydyn. Er hynny, nid yw'r ychwanegiadau hyn yn arwyddo twf cyffredinol gan fod rhai o'r eglwysi 5:2 hyn wedi colli mwy o aelodau drwy ymadawiadau neu farwolaeth na'r ychwanegiadau trwy bobl yn dod i ffydd ac yn ymuno â'r eglwys.

yn aelodau yn yr eglwysi, ond, cyn hynny, heb fod yn mynychu. Mae'r ychwanegiadau i eglwysi dwyieithog yn fychan iawn, ac roedd 10% o'r ymatebion yn syrthio i'r categori yma (Siart 3).

Mae'r ychwanegiadau, dros y degawd ac mewn blwyddyn unigol, yn arwyddo rhaniad anwastad o'i gymharu â chanran yr arweinwyr o'r gwahanol enwadau wnaeth gwblhau'r Arolwg (Siart 4). Mae'r enwadau hanesyddol Paedofedyddiedig yn dangos llai o dwf, hyn yn adlewyrchu'r nifer o eglwysi iaith Gymraeg sy'n denu ychwanegiadau o blith aelodaeth mewn enw yn unig. Mae'r eglwysi Carismataidd a Phentecostalaidd yn cofnodi ychwanegiadau sy'n fwy o ran y nifer o eglwysi sy'n cael eu cynrychioli. Mae natur eu cenhadaeth, a'r modd mae hwn wedi ei addasu i gyd-destun Cymreig, am fod yn arwyddocaol wrth ystyried cenhadaeth effeithiol yn y dyfodol.

Gyda 25% o boblogaeth Cymru yn byw yn ardaloedd Caerdydd a Chasnewydd, 24% yn y Cymoedd, 22% yn Abertawe a'r de-orllewin, 7% yn y canolbarth, 12% yn y gogledd-ddwyrain a 10% yn y gogledd-orllewin, mae'r rhan fwyaf o'r twf sy'n cael ei ddisgrifio wedi digwydd yn ne Cymru. Er hynny, gwelwyd fod yr eglwysi sy'n tyfu yn ôl y gyfradd 5:2 mewn sefyllfaoedd trefol, yn y Cymoedd, neu yng nghyd-destun trefi bychain, yn gyfartal o ran canran (40% o'r eglwysi). O gymharu â hyn, dim ond 20% o eglwysi mewn ardaloedd gwledig sy'n cyrraedd y llinyn mesur (Siart 5). Er hynny, nid yw'r cysondeb yma i'w ddarganfod wrth ystyried y canran o eglwysi 5:2 yn yr ardaloedd gwahanol (Siart 6).

Sut mae'r Eglwysi'n Cyfathrebu eu Neges

Roedd yr holiadur yn cofnodi sut yr oedd eglwysi yn ceisio cyfathrebu eu neges. I bwrpas archwiliad, rhannwyd yr opsiynau i bedwar categori:

cyfathrebu trwy ryw fath o oedfa eglwysig,[99] trwy berthynas â grwpiau anffurfiol,[100] trwy efengylu uniongyrchol yn y gymuned,[101] a thrwy waith gyda phlant ac ieuenctid[102] (Siart 7). Mae'r ymatebion yn dangos parhad yn y ddibyniaeth ar ddulliau atyniadol, lle mae'r adeilad eglwysig a'r gwasanaethau sy'n cael eu cynnal yno yn chwarae rhan flaenllaw. Mae cenhadaeth sydd wedi ei ganoli ar adeilad yr eglwys yn adlewyrchu agwedd sydd wedi gweithio'n dda mewn cyd-destun Cristnogol traddodiadol, ond fe welir fod hyn yn gynyddol aneffeithiol mewn cyd-destun ôl-Gristnogol neu seciwlar. Mae'r ffaith fod y pwyslais yma i'w weld yn parhau yn effeithiol mewn rhai rhannau o Gymru yn awgrymu amrywiaethau o ran graddau effaith seciwlariaeth mewn ardaloedd gwahanol. Mae nifer sylweddol o eglwysi yn ystyried oedfaon pregethu yn adeilad yr eglwys fel eu prif arf cenhadol. Byddwn yn gweld fod dull o'r fath yn fwy amlwg mewn ardaloedd gwledig ac ardaloedd lle mae'r Gymraeg yn cael ei siarad amlaf, lle mae mynd i'r capel yn parhau yn rhan o fywyd y gymuned, boed hynny ar y Sul, i angladd neu i ddigwyddiadau cymdeithasol eraill.

Yn yr ymatebion sy'n nodi sut y daeth pobl i ffydd yn ystod y degawd (Siart 8), nid yn unig oedfaon eglwysi sy'n dod i'r amlwg, ond hefyd canran cynyddol o bobl a ddaeth i ffydd trwy berthynas bersonol, trwy gyrsiau efengylu, a thrwy ddigwyddiadau.[103] Mae hyn yn dangos elfen o symud i gyd-destun ôl-Gristnogol. Os, fel y dengys yn ymchwil *Tearfund* 2007, fod 72% o boblogaeth Cymru wedi cau eu meddwl i unrhyw ymrwymiad

---

99 GWASANAETHAU yn cynnwys oedfaon pregethu ar y Sul ac oedfaon arbennig.
100 PERTHYNAS yn cynnwys Christianity Explored, Alffa a phrydau bwyd.
101 UNIONGYRCHOL yn cynnwys ymweliadau â chartrefi, rhannu llenyddiaeth, gwaith ar y stryd, gan gynnwys pregethu a sgetsfwrdd.
102 IEUENCTID yn cynnwys gwasanaethau ysgolion, clybiau gwyliau a gweithgarwch ymestynnol i ieuenctid.
103 "Rhieni yn dilyn" cofnod o'r nifer o oedolion ymunodd â'r eglwys yn dilyn ymwneud eu plant â hi.

pellach i'r eglwys, boed hynny oherwydd eu bod wedi cefnu, neu erioed wedi bod mewn eglwys, mae'r tueddiadau yma mewn cenhadaeth yn anorfod, ac, yn gynyddol, byddant yn dod yn arferol.

Sut mae Eglwysi yn Cysylltu â'u Cymunedau

Fe gofnododd yr arweinwyr y ffyrdd yr oedd yr eglwysi yn eu gofal wedi eu cysylltu gyda'u cymunedau. I bwrpas yr arolwg, mae'r opsiynau eto wedi eu grwpio i gategorïau: y rhai oedd yn gysylltiedig â darpariaeth bresennol yr eglwysi i'w haelodau eu hunain,[104] darpariaeth caffi oedd yn agored i'r gymuned,[105] pethau sydd wedi eu cyfeirio at anghenion teuluoedd,[106] anghenion penodol o fewn y gymuned,[107] darpariaeth ar gyfer ieuenctid,[108] neu ryw fath o ddarpariaeth addysgiadol[109] (Siart 9). Gofynnwyd i'r rhai oedd yn ymateb i nodi'r digwyddiadau hynny yr oeddent wedi eu defnyddio dros y degawd, gan nodi'n arbennig y ddau ddigwyddiad a ddefnyddiwyd yn fwyaf aml.

Mae'r gweithgarwch yma o fewn y grwpiau gwahanol yn cynrychioli cenhadaeth yr eglwysi lleol wrth iddynt fynd i'r afael â byw yn eu cymunedau. Mae'r ffaith fod hanner y cysylltiadau hyn wedi eu trefnu yn wreiddiol ar gyfer y cymunedau eglwysig eu hunain, a'r ffaith fod

104 PERTHYNAS Â'R EGLWYS yn cynnwys gweithgarwch i blant, ieuenctid a'r henoed, cynghori ac unrhyw ddefnydd o'r adeilad.
105 Cael ei adnabod fel mewn PERTHYNAS Â'R CAFFI.
106 PERTHYNAS Â'R TEULU yn cynnwys meithrinfa plant, cyrsiau rhianta a chyrsiau priodas.
107 PERTHYNAS AG ANGEN yn cynnwys cyngor ar ddyled, Banc Bwyd, Bugeiliaid y Stryd a chymorth i'r di-waith a charcharion.
108 PERTHYNAS Â IEUENCTID yn cynnwys clybiau ar ôl ysgol, gwasanaethau mewn ysgolion, hyfforddiant chwaraeon neu dîmau.
109 PERTHYNAS Â HYFFORDDIANT gan gynnwys hyfforddiant TG, hyfforddiant llythrennedd, hyfforddiant yn y Gymraeg a gweithgareddau diwylliannol.

hanner yr eglwysi gyda phump neu lai o'r cysylltiadau hyn, yn dangos fod cenhadaeth yr eglwysi wedi ei ganoli, o leiaf yn gychwynnol, ar eu pobl eu hunain (Siart 10). Mae'r patrymau yn adlewyrchu golwg fewnblyg o genhadaeth, yn hytrach nag agwedd sy'n edrych y tu allan ac yn genhadol mewn gwirionedd. Mae hyn yn wynebu anhawster pellach o ystyried y nifer o eglwysi sydd heb ofal gweinidog, ac o ganlyniad efallai, yn llai trefnus o ran cynnal digwyddiadau, ac nid yw'r rhain yn cael eu cynnwys yn y data.

Mae'r Arolwg yn dangos fod yna berthynas rhwng yr eglwysi sydd â mwy na saith cysylltiad hefo'u cymuned a'r rhai sydd yn tyfu yn ôl y llinyn mesur 5:2 (Siart 11). Mae agwedd genhadol yr eglwysi hyn, a'r graddau y mae'r agwedd honno yn cael ei addasu i Gymreigrwydd penodol eu cymunedau yn rhoi awgrymiadau pendant i ni ynglŷn â'r ffordd fwyaf effeithiol o genhadu yng Nghymru yn yr unfed ganrif ar hugain.

Amrywiadau Rhanbarthol wrth ystyried Cenhadaeth

Mae'r ffordd y mae'r eglwysi lleol yn mynegi eu dyhead cenhadol yn amrywio yn yr ardaloedd gwahanol yng Nghymru. Mae'r ffaith fod mwyafrif y boblogaeth wedi eu lleoli yn y dinasoedd ac yng Nghymoedd y de yn golygu fod y rhan fwyaf o'r eglwysi wedi eu lleoli yn yr ardaloedd hyn, ac o ganlyniad, fod y rhan fwyaf o genhadaeth yr eglwysi yn cael ei fynegi yno hefyd. Wrth ystyried yr ymateb i genhadaeth ymhob ardal ar sail canran, mae patrymau yn dod i'r golwg sy'n wir beth bynnag yw nifer yr eglwysi (Siartiau 12-15).

Yn ardal y gogledd-orllewin lle mae'r iaith Gymraeg a phatrymau traddodiadol o Anghydffurfiaeth Gymraeg yn dal yn weddol gryf, mae yna lai o enghreifftiau o efengylu ar sail perthynas, ac ychydig yn fwy yn deillio o genhadu uniongyrchol. Mae'r defnydd o Wasanaethau neu Oedfaon yn para'n uchel, ac oherwydd bod gan eglwysi'r ardal broffil oedran hŷn, fe ddefnyddir llai o ffurfiau ar genhadaeth ymestynnol ymhlith ieuenctid. Ar y llaw arall, yn y de a'r Cymoedd, gwneir defnydd o bob dull ar genhadaeth, gydag ychydig llai o ddibyniaeth ar Oedfaon a gweithgareddau uniongyrchol. Efallai y gellir esbonio'r tuedd yma oherwydd yr ymwybyddiaeth gryfach o gymuned a'r baich dros weithredu'n gymdeithasol yn y de a'r Cymoedd o'i gymharu â'r gogledd-orllewin.

Mae'r cysylltiadau sydd gan eglwysi gyda'u cymunedau gyda golwg ar weithgarwch cymdeithasol (Siartiau 16-21), yn dangos lefel is o weithgarwch yng nghanolbarth Cymru ac yn y gogledd-orllewin. Yn y cymunedau hyn, mae'r ffurfiau traddodiadol o eglwys a chenhadaeth sydd wedi eu cysylltu â'r iaith Gymraeg yn parhau'n gryf. Mae hyn yn arbennig o wir mewn perthynas â'r eglwys, caffi, teulu, a gweithgareddau cenhadol sy'n deillio o anghenion penodol, ac yn llai felly gyda gweithgarwch ieuenctid ac addysgiadol lle mae patrymau mwy cyson. Bydd yr amrywiadau yma i'w gweld yn arwyddocaol wrth ystyried ymatebion yr arweinwyr o'r eglwysi sydd yn arfer y *Dulliau* gwahanol o genhadaeth.

Sut mae'r Chwe *Dull* o ymdrin â Chenhadaeth yn Gweithio yng Nghymru

Trwy ei chenhadaeth, mae'r eglwys leol yn ceisio cyrraedd ei chymuned. Cyn yr ugeinfed ganrif, roedd hyn yn gyffredinol yn efengylaidd o ran natur, gyda gweithgarwch cymdeithasol yn ganlyniad i hyn. Wrth i'r ganrif newydd ddatblygu, bu i natur cenhadaeth ganlyn y newidiadau diwinyddol sylweddol yn eglwysi'r Gorllewin. Gyda thwf diwinyddiaeth Ryddfrydol, gwelwyd symudiad cynyddol oddi wrth *Ddull* Efengylaidd o ymdrin â chenhadaeth i un oedd â mwy o ddiddordeb yn anghenion tymhorol y bobl yn unig.

Mae'r ddau *Ddull* yma o ymdrin â chenhadaeth, Efengylaidd a Rhyddfrydol, yn cynrychioli dau begwn sbectrwm. Rhwng y rhain, mae yna bedwar *Dull* arall i'w darganfod. Byddai'n well edrych ar y *Dull* Efengylaidd fel rhywbeth sy'n cynrychioli dau *Ddull* mewn gwirionedd, E1 ac E2. Mae'r *Dull Missio Dei* yn cynrychioli ymdrech i ddarganfod ffordd ganol rhwng yr Efengylaidd a Rhyddfrydol. Mae *Dull* Lausanne yn ei hanfod yn efengylaidd ond gyda chryn ddylanwad gan y *Dull Missio Dei.* Mae *Dull* yr Egin Eglwysi yn ceisio bod yn gyfuniad o elfennau gorau'r pum *Dull* arall. Yn hanfodol felly, gellir disgrifio'r elfennau yn y sbectrwm fel a ganlyn:

- Eglwysi E1 sy'n gweld cenhadaeth fel cyhoeddi yn unig, gyda gweithgarwch cymdeithasol yn rhan o'r cyfrifoldebau bugeiliol yn hytrach na rhan o'r genhadaeth.

- Eglwysi E2 sy'n gweld gweithgarwch cymdeithasol fel pont i mewn i'r gymuned o'u cwmpas, ac o adeiladu'r bont hon, gellir clywed eu neges a meithrin hygrededd.

- Eglwysi Lausanne sy'n gweld efengylu a gweithgarwch cymdeithasol fel partneriaid cyfartal yn eu cenhadaeth.

- Mae *Dull* yr Egin Eglwysi yn ceisio cyflawni cenhadaeth mewn ffordd gynhwysol, ymgnawdoledig, anffurfiol, a thrwy weithredoedd yn hytrach na thrwy eiriau.

- Mae'r *Dull Missio Dei* yn ei hanfod yn ymdrech eciwmenaidd sy'n gweld cenhadaeth fel bod yn rhan o bob agwedd o fyd Duw. Gall efengylu fod yn un rhan o hynny.

- Mae Eglwysi Rhyddfrydol yn gweld cenhadaeth fel rhywbeth sy'n ei hanfod yn perthyn i fyd diwygio cymdeithasol ac ateb anghenion pobl.

Byddai'r rhan fwyaf o'r *Dulliau* yma o ymdriniaeth yn defnyddio'r term "cenhadol" gan gyfeirio at ffurfiau o genhadaeth nad ydynt yn draddodiadol ond sy'n edrych allan. Defnyddiwyd y term "*missional*" yn gyntaf yn y 1990au gan y *Gospel and our Culture Network*, ac yn fwyaf arbennig gan Guder.[110] Ers hynny, mae'r term yma, neu ar "ffurf o genhadaeth", wedi ei ddefnyddio yn eang gan bob math gwahanol o *Ddulliau* o ymdrin â chenhadaeth gyd destunol. Mae union ystyr y term wedi ei amrywio yn ôl persbectif y rhai sy'n ei ddefnyddio, ac o ganlyniad, mae'n fwy o bwyslais nag o *Ddull*.

110 D. L. Guder, gol., *Missional Church: A Vision for the Sending of the Church in North America* (Grand Rapids: Eerdmans, 1998), 1-17; Keller, *Center*, 251, 255.

Dulliau o Ymagweddu at Genhadaeth

Dull Cenhadol yr Eglwysi sy'n Pwysleisio Efengylu

Yng Nghymru, yr oedd ymdrechion y Piwritaniaid, yr Anghydffurfwyr, ac yn ddiweddarach yr eglwysi Methodistaidd, yn eu hanfod yn rhai oedd yn pwysleisio efengylu. Roedd y gwaith mewn perthynas â llythrennedd, oedd yn cael ei gyflawni gan ysgolion cylchynol Griffith Jones, yn cael ei fwriadu er mwyn cynorthwyo pobl i ddarllen y Beibl, a thrwy hynny i ddod i ffydd, a thyfu mewn ffydd bersonol. Yr oedd cenhadaeth ac efengylu mewn perthynas â'r unigolyn yn cael ei ystyried, yn fras, fel yr un peth. Roedd yr eglwysi yn cael eu cymell gan y dyhead i weld iachawdwriaeth unigolion, trwy ddyfodiad Iesu Grist i'r byd i gymodi pobl bechadurus a phell, â'r Duw sanctaidd a chyfiawn. Roedd y pwyslais ar efengylu yn meddu'r fath flaenoriaeth fel bod gweithgarwch cymdeithasol yn eilbeth. Roedd y *Dull* yma o ymagweddu yn pwysleisio cyhoeddi'r neges, gyda chonsýrn a gweithredu cymdeithasol yn ganlyniad uniongyrchol. Er hynny, wrth i Ryddfrydiaeth ddiwinyddol ddatblygu, a thwf yn yr hyn a adnabuwyd fel yr efengyl gymdeithasol, tuedd yr eglwysi a bwysleisiai efengylu oedd i ymateb a chilio i fath o Bietistiaeth, i'r fath raddau fel bod eu cenhadaeth yn gyfan gwbl wedi ei anelu at efengylu gan osgoi unrhyw ymwneud cymdeithasol.[111] Roedd y tueddiad yma'n tueddu i ynysu eglwysi oddi wrth eu cymunedau, yn arbennig felly wrth i gymdeithas newid gyda dirywiad y byd Cristnogol. Gwelwyd cynnydd yn y tuedd yma yn dilyn diwygiad crefyddol 1904/5, a ffurfio neuaddau cenhadol ymhlith pobl

111 Mudiad i adfywio yn yr 17eg ganrif oedd yn pwysleisio bywyd mewnol y credadun ond yn tueddu i esgeuluso gweithgarwch cymdeithasol a/neu wleidyddol. Bebbington, *Evangelicalism*, 211-228.

Efengylaidd a Phentecostalaidd oedd wedi gwahanu oddi wrth y brif ffrwd Anghydffurfiol.

Yr hyn mae'r Holiadur a'r Cyfweliadau yn ei ddangos

Roedd yr eglwysi a'r arweinwyr oedd yn ymarfer efengylu yng nghyd-destun cyhoeddi yn eu cenhadaeth, yn pwysleisio blaenoriaeth pregethu'r efengyl, naill ai ar lafar neu trwy lenyddiaeth. Nid oeddent yn rhoi blaenoriaeth i weithredu cymdeithasol, gan eu bod yn aml yn cysylltu hynny gyda'r efengyl gymdeithasol a berthynai i ddiwinyddiaeth Ryddfrydol. Mae un arweinydd yn mynegi hanfod y *Dull* hwn:

> "Rydym yn credu'n gyffredinol mai'r hyn y mae'r Beibl yn ei orchymyn, ac yn wir y traddodiad hir sydd i bregethu, i sgyrsiau personol, i ymweliadau bugeiliol, ynghyd â bywyd duwiol aelodaeth yr eglwys, yn cael ei gefnogi gan weddi, yw'r ffurf fwyaf tebygol o gael ei anrhydeddu gan y Duw sofran mewn dydd o newyn ysbrydol."

Mae'r cyhoeddi yn cael ei ganoli ar adeilad eglwysig, fel arfer ar ddydd Sul. Mae dulliau fel hyn yn adlewyrchu agwedd mewngyrchol i genhadaeth lle mae pobl yn cael eu gwahodd i glywed neges ac i ymateb i'r neges honno'n bersonol. Fe all fod y pregethu yma'n cael ei gefnogi gan oedfaon neu bregethu yn yr awyr agored, sgyrsiau ar y stryd o natur efengylaidd, neu ymweliadau wedi eu trefnu â chartrefi, ond heb unrhyw weithgarwch cymdeithasol fel rhan o'r genhadaeth.

Mae'r *Dull* yma (E1) yn aml yn adlewyrchu'r rhagdybiaethau diwinyddol Calfinaidd, lle mae cenhadaeth yn cael ei gyrru gan geidwadaeth sydd wedi'i seilio ar batrwm Beiblaidd, yn hytrach na dyhead i fod yn weithgar neu unrhyw fath o bragmatiaeth:

"Mae hefyd yn deg dweud fod ein hargyhoeddiadau Calfinaidd cryf yn ein harwain i gredu fod efengylu yn gorfod cychwyn yn y cyfarfod gweddi, gan fod ailenedigaeth yn waith Duw yn unig, a heb y gwaith yma, ni fydd neb yn edifarhau na chredu. Mae pob tröedigaeth yn wyrth... Rydym yn gorfoleddu wrth inni weld tröedigaethau, ond nid ydym yn gofidio pan fo blwyddyn neu ddwy yn mynd heibio heb dröedigaethau, ac nid yw hyn chwaith yn ein harwain i newid ein dull sylfaenol o ymagweddu."

Roedd un arweinydd yn gweld bod yr holl genadaethau efengylu yn ystod y ganrif ddiwethaf wedi bod yn aneffeithiol gan eu bod yn cynnig "ateb byrdymor gyda dulliau newydd anfeiblaidd". Roedd arweinydd arall yn barod i fynegi amharodrwydd i fod yn rhan o unrhyw ymwneud cymunedol er mwyn nodi'r gwahaniaeth rhwng yr eglwys bresennol a'r cefndir Rhyddfrydol a fu ganddi. Mae'r grŵp hwn yn parhau i ddefnyddio technegau oedd wedi bod yn effeithiol am genedlaethau, gan lwyr ddisgwyl mai dyma fydd yn parhau i fod yn effeithiol. Roeddent yn "pregethu'r Hen Hanes heb ddim o'r technegau modern!" Roedd y patrymau oedd wedi eu profi a'u harfer yn adlewyrchu "patrwm sydd wedi ei osod yn yr Ysgrythur, ac o ganlyniad, yn effeithiol ymhob cyd-destun diwylliannol."

Fe effeithiwyd yn gryf ar y dull yma o ymagweddu at genhadaeth yn yr eglwysi hyn (E1) gan ddysgeidiaeth ac esiampl y diweddar Dr Martyn Lloyd Jones a ddaeth yn weinidog i Bort Talbot cyn symud i Westminster Chapel yn Llundain. Tra ym Mhort Talbot,[112] ac yn ddiweddarach yn Llundain,[113] gwelwyd fel y bu iddo symud oddi wrth raglenni cymdeithasol yr eglwysi, gan ganolbwyntio ar bregethu efengylaidd ei apêl. Fe fu'n dysgu mai cyfrifoldeb yr eglwys leol oedd achub eneidiau, ac i sylweddoli

112 Jones, "Lloyd-Jones and Wales," yn Atherstone a Jones, *Engaging with Martyn Lloyd Jones*, 64; B. Bailie, "Lloyd-Jones and the Demise of Preaching," yn Atherstone a Jones, *Engaging with Martyn Lloyd Jones*, 168.
113 J. Coffey, "Lloyd-Jones and the Protestant Past," yn Atherstone a Jones, *Engaging with Martyn Lloyd Jones*, 322-323.

hyn, roedd diwygiadau crefyddol yn hanfodol.[114] Yn hyn, ynghyd ag mewn agweddau eraill, roedd ei ffordd o weithredu o "bwysigrwydd sylfaenol i'r hyn oedd i ddod yn Fudiad Efengylaidd Cymru"[115] ac yn ffurfiannol gyda golwg ar gyfeiriad cenhadol yr eglwysi (E1) hyn.

Wrth i gysylltiadau â'r gymuned ehangach ddod yn gynyddol anoddach i'w meithin, mae'n wir dweud fod rhai o arweinwyr yr eglwysi hyn wedi addasu rhywfaint gyda golwg ar eu *Dull*, gan geisio gwneud gwasanaethau eglwysig yn haws eu dilyn, tra ar yr un pryd ddiogelu ymagweddiad at genhadaeth oedd wrth natur yn anelu at dynnu pobl i mewn i'r eglwys. Roedd cysylltu â'r gymuned yn baratoad ar gyfer mynychu'r eglwys:

> "Yr ydym ar hyn o bryd yn mynd trwy gyfnod o newid... Cam cyntaf y newid yma yw addasu ein hoedfaon boreol i'r graddau y bydd hyn yn diogelu eu bod yn haws eu dilyn ar gyfer pobl sydd heb gefndir eglwysig, ynghyd â diogelu bod ein haelodau a'n mynychwyr ein hunain yn meddu ar hyder i wahodd pobl i'r oedfaon. Ochr yn ochr â hyn, rydym yn edrych i arfogi ein haelodau a'n mynychwyr i rannu eu ffydd yn eu llefydd gwaith ac yn y blaen, oherwydd heddiw, i sicrhau fod yr efengyl yn cyrraedd pobl, rydym yn cydnabod fod rhaid i ni fynd allan gyda'r efengyl honno."

Mewn rhai achosion fel yr uchod, roedd yna drawsffurfio a datblygiad oddi wrth genhadaeth oedd wedi ei ganoli ar ddull Uniongyrchol (ymweld, cyfarfod ar strydoedd a phregethu, rhannu llenyddiaeth a sgetsfyrddau) i ddull mwy Perthynol (gan ddefnyddio cyrsiau fel *Alffa* neu *Darganfod Cristnogaeth*, neu hyd yn oed ddigwyddiad cymdeithasol gyda phryd o fwyd a siaradwr). Gwelai eraill fod y nifer oedd yn mynychu trwy ymateb i wahoddiadau gan aelodau wedi lleihau'n sylweddol, boed hynny ar gyfer

114 Randall, "Revival," yn Atherstone a Jones, *Engaging with Martyn Lloyd Jones*, 91-113.
115 Jones, "Lloyd-Jones in Wales," yn Atherstone a Jones, *Engaging with Martyn Lloyd Jones*, 73.

oedfaon arferol y Sul neu ddigwyddiadau arbennig.

Er hynny, nid oedd y patrwm yn un gwastad ymhob cyd-destun Cymreig. Mewn rhai ardaloedd lle mae'r iaith Gymraeg yn cael ei siarad gan y mwyafrif, roedd y cysylltiadau rhwng y capel a'r gymuned yn parhau i fod yn anghyffredin o gryf. Yn wir, roedd y capel yn parhau i gael ei adnabod fel conglfaen y gymuned. I un o'r eglwysi hyn, nid oedd ymdeimlad o golli cysylltiad ac roedd y gymuned yn parhau i ddod i oedfaon mewn niferoedd sylweddol. Iddynt hwy, hanfod y pregethu o fewn yr adeilad oedd allwedd eu cenhadaeth:

> "I gwrdd â'r sefyllfa draddodiadol, rydym yn ceisio diogelu pregethu ffyddlon o'r gair ar y Suliau ym mhob rhan o'r ofalaeth ... Does dim yn benodol 'Gymreig' am hyn ond rydym yn ceisio diogelu'r dystiolaeth efengylaidd trwy gyfrwng y Gymraeg ac i gymuned wledig Gymreig."

O ofyn sut oedd y gymuned i glywed y neges, roedd yr ateb yn ddiamheuol yn un mewngyrchol:

> "Bydd angen iddynt ddod i mewn i'r Capel, felly mae'n rhaid cynnal yr oedfaon. Mae yna barhad yn yr ystyr fod pobl yn y gymuned hon yn gwybod fod yna wasanaeth yn y Capel am 10 o'r gloch a 6 o'r gloch ar y Sul."

Mae parhad perthnasedd y math yma o ddull oddi fewn i gymunedau traddodiadol Gymreig yn dangos nad yw seciwlariaeth a'r byd ôl-Gristnogol wedi effeithio ar bob cymuned i'r un graddau. Mae'r hyn sydd wedi bod yn effeithiol am genedlaethau yn parhau i fod yn berthnasol mewn rhai cyd-destunau.

Roedd yr ail grŵp o eglwysi o fewn y dull yma o ymagweddu sy'n pwysleisio efengylu fel cenhadaeth (E2) yn rhoi pwyslais ar gyhoeddi neges yr efengyl, ond ar yr un pryd hefyd yn cymryd rhan bwriadol mewn gweithgarwch cymdeithasol. Bwriedid y gweithgarwch cymdeithasol yma i fod yn bont ar gyfer y neges, gan roi eglureb o ras – gras fyddai'n cael ei weld yn ogystal â chael ei glywed:

> "...rydym wedi ymdrechu i greu cyfleoedd i feithrin perthynas gyda phobl y tu allan i'r eglwys, pobl sy'n gyffredinol yn amau'r eglwys ac yn wrthwynebus i'r efengyl. Yng ngoleuni hyn, rydym wedi ceisio cyfathrebu'r efengyl, nid yn unig mewn gair ond trwy ein gweithredoedd e.e. prosiectau cymunedol, gweithredoedd da gan gynnwys cyngor ar ddyled, Banciau Bwyd, a hyd yn oed ail-gylchu celfi ayb."

I'r eglwysi hyn, mae gweithgarwch cymdeithasol yn cael ei gyflawni er mwyn cefnogi'r neges, nid ar wahân i'r neges honno. Mae un arweinydd yn disgrifio polisi'r eglwys fel, "Rydym yn edrych ar anghenion y gymuned ac yn lleoli ein hefengylu o amgylch y cyfleoedd hynny." Mae ambell weithgarwch fel Banciau Bwyd, darparu lloches ar gyfer y digartref, clybiau i'r di-waith neu *Fugeiliaid y Stryd*, yn dod yn aml heb unrhyw fath o gyfathrebu geiriol, ond y gobaith a'r rheswm dros gyflawni'r gweithgarwch oedd y byddai'n cymeradwyo neges fyddai'n cael ei chlywed ar achlysur arall, neu, o bosib, fe allai'r gweithgarwch ei hunan gymell cwestiwn. Mae'r eglwysi E2 hyn yn pwysleisio pwysigrwydd adeiladu perthynas ar lefel bersonol fel yr hyn sydd yn hanfodol cyn clywed y neges sy'n cael ei chynnig.

> "Mae pawb wedi dod trwy berthynas ...Nid yw'r clybiau, digwyddiadau cymdeithasol, na hyd yn oed yr oedfaon ar y Sul yn ddiben ynddynt eu hunain, ond yn hytrach yn gosod sylfaen ar gyfer perthynas a chyfeillgarwch sy'n rhaid ei brofi mewn bywyd o ddydd i ddydd er mwyn argyhoeddi pobl o'ch diffuantrwydd."

Er y gwahaniaethau rhwng y ddau grŵp yma o eglwysi E1 ac E2, mae'r ddau grŵp yn gwneud y neges yn flaenoriaeth. Maent yn ceisio cyflawni cenhadaeth yn eu cymunedau fel ffordd o hyrwyddo'r neges honno.

Mae'n bwysig nodi fod yr eglwysi sy'n cael eu disgrifio fel eglwysi E1 ac E2 yn cynrychioli ystod sy'n ymestyn o'r rhai sy'n wrthwynebus i unrhyw ymwneud cymdeithasol ar y naill law, i'r rhai hynny lle mae cenhadaeth bob amser yn cynnwys gweithgarwch cymdeithasol ar y llaw arall, gyda sawl pwyslais gwahanol yn y canol. Yr oedd yna eglwysi yng nghategori E1 oedd yn amlwg yn gwrthwynebu ymwneud cymdeithasol, ond yr oedd eraill yn gwneud dim mwy na pharhau traddodiadau ac arferion nad oedd yn rhoi lle iddo yng nghenhadaeth eu heglwys leol. Roedd eglwysi eraill oedd yn perthyn i grŵp E1 yn darparu cylchoedd mam a'i phlentyn, gofal dros y rhai priod, gofal dros yr henoed, ymweld ag ysbytai a charchardai, clybiau plant ac ieuenctid, ond yn gweld y rhain, yn bennaf, fel pethau oedd yn perthyn i'w gofal bugeiliol neu fel gweithgarwch yr eglwys, yn hytrach nag fel cenhadaeth. Mae deall o genhadaeth yn yr eglwysi hyn yn canolbwyntio yn gyfan gwbl ar y cyhoeddi, ac o hanfod felly, ar wahân i unrhyw ymwneud cymdeithasol. Mae'r holiadur felly yn dangos fod rhai eglwysi E1 yn gwneud rhai o'r gweithgareddau yma, tra bod yr eglwysi E2 yn eu gwneud yn fwriadol fel rhan o'u cenhadaeth.

Natur y Neges Efengylaidd a modd ei Chyfathrebu

Nid oedd yr holiadur yn gofyn i'r arweinwyr nodi eu neges sylfaenol, ond fe wnaed hynny yn y cyfweliadau. Yn achos y rhai lle mae eu *Dull* o genhadu wedi ei ganoli ar efengylu, p'un ai eglwysi yng nghategori E1 neu E2, fe roddir blaenoriaeth ganddynt i gyd ar waith Crist, angen pobl, a bendithion iachawdwriaeth bersonol:

- "Iesu Grist ag yntau wedi ei groeshoelio... fod pobl yn bechaduriaid, fod Iesu wedi marw yn eu lle er mwyn sicrhau maddeuant, a bod ffydd yn dwyn maddeuant o law Duw a bendithion yr efengyl, bywyd newydd, a gobaith tragwyddol."

- "Yr efengyl, mae'n cychwyn gyda chyfiawnder y Duw a fydd yn cosbi pechod. Iachawdwriaeth trwy farwolaeth ac atgyfodiad Iesu."
- "Yr efengyl. Daeth Crist Iesu i'r byd i achub pechaduriaid ac i alw pobl i edifarhau a chredu. Dyma'r newyddion da."
- "Yr efengyl Feiblaidd. Mae hyn yn golygu Duw sy'n achub pechaduriaid trwy Grist ar y groes, trwy'r Iawn, gan eu gwneud yn blant iddo, a hynny o ras trwy ffydd."
- "Rhaid i'r neges fod yn efengyl, pa ffordd bynnag yr ydych yn ei chyflwyno. Dyna hanfod ein bodolaeth. Bywyd newydd, gobaith newydd, sut bynnag yr ydych yn geirio hynny, dyna beth ydym ni'n ei gyflwyno. Gras, daioni diamod yw. Medrwch ddod i gyfarfod yr Iesu yma sy'n abl i newid eich bywyd."
- "Yr efengyl yn ei hanfod yw'r ffaith fod Crist yr achubwr wedi dod i'r ddaear i'n hachub ni o'n pechodau, er mwyn inni fyw bywyd yn ei gyflawnder, a byw yn dragwyddol gydag ef. Fel y dywed cyffes Westminster, diben pennaf dyn yw gogoneddu Duw a'i fwynhau byth ac yn dragywydd."

Yr unig wahaniaeth ymylol oedd bod arweinwyr eglwysi E2 yn rhoi pwyslais ychwanegol ar y profiad a ddeilliai o hyn:

- "Y neges hanfodol fyddai sut mae dyn neu ddynes yn dod i berthynas iawn gyda Duw. Dyna fyddai'n gyrru ein gwaith... Dyna fyddai'n ein cymell. Yr ateb fyddai i droi i ffwrdd oddi wrth eu pechodau i edifarhau am y bywyd y maent wedi ei fyw, ac i ymddiried yn llwyr ac yn gyfan gwbl yn aberth Crist ar y groes ar eu rhan..."
- "Trwy Iesu Grist, mae'n bosibl iddynt gael maddeuant o'u pechodau ac i fod yn rhan o'i gymuned, y teulu y mae'n ei adeiladu ar draws y byd... byddwn hefyd yn pwysleisio cymuned yn gyson."

- "Mae ein neges sylfaenol yn syml, Iesu yw'r Arglwydd. Yr hyn y ceisiwn ei gyflawni fel eglwys yw cyhoeddi'r ffaith fod Iesu yn Arglwydd... Rydym yn cynorthwyo pobl i ddeall fod Duw am lenwi pob rhan o'n bywyd, a phob rhan o'n ffordd o fyw gan ei gydnabod ef fel Arglwydd."

- "Mae neges sylfaenol yr eglwys wedi'i sylfaenu ar yr efengyl... i ddatblygu perthynas ddofn gyda Duw ac i wneud ymrwymiad byw iddo ef. Yn ychwanegol, eu hannog i edrych tuag ato am bob un o'u hanghenion dyddiol."

- "Mai Iesu yw'r unig un a all achub, newid a thrawsffurfio bywyd personol a chymunedau. Iesu yw neges yr eglwys. Y cyfan a ddywedwn o hyd yw Iesu!"

Mae'n amlwg fod neges o faddeuant, o newid, o obaith, yn cael ei anelu at ddenu pobl i berthynas bersonol gyda Christ, ac i fod yn rhan o'r eglwys, ac o ganlyniad, i fod yn rhan o wasanaethu Cristnogol trwy'r eglwys. Roedd y pwyslais ar iachawdwriaeth unigolion yn arwain at genhadaeth oedd yn ceisio sylweddoli cynnydd yn yr eglwys a'i chenhadaeth, a hynny gydag elfen o lwyddiant.

Roedd yr holiadur hefyd yn gofyn i'r arweinwyr gadarnhau sut oedd eu heglwys neu eu heglwysi yn ceisio cyfathrebu ei neges trwy nodi'r moddion a ddefnyddiwyd, a'r ddau fodd a "ddefnyddiwyd fwyaf". Roedd yr holiadur hefyd yn gofyn iddynt nodi trwy ba fodd yr oedd pobl mewn gwirionedd wedi dod i ffydd a chael eu hychwanegu at yr eglwys. O'u casglu ynghyd yn y categorïau a esboniwyd ynghynt (tud. 77 & 78), roedd yna wahaniaethau bychain, ond arwyddocaol rhwng eglwysi E1 ac E2 (Siartiau 22 a 23). Roedd y ddau *Ddull* o ymagweddu at genhadaeth yn defnyddio gwasanaethau eglwysig i gyfleu eu neges fel un o'r gweithgareddau a "ddefnyddiwyd fwyaf", ond roedd yr eglwysi yng nghategori E2 yn tueddu at ddefnyddio oedfaon y Sul ac oedfaon arbennig yn fwy. Roedd eglwysi E1 yn gwneud mwy o ddefnydd o ddulliau Uniongyrchol at genhadaeth, tra bod eglwysi E2 yn gwneud mwy o ddefnydd o ddulliau ar sail Perthynas, weithiau gyda dau o'r moddion yn y grŵp yn cael eu defnyddio.

O holi trwy ba fodd yr oedd pobl mewn gwirionedd wedi dod i ffydd (Siartiau 24-25), mae'r darlun yn fwy amrywiol, ond mae'r patrymau yn aros. Gwelodd eglwysi E1 y nifer fwyaf o bobl yn dod i ffydd trwy bregethu, a dyma oedd eu blaenoriaeth. Ar y llaw arall, gwelodd yr eglwysi yng nghategori E2 fwy o bobl yn dod trwy berthynas bersonol, a mwy o bobl yn dod i ffydd trwy'r categorïau amrywiol eraill. Mae'n ddiddorol nodi, hyd yn oed yn y meysydd oedd yn cael eu pwysleisio yn eglwysi categori E1, er enghraifft pregethu, ymweld, ac wythnosau cenhadol, fod llai o eglwysi wedi gweld pobl yn cael eu hychwanegu trwy'r moddion yma nag yng nghenadaethau E2 oedd o'r un math. Roedd llai na 10% o eglwysi E1 ac E2 wedi gweld pobl yn cael eu hychwanegu trwy wythnosau cenhadol. Mae'r patrymau yma'n awgrymu fod eglwysi yng nghategori E1 yn dyfalbarhau gyda dulliau oedd yn gynyddol aneffeithiol, tra bod y cysylltiadau ychwanegol oedd gan eglwysi E2 o fewn eu cymunedau yn gwneud eu dulliau efengylu yn fwy effeithiol.

O'u cymharu â'r *Dulliau* eraill o ymagweddu at genhadaeth, roedd y *Dulliau* sy'n pwysleisio Efengylu yn dangos defnydd ychydig yn uwch o Wasanaethau o addoliad a Gweithgareddau yn ymwneud â pherthynas (Siartiau 32 a 34), tra bod y defnydd o ddulliau Uniongyrchol ac Ieuenctid yn cyfateb hefyd (Siartiau 35 a 37). Mae'r defnydd o ddarpariaeth Ieuenctid yn gymharol gyson ar draws pob *Dull* o ymagweddu at genhadaeth.

Wrth ystyried y defnydd o Wasanaethau a Gweithgareddau yn ymwneud â pherthynas gan eglwysi sy'n pwysleisio efengylu, mae'n amlwg mai'r eglwysi 5:2 oedd yn gwneud y defnydd mwyaf ohonynt (Siart 26). Mae'n sicr fod y defnydd ehangach yma'n un esboniad pam fod rhai eglwysi yn tyfu mwy. Ymylol oedd y gwahaniaethau, ond ochr yn ochr â'r ffactorau eraill sydd eto i'w hystyried, maent yn cychwyn esbonio pam fod cenhadaeth rhai eglwysi sy'n pwysleisio efengylu yn fwy effeithiol nag eglwysi eraill o ran ychwanegiadau mewn niferoedd. Roedd yr eglwysi oedd â *Dull* E1 ac E2 yn dangos nifer cymharol fwy o eglwysi 5:2 na'r grwpiau eraill (Siartiau 27 a 28). Er mai ond un mesur o effeithiolrwydd cenhadaeth yr eglwys leol yw hyn, mae'n arwyddocaol o ystyried sut mae Anghydffurfiaeth Gymreig am oroesi.

Ffactor arall sy'n arwyddocaol fodd bynnag, gyda golwg ar genhadaeth effeithiol, yw'r gwahaniaeth rhwng eglwysi E1 ac E2 o ran eu dylanwad yn eu cymunedau. Mae'r canran o eglwysi 5:2 yn llai yn E1 nag yn E2. Mae eglwysi E1 yn dibynnu ar foddion traddodiadol o genhadu, tra bo eglwysi E2 yn meddu mwy o gysylltiadau gyda'u cymunedau, gyda'r cysylltiadau yma'n rhai llawer mwy bwriadus. Sylwn hefyd, lle mae dulliau traddodiadol o ymagweddu gryfaf, yn arbennig yng ngogledd orllewin a chanolbarth Cymru, bod y canran rhanbarthol o eglwysi 5:2 yn llai (Siart 29). Mae Siartiau 30 a 31 yn dangos yn glir fod eglwysi E2 yn llawer mwy bwriadus, yn arbennig felly pan oedd rhai o'r cysylltiadau ar gyfer aelodau eglwysig yn bennaf.

O'u cymharu â'r *Dulliau* ymagweddu eraill, mae'r siartiau sy'n cymharu sut yr oedd eglwysi yn cysylltu â'u cymunedau (Siartiau 39-45), yn dangos fod gan eglwysi sy'n pwysleisio efengylu lefel is o ymwneud cymunedol. Mae hyn yn adlewyrchu'r nifer sylweddol o eglwysi E1 oedd heb gysylltiadau eang y tu hwnt i oedfaon eglwysig a gweithgarwch ymhlith plant ac ieuenctid. Mae Siart 39 yn dangos nad oedd rhai o'r eglwysi oedd yn pwysleisio efengylu yn gweld eu hadeilad fel rhan o'u cenhadaeth i wasanaethu eu cymuned trwy weithgarwch cymdeithasol. Mae hyn o'i gymharu â 100% o'r eglwysi hynny oedd yn gweld eu hadeilad fel modd o gyfathrebu eu neges (Siart 32). Mae Siartiau 41 a 43 yn adlewyrchu'r un penderfyniad gan nifer o eglwysi E1 i beidio cyflawni gweithgarwch cymdeithasol. Mae Siartiau 42 a 44 yn adlewyrchu pwyslais bugeiliol eglwysi E1 yn eu gwaith plant ac ieuenctid, tra bod plant eraill yn y gymuned yn cael croeso. Mae Siart 45 yn dangos mesur o amharodrwydd i fod yn rhan o unrhyw genhadaeth a ellir ei ddiffinio fel cenhadaeth ar sail Dysgu a Pherthynas. Fe ystyrir hyn ymhellach pan fyddwn yn cymharu hyn gyda'r pwyslais sylweddol arno yng nghenhadaeth pobl oedd yn arddel *Dull* Rhyddfrydol o ymagweddu at genhadaeth.

O fewn eglwysi E1 ac E2 fel ei gilydd, caed eglwysi Carismataidd a Phentecostalaidd - yn aml wedi eu cysylltu trwy rwydwaith *New Wine Cymru* - sy'n pwysleisio lle'r goruwchnaturiol a'r gwyrthiol mewn cenhadaeth. Mae'r pwyslais yma yn gweld y gwyrthiol, boed hynny yn iacháu, yn air o broffwydoliaeth, yn ddoethineb neu wybodaeth arbennig, fel ffordd o sicrhau sylw'r gwrandäwr ac i roi hygrededd i'r neges sy'n cael ei llefaru. Mae'r cenadaethau Pentecostalaidd yn rhoi'r pwyslais yma'n glir. Roedd yr arweinwyr yn glir yn eu disgwyliadau:

> "Gweddïo yn benodol dros anghenion, yna rhannu'r Efengyl wrth i weddi gael ei hateb. Mae'r Cymry yng nghymunedau cymoedd y de yn siŵr o gychwyn siarad pan mae pethau'n digwydd!"

Roedd yr eglwysi yng nghategori E2 oedd yn meddu'r un pwyslais a'r un disgwyliad o'r elfennau gwyrthiol, yn gweld digwyddiadau fel hyn fel rhai oedd yn mynd yn gyfochrog gyda'u gweithgarwch cymdeithasol. Roedd y ddwy agwedd i'w gweld yn rhoi hygrededd i'w neges. Ni wnaeth yr Arolwg gasglu data i gadarnhau effeithiolrwydd nac i danseilio'r agwedd ar genhadaeth yr eglwysi oedd yn pwysleisio efengylu, er bod straeon wedi eu hadrodd yn yr holiadur ac yn yr ymatebion i'r cyfweliadau. Nid oedd, er hynny, unrhyw dystiolaeth eang fod y pwyslais yma yn arwain at dwf yn yr eglwysi, nac ychwaith at ddylanwad eang yn y cymunedau o ran yr ymatebion. Nid oedd y pwyslais yn rhan o fywyd na chenhadaeth yr eglwysi traddodiadol, ond roedd yn amlwg yn rhai o'r eglwysi Carismataidd oedd yn tyfu. Mi fydd goblygiadau i genhadaeth y pwyslais hwn yn cael ei ystyried yn Adran Tri.

Addasu i Agweddau Crefyddol y Cyd-destun Cymreig

Pan ofynnwyd yn Arolwg *Cymrugyfan* 2012 am gyd-destun crefyddol eu cymuned a'r modd y bu iddynt addasu i'r cyd-destun hwnnw, roedd ymateb yr eglwysi sy'n pwysleisio efengylu yn syrthio i bedwar categori.

Yn gyntaf, cafwyd rhai oedd yn gweld mai prin oedd y dystiolaeth gyfredol o draddodiad crefyddol penodol Gymreig, a hynny oherwydd bod y dirywiad yn y capeli wedi digwydd i'r fath raddau nes bod y rhelyw o'r boblogaeth bellach yn anwybodus o'r dylanwad hwnnw. Yn rhanbarthol, fe gaed yr ymatebion rheiny yn ardaloedd mwy trefol a Seisnig de Cymru, neu yn y dwyrain ger y ffin â Lloegr. Roedd yr hyn oedd yn arfer bod yn brofiad cyffredin, bellach yn ddim ond atgof:

> "Mae llawer o'r bobl hŷn yn y gymuned, rhywbryd yn y gorffennol, wedi cael rhyw fath o gysylltiad gyda bywyd a gwaith yr eglwys... Mae'r cyd-destun hwnnw wedi newid a 'does gan lawer o'r bobl ifanc yr ydym yn cyfarfod â hwy fawr o wybodaeth o'r hyn yw Cristnogaeth go iawn gan weld yr eglwys yn amherthnasol iddynt."

O ganlyniad, roedd arweinwyr yn yr ardaloedd hyn, neu oedd yn dirnad eu hardaloedd yn y ffordd yma, yn methu â gweld unrhyw arbenigedd yng nghyd-destun crefyddol cenhadaeth.

Yn ail, roedd yna rai oedd yn cydnabod etifeddiaeth negyddol Anghydffurfiaeth Gymreig, nes eu bod yn teimlo fod angen pellhau eu cenhadaeth oddi wrth y traddodiad hwnnw. Roedd un eglwys yn fwriadol yn cynnal digwyddiadau ar ddyddiau ar wahân i'r Sul er mwyn nodi gwahaniaeth llwyr oddi wrth draddodiadau'r gorffennol. Er hynny, roedd atgofion o'r hyn oedd yn cael ei ystyried fel diwylliant capelyddol diflas a gorthrymol yn parhau i gael ei drosglwyddo trwy'r cenedlaethau, ac o ganlyniad, yn parhau yn anhawster i genedlaethau nad oeddent erioed wedi mynychu capel yn rheolaidd eu hunain:

> "Rwy'n credu fod y bobl hyn wedi ymwrthod â'r hyn y maent wedi ei brofi o'r Eglwys... nid wedi ymwrthod â Christ. Nid oes gan y genhedlaeth ifanc ond ychydig o wybodaeth am Iesu, ynghyd â'r syniad creiddiol fod yr Eglwys yn ddiflas."

Roedd yr arfer o rieni yn anfon plant i'r Ysgol Sul yn parhau i oroesi mewn rhai llefydd, ond roedd hyn hefyd yn anfon neges negyddol i'r genhedlaeth iau:

> "Mae'n tynnu darlun marwaidd iawn o Gristnogaeth... rhywbeth sy'n ddeddfol, yn anghyffredin o foesol ac yn anghyffredin o ddiflas fel lle i fynd... Os ydych yn dymuno i'ch plant fod yn foesol, anfonwch hwy i'r Ysgol Sul, ond, 'Pam nad wyt ti'n mynd Mam?' 'Wel, mae fy amser i yn yr eglwys wedi pasio, a bellach dyma dy dro di."

Roedd gan y capeli gysylltiad gyda'r gorffennol, ac o ganlyniad, fe'u gwelwyd fel sefydliadau oedd yn edrych yn ôl yn hytrach nag ymlaen. Gwelir hyn fel "byw oddi ar fanna ddoe, a bellach mae'r manna hwnnw wedi pydru i'r fath raddau fel ei fod yn troi'r stumog". Roedd yr adeiladau eglwysig, gyda'r mynwentydd o'u hamgylch, yn cyfathrebu neges o ddirywiad a marwolaeth.

Ond, nid yn unig yr oedd traddodiad y capel yn anhawster i genhadaeth yn y gymuned ehangach. Fe'i gwelid ef fel dylanwad gweithredol, yn llesteirio cenhadaeth ymhlith y rhai oedd yn parhau i fynychu lle o addoliad. Roedd hyn, yn rhannol, oherwydd oed yr aelodau oedd yn weddill, a'r anghenion a'r diddordebau gwahanol oedd ymhlith y bobl ifainc oedd yn cael eu targedu. Disgrifiodd un arweinydd enwadol y sefyllfa fel hyn:

> "Mae gennym aelodaeth hŷn a bychan...(enw'r lle) mewn tref wyliau sydd â nifer anarferol o bobl hŷn, ac mae'r bobl sy'n mynychu'r eglwysi ymhlith y rhai hynaf yn y gymuned! ... Mae gennym boblogaeth lle mae crefydd yn rhan o'u diwylliant... Rydym yn ceisio defnyddio'r drws agored mae hyn yn ei gynnig, ond ar yr un pryd yn ceisio cael gwared ar y maglau diwylliannol sy'n cyd-fynd â hyn."

Mae'r disgrifiad yn arddangos yr her sy'n wynebu'r rhai sy'n dynesu at genhadaeth gyda'r argyhoeddiad i drawsffurfio yng ngyd-destun y capel Cymreig traddodiadol. Fodd bynnag, nid yw'r ymwybyddiaeth yma o'r cyfleoedd, ynghyd â'r anawsterau a'r awydd i wneud rhywbeth newydd, yn amlwg bob amser mewn cylchoedd o'r fath.

I rai, roedd etifeddiaeth negyddol y capel yn fater o ddiwinyddiaeth yn ogystal â thraddodiad. Tybid fod y capeli wedi meithrin diwylliant o barchusrwydd a hunan-gyfiawnder, rhywbeth a allai greu rhwystrau i arweinwyr o argyhoeddiadau efengylaidd; rhwystr i'w neges fod Duw yn derbyn yn rhad pob un trwy ras a hynny trwy ffydd: "Mae gan bobl gynsail 'crefyddol' ac o ganlyniad, maent yn cael anhawster gyda gras." Yn y capeli Cymraeg eu hiaith, y cyhuddiad oedd, "Roedd y Capel wedi arfer â chynnal y diwylliant ac nid yr efengyl." Bellach, â chyrff seciwlar yn siapio'r agenda diwylliannol, roedd y capeli hyd yn oed wedi colli'r rôl hon o fewn eu cymdeithas, ac wedi'u gadael yn amddifad o unrhyw draddodiad cryf o ddal gafael yn yr efengyl.

Yn drydydd, roedd rhai oedd yn gweld etifeddiaeth grefyddol Anghydffurfiaeth Gymreig fel rhywbeth oedd yn parhau i fod yn berthnasol i rai grwpiau o fewn eu cymunedau, yn arbennig y rhai hŷn. Roeddent yn gweld yr etifeddiaeth yma fel mantais yn hytrach na rhwystr, gan fod llawer yn y gymuned yn agored i dderbyn yr eglwys, er heb ymrwymo iddi. Roedd cael rhywfaint o'r teulu yn parhau i fynychu capel yn arf mewn cenhadaeth, gan fod gan "bawb fam neu dad neu daid neu nain oedd yn mynd i eglwys". Roedd eraill yn gweld cyfleoedd yn glir i genhadaeth ymhlith y genhedlaeth hŷn trwy drefnu digwyddiadau sy'n ymateb i gariad y genedl at emynau a'u tonau cysylltiedig. Roeddent hefyd yn anfon pregethwyr i gapeli lleol i gyrraedd y rhai oedd yn parhau i fynychu. Soniodd un arweinydd am "yr olion o barch sy'n dal i berthyn i 'fynd i gapel' ac mae hynny'n golygu fod dros draean o'r rhai sy'n mynychu oedfaon min nos eto i ddod i gredu". Iddynt hwy, roedd defnyddio'r dull mewngyrchol, oedd yn defnyddio adeilad y capel, yn parhau i fod yn gyfle i genhadaeth.

> "Mewn cymuned weddol draddodiadol, mae dulliau traddodiadol yn gweithio'n well na'r hyn y byddai rhai yn ei ddisgwyl. Mae'r bobl sy'n dod i eglwys yn aml yn disgwyl ac yn gwerthfawrogi adeilad sy'n edrych ac yn teimlo fel eglwys."

Mae hyn yn arddangos yr etifeddiaeth barhaol sydd i Anghydffurfiaeth Gymreig mewn rhai ardaloedd lle mae parch at Dduw, at y capel, ac at weinidogion yn parhau. Nid oedd y patrwm yn unffurf, ond yn amrywio o ran ei ddylanwad mewn ardaloedd gwahanol. Er hynny, roedd hwn yn ddylanwad oedd yn prinhau ymhlith y genhedlaeth iau ymhob ardal. Ar gyfer y rhain, roedd yn rhaid wrth ddull gwahanol o ymagweddu. Ar eu cyfer hwy, roedd efengylu un i un y tu allan i adeilad eglwysig, y tu allan i gyfarfodydd eglwysig yn hanfodol, ac "nid gwaith cyn-efengylu nac ymwneud cymunedol cyffredinol oedd hyn. Mae'n waith bwriadol, yn cynnwys sgyrsiau cyson am yr efengyl mewn cartrefi, siopau, a hyd yn oed mewn mosg."

Yn bedwerydd, roedd rhai yn gweld y patrymau hanesyddol oedd yn perthyn i Anghydffurfiaeth Gymreig, yn nhermau ffyddlondeb i ddiwylliant capel, pregethu a hyd yn oed aelodaeth, fel pethau oedd yn ddylanwadol mewn cymunedau cyfan. Mae'r ymatebion hyn yn adlewyrchu'r etifeddiaeth sydd wedi goroesi o Gymru fel cenedl Anghydffurfiol. Mynegwyd y teimladau hyn ar eu cryfaf yn yr ardaloedd gwledig lle mae'r iaith Gymraeg yn dal i gael ei siarad. Yn yr ardaloedd hyn lle mae cymunedau gweddol sefydlog gyda phatrymau o waith a diwylliant sydd heb newid fawr, roedd y capel yn parhau i gael ei dderbyn fel rhan hanfodol o'r gymuned, ochr yn ochr ag amaeth, *eisteddfodau*, corau a mudiadau, megis *Merched y Wawr*:

> "Drwgdybiaeth naturiol i unrhyw beth newydd ac 'estron' ei naws – hyd yn oed addoliad cyfoes – gweld pethau 'newydd' fel pethau 'dros dro' – ffasiwn y medrir gwneud hebddo. Mae ymlyniad tuag at gymdeithas y 'Pethe' – sef cartref, capel, dysg a diwylliant Cymreig yn llawer mwy diogel yn y meddylfryd hwn."

Roedd y pedwar agwedd yma tuag at gryfder etifeddiaeth grefyddol Anghydffurfiaeth Gymreig yn tueddu i fod yn rhai rhanbarthol. Yn y dinasoedd ac mewn ardaloedd yn agos at y ffin â Lloegr y gwelwyd y dylanwad lleiaf, gyda lefelau uchel o Seisnigo o ran iaith a diwylliant. Yn y Cymoedd ôl-ddiwydiannol, gwelwyd y dylanwad negyddol ar ei gryfaf, lle yn yr ardaloedd gwledig, roedd y dylanwad yn parhau'n gryf, er mai ymhlith y genhedlaeth hŷn y gwelir hyn. Mewn rhai cymunedau sefydlog lle mae'r iaith Gymraeg yn cael ei siarad, daliwyd i weld yr etifeddiaeth fel un bositif o fewn y gymuned ehangach, ynghyd ag o fewn yr eglwys. Mae'n rhaid i genhadaeth yn y cyd-destunau gwahanol yma addasu yn ôl y cyd-destun.

Roedd y rhai a arddelai *Ddulliau* yn seiliedig ar Efengylu yn dangos ymwybyddiaeth o'r diffyg unffurfiaeth hwn, ac fe addasodd y rhain eu cenhadaeth i'w cyd-destun penodol. Roedd y rhai oedd yn gwneud yn fach o'r etifeddiaeth grefyddol yn aml yn y cymunedau Seisnig neu'r cymunedau oedd wedi seciwlareiddio'n eang. Roedd y rhai oedd yn tueddu i gymryd mantais o etifeddiaeth y capel, yn ei weld fel cyfle perthnasol ar hyn o bryd, yn arbennig ymhlith y genhedlaeth hŷn. Efallai wedyn bod y rhai oedd yn gweld y capel â derbyniad sydd yn parhau yn eu cymunedau yn eithriadau hwyrfrydig. Ni ddylai dirywiad cyffredinol y capeli a'u haelodaeth ddynodi hyder mawr yn y presennol nac yn y dyfodol. Er hynny, beth bynnag oedd yr ymateb i'r cyd-destun crefyddol, roedd y rhai oedd yn arddel *Dulliau* ar sail Efengylu, yn fwriadol wrth iddynt addasu i'r cyd-destun oherwydd eu hargyhoeddiad ym mhwysigrwydd a pherthnasedd y neges yr oeddent yn ceisio'i chyhoeddi.

Addasu i Agweddau Daearyddol y Cyd-destun Cymraeg

Fel yn achos y cyd-destun crefyddol, mae dylanwad a ffactorau daearyddol yn amrywio o ranbarth i ranbarth. Yn y cymunedau sy'n ymylu â Lloegr, y dinasoedd sydd wedi Seisnigeiddio ac ardaloedd arfordirol de Cymru, prin yw'r gwahaniaethau rhyngddynt â chymunedau ar draws y ffin. Mae profiad cyd-destunol eglwysi'r ardaloedd hyn yn adlewyrchu'r gwirionedd yma. Mae un arweinydd yn cyfeirio at yr ansicrwydd hanesyddol sy'n perthyn i bobl yn Sir Fynwy gyda golwg ar eu hunaniaeth fel achos y prinder ymwybyddiaeth o Gymreictod, ac effaith hyn ar eu cenhadaeth:

> "Nid wy'n tybio fod y ffordd yr ydym yn ymagweddu at estyn allan yn wahanol i unrhyw ardal Seisnig. Ar adegau gwahanol, mae'r rhan fwyaf o'r ardal hon wedi bod yn Lloegr, ond bellach yng Nghymru oherwydd newid mewn ffiniau. Mae gennym draddodiad eglwysig ardderchog ond nid yw'n draddodiad penodol Gymreig."

A dweud y gwir, roedd yna arwyddion clir o ddihidrwydd yn yr agwedd tuag at Gymreictod yn yr holiadur. Fe fyddai'n ymddangos fod yna gyd-destun penodol yn yr ardaloedd hyn sy'n cael ei gyferbynnu ag unrhyw synnwyr o hunaniaeth genedlaethol:

> "Fel sir ar y ffin, nid yw hyn (h.y. Cymreictod) yn fater pwysig o gwbl. Diddordeb pennaf y bobl yw eu hunaniaeth leol yn hytrach na'u hunaniaeth genedlaethol."

Byddai modelau a dulliau o ymagweddu at genhadaeth sy'n gyfredol ac yn effeithiol ar draws y ffin yn cael eu hystyried, yn ddi-gwestiwn, fel pethau i'w defnyddio.

Ar ochr arall y geiniog, mae'r Cymoedd ôl-ddiwydiannol, er yn gyfochrog ag ardaloedd sydd wedi Seisnigo'n sylweddol, eto yn meddu ar hunaniaeth ddaearyddol a hynny oherwydd siâp y tir. Mae ochrau serth y bryniau wedi arwain at batrwm o dwf poblogaeth sy'n rhedeg ar hyd gwaelod y Cwm mewn rhesi o bentrefi. Mae'r rhain yn cynrychioli hunaniaeth benodol yn y Cymoedd ôl-ddiwydiannol, yr hyn a adnabyddir fel "*Valleys Welsh*", Cymry'r Cymoedd.

> "Mae llawer o bobl yma yn gweld eu hunain fel 'person o'r Cwm'. Dyma fyddai swm a sylwedd eu hunaniaeth, ac mae bod yn berson o'r Cwm yn gyfystyr â bod yn Gymro. Nid yw'r iaith Gymraeg yn cael ei siarad yn eang iawn, ac mae'n ymddangos bod yr hunaniaeth lleol hwn wedi cymryd lle'r iaith."

Mae'r eglwysi sy'n pwysleisio efengylu wedi ymateb i hyn trwy geisio adnabod eu lle o fewn cymuned benodol yn y Cwm, a thrwy weithio gyda'r rhwydweithiau cymdeithasol cryf sy'n bodoli. Soniodd nifer o'r arweinwyr am y modd y mae cau'r pyllau wedi effeithio'n ddifaol ar y cyd-dynnu cymdeithasol, a'r ffaith bod pobl yn gorfod teithio ymhellach i lawr y Cwm i ddarganfod gwaith. Beth bynnag, mae'r traddodiad a'r disgwyliad o'r cyd-dynnu hwn yn parhau. Gellir dweud fod cenhadaeth yr eglwys wedi addasu i hyn:

> "Cyfeillgarwch. Ysbryd gwasanaethgar o fewn i gymuned trwy gysylltiadau a thrwy adnabod anghenion. Cymuned glos ac ymwybyddiaeth gymdeithasol... Yr eglwys fel pobl leol yn ymwneud â phobl yn y gymuned. Pobl sy'n uniaethu gyda theuluoedd. Yr Eglwys wedi integreiddio ac yn rhan o fywyd ac yn adnabyddus yn y bywyd hwnnw."

Yn y ffordd hon, mae'n amlwg fod eu cenhadaeth yn dangos parodrwydd i uniaethu gyda'r lleoliad penodol a hynny yn deillio o ffactorau cymdeithasol ac economaidd o fewn i'r cymunedau lle mae'r eglwysi hynny i'w cael. Mae natur unigryw cymunedau'r Cymoedd yn galw hefyd am arweinwyr brodorol fyddai'n byw yn y gymuned, ac yn deall ac yn uniaethu gyda hi. Mae'r lleoliad penodol yma'n gofyn am ymateb penodol, gan fod pob pentref yn gymuned arbennig sy'n gweld ei hun yn wahanol ac unigryw o'i chymharu ag eraill, er bod yr eraill hynny yn agos iawn yn ddaearyddol.

Mae cymunedau gwledig a'r eglwysi ynddynt yn aml wedi eu hynysu oherwydd y mynyddoedd a phrinder ffyrdd rhwydd o gyfathrebu. Mae'r rhain hefyd wedi diogelu traddodiadau lleol a hunaniaeth Gymreig benodol. Roedd yr amgylchiadau hyn o ran yr effaith ar gymunedau i'w gweld yn glir yn yr ymatebion o ardaloedd gwledig Sir Ddinbych a Gwynedd. Mae arweinwyr eglwysi yn y Gymru wledig yn disgrifio eu cymunedau a'u hymateb i'r cymunedau hyn:

> "Yn y gymuned hon, mae bod yn deulu, ac yn rhan o deulu estynedig, yn bwysig. Mae yna hunaniaeth, hunaniaeth hanesyddol sy'n treiddio i mewn i'r ymwybyddiaeth ein bod yng Nghymru, dyma lle'r ydym yn perthyn. Mae o'n ethnigrwydd sydd wedi ei gysylltu â thir, mae'n wir am ein sefyllfa yma mewn cymuned amaethyddol."

Mewn rhai achosion, gellir olrhain y cysylltiad yma â'r tir am genedlaethau, yn wir am gannoedd o flynyddoedd. O ganlyniad, mae traddodiad eglwysi a mynegiant o genhadaeth yn rhywbeth sy'n newid yn araf iawn, os o gwbl. Mae byw yn y lleoedd hyn yn gofyn am adnabyddiaeth fanwl o bobl, o deuluoedd, o ymrwymiad i gymuned, ac o ganlyniad, mae'n amhosibl ystyried cenhadaeth fel rhywbeth lle gallwch lanio, gweithio ac yna ddiflannu.

Mae'r hanfodion daearyddol sydd i'w gweld yn yr ardaloedd gwledig yma'n cynrychioli agwedd ar leoliad sydd wedi ei ailadrodd mewn amryw ffurf lle mae mewnfudo wedi symud pobl o'r Cymoedd i sefyllfaoedd mwy trefol. Yma, mae teyrngarwch i le, ynghyd ag elfen o awydd i fod ar wahân, yn darganfod mynegiant newydd. Adnabyddir rhannau o Sir Benfro fel "darn o Loegr y tu hwnt i Gymru", ond er hynny, roedd uniaethu gyda'r sir honno yn un o'r prif flaenoriaethau.

> "Pobl Sir Benfro yw'r rhain, mae hunaniaeth yn perthyn i'r sir. Efallai yn Sir Benfro na fyddech yn defnyddio'r syniad o Gymreictod yn yr un ffordd... Mae meddylfryd Sir Benfro'n cael ei fynegi mewn ymadroddion, mewn ffyrdd o ddweud ac o wneud, ac mae'n ffordd blwyfol iawn o edrych ar fywyd, gyda dim yn digwydd y tu allan i Hwlffordd."

Gwelwyd patrwm tebyg yn ardaloedd trefol Sir Gaerfyrddin a fu unwaith yn rhai diwydiannol.

> "Mae Llanelli yn blwyfol anghyffredin ac 'un llygeidiog' i'r graddau fy mod yn meddwl yn aml fod dod o Lanelli yn fwy pwysig na hunaniaeth Gymreig. Yn hyn, mae'n debyg fod y Dref yn meddu ar feddylfryd pentref bychan."

Mae'r ymwybyddiaeth yma o hunaniaeth leol wedi golygu fod rhaglenni a chyrsiau efengylu, oedd yn gweithio mewn ardaloedd eraill, yn llai effeithiol yn Llanelli. Yn hytrach, gwelwyd fod sgwrsio ac adnabod yn dwyn ffrwyth. Mae un arweinydd, mewn rhan ddifreintiedig iawn o'r dref, yn tystio fod yn rhaid i genhadaeth fod yn ymgnawdoledig: "Nid cwestiwn y gymuned yma yw 'a yw'n wir?' Eu cwestiwn yw 'a yw'n gweithio?' – ac yn fwy penodol 'a yw'n gweithio YMA?'" Mae'r ymatebion yma i nodweddion y bobl leol yn dangos ymwybyddiaeth y rhai sy'n pwysleisio *Dull* Efengylu o genhadaeth. Mae'n flaenoriaeth uchel ganddynt i gyfathrebu'r neges mewn ffordd briodol sy'n cysylltu â phobl.

Roedd arweinydd arall yng nghylch Llanelli yn sôn am amharodrwydd y bobl i deithio ymhell o'u cymuned: "mae croesi'r Llwchwr fel mynd i Ganada, fel croesi Pont Hafren!" Iddynt hwy, roedd cenhadaeth yn Llanelli yn golygu ymestyn o'r hyn oedd yn lleol ac yn fychan, gan geisio annog ymwybyddiaeth o hunanhyder a dyhead i weld pethau'n newid:

> "Mae'r ffordd y mae tlodi yn dwyn eich hyder, eich menter, eich gobaith, eich disgwyliadau... yn rhywbeth sy'n perthyn i feddylfryd pentrefol Cymreig. Mae hynny wedi gwreiddio'n ddwfn yn hunaniaeth Gymreig fy mhentref i. Mae fel coeden na all ond ymestyn i'r graddau ag y mae ei gwreiddiau yn caniatáu, ac nid yw'n mynd ymhellach."

Roedd cenhadaeth yr eglwys yma yn y dref, gan gynnwys caffi ac arddangosfa gelf, wedi ei gwblhau gydag ymwybyddiaeth o arbenigedd er mwyn ceisio meithrin teimlad o falchder sifig. Er mwyn adeiladu pontydd i hwyluso cyhoeddi eu neges, mae'r addasiad yma i anghenion lleol yn dangos awydd y rhai sy'n perthyn i grŵp E2 o ymagweddu at genhadaeth i ymateb i anghenion penodol y bobl.

Addasu i Agweddau Ethnig y Cyd-destun Cymreig

Mae ethnigrwydd Cymreig, p'un ai ydi hynny yn rhywbeth yr ydym yn ei ddychmygu neu wedi ei etifeddu, yn deillio'n uniongyrchol o ymwybyddiaeth o le ac o fod yn bobl y lle hwnnw. Lle mae achau teulu wedi bod â chysylltiad â lleoliad penodol am gannoedd o flynyddoedd, mae'r ymwybyddiaeth yma o ethnigrwydd penodol yn cael ei ystyried fel rhywbeth mwy na dychymyg.

> "Mae 'na wahaniaeth yn y gwaed, yng nghyfansoddiad y bobl. Mae'r rhain yn bobl Geltaidd, nid Sacsoniaid. Mae ganddynt ffordd wahanol o ymateb i bethau."

Mae'r ymwybyddiaeth yma o wahaniaeth wedi ei ddwysáu, ynghyd ag wedi ei ddistyllu gan fewnlifiad. I drigolion gwreiddiol yr ardaloedd, mae'r mewnlifiad wedi peri fod y trigolion gwreiddiol yn pwysleisio eu hymwybyddiaeth o wahaniaeth, lle o fewn y boblogaeth yn gyffredinol, gellir dweud mai distyllu'r ymwybyddiaeth o ethnigrwydd Cymreig sydd wedi digwydd. Yn y cymunedau gwledig, mae'r trigolion gwreiddiol, ynghyd â'r bobl sydd wedi symud i mewn, yn parhau i fyw fel petaent mewn dwy gymuned ar wahân. Mewn ardaloedd lle mae'r iaith Gymraeg yn cael ei siarad amlaf, mae'n wir dweud y gall y cymunedau fodoli ochr yn ochr heb braidd ymwneud â'i gilydd. O ganlyniad, mae yna deimlad o elyniaeth tuag at Seisnigrwydd, rhywbeth tebyg i'r hyn sy'n cael ei fynegi yn y Cymoedd ôl-ddiwydiannol.

Lle mae mewnlifiad wedi bod yn ffactor sylweddol am genedlaethau, er enghraifft yn nhrefi a dinasoedd mwyaf Cymru, mae dulliau sydd wedi eu mabwysiadu o'r tu allan i Gymru, neu arweinwyr sy'n symud i mewn i Gymru, yn rhywbeth gweddol naturiol. Mae hyn yn arbennig o wir yn yr eglwysi Newydd a'r eglwysi Carismataidd, lle mae patrymau cenhadol, a hyd yn oed ymlyniad eglwysig yn rhywbeth sy'n dynodi tarddiad Seisnig. Prin oedd yr arweinwyr yma yn gweld unrhyw wahaniaeth yn y bobl leol i bobl o unrhyw ran arall o'r Deyrnas Unedig. Ni welai'r arweinwyr fawr o dystiolaeth o hunaniaeth ethnig Gymreig:

> "Yr ydym yn rhyw damaid o ynys Seisnig mewn dinas sy'n agos at y ffin, ac felly, nid oes gennym unrhyw ymwybyddiaeth Gymreig benodol. Mae llawer o'r gynulleidfa bresennol wedi symud i mewn i Gymru gyda'u gwaith e.e. wedi'i adleoli ar gyfer symud swyddfeydd y Llywodraeth. Ond mae gennym enw Cymraeg."

Siaradai nifer o arweinwyr eraill yn yr un ffordd, gan bwysleisio dylanwadau rhyngwladol o fewn eu heglwysi, yn hytrach na dylanwadau Cymreig:

> "Nid wyf yn meddwl ein bod ni'n benodol Gymreig. Rydym yn siarad Saesneg ac nid oes gennym wasanaeth cyfieithu i'r Gymraeg nac Wrdw! Rydym yn byw ac yn adlewyrchu'r gymysgedd ethnig sy'n perthyn i'n cymuned ehangach."

Ym Mangor, dinas sydd â phrifysgol ac ysbyty, ac o ganlyniad nifer o fyfyrwyr rhyngwladol a phobl broffesiynol eraill, ymdrechodd yr eglwysi i ymateb i'r amrywiaeth yma. Yng Nghaerdydd, roedd yr ymateb i'r amrywiaeth ethnig, o ran cenhadaeth yr eglwys, yn amrywiol iawn:

> "Y mae gennym gynulleidfa o Eritra, cynulleidfa o Dde Affrig, a chynulleidfa ieuenctid, ac rydym yn credu fod hyn yn adlewyrchu beth yw bywyd mewn Dinas heddiw. ... Rydym yn meddwl am gychwyn cynulleidfa sy'n siarad Cymraeg."

Mae'n glir fod cenhadaeth mewn cyd-destun felly yn cael ei chyfeirio at gymdeithas gosmopolitan iawn.

Yn y Cymoedd ôl-ddiwydiannol lle na welwyd fawr o fewnfudo dros yr hanner canrif ddiwethaf, mae cenhadaeth wedi ei addasu i adlewyrchu'r gymuned, ac fel y nodwyd eisoes, roedd cael arweinwyr o'r gymuned honno yn rhywbeth oedd yn cynorthwyo eu cenhadaeth, tra bod mewnfudo arweinwyr neu ddulliau o weithredu yn cael ei weld fel rhywbeth dieithr iawn:

> "Mae cymunedau'r Cymoedd yn amrywiol – nid yw Alffa wedi bod yn arbennig o effeithiol, er ein bod wedi rhedeg dau gwrs – tebyg nad yw Nicky Gumble yn *'Valley Friendly'* er bod y rhai hŷn yn ei hoffi. Mae *'Table Talk'* wedi bod yn fwy defnyddiol oherwydd y mae'n cychwyn ar lefel sydd ychydig gamau yn ôl o ran deall pobl..."

Mae etifeddiaeth emosiynol dirywiad, a'r ymwybyddiaeth yma o ddiffyg hyder yn ffactorau sy'n effeithio ar genhadaeth i gymunedau o'r fath. Ceir yr hyn a ddisgrifir fel "pesimistiaeth boenus" gyda'r "byd i gyd yn ein herbyn". Symud allan o'r Cymoedd oedd yr unig ffordd i sicrhau gwaith ac i wella eich hun mewn cymdeithas, ac yn wir, mynegwyd pesimistiaeth sylweddol y byddai unrhyw fuddsoddi yn yr ardaloedd yma yn anhebygol neu ond yn newid pethau yn y tymor byr. Bellach, mae bod yn ddi-waith yn rhywbeth sy'n perthyn i genedlaethau, ac o ganlyniad, mae agwedd 'ni a nhw' nid yn unig yn bodoli, ond yn ffynnu, yn arbennig felly yn erbyn y Saeson.

> "Rydym yn casáu'r Saeson oherwydd ni yw'r gwŷr a'r gwragedd gafodd eu coloneiddio. Rydym yn gwneud beth mae'r Saeson yn ei ddweud wrthym. Maent yn rheoli ein dyfodol. Nid yw'r dyfodol yn ein dwylo ni. Mewn ffordd, mae'r dyfodol yn cael ei drefnu ar ein cyfer... Nid oes gennym ond pobl sy'n gwybod am ddim ar wahân i'r diwylliant budd-daliadau, pesimistiaeth, iselder, pobl sy'n symud o un argyfwng i'r nesaf, ac yn teimlo fod y cyfan yn gylch cythreulig na ellir ei dorri."

Disgrifir hyn fel ffurf o hiliaeth.

> "Casáu'r Saeson. Rygbi. Yfed, yfed yn drwm. Casáu'r Saeson yw'r brif stori, mae'r ymadrodd "rwy'n casáu y ******* Saeson," yn rhywbeth sy'n cael ei ail-adrodd dro ar ôl tro... Mae yna ofn pobl o'r tu allan, ac i raddau, anwybodaeth yw sail hyn. Mae'n ymylu ar hiliaeth. Hiliaeth beryglus. Nid dim ond ymwybyddiaeth wrth-Seisnig ond mae'n hiliaeth sy'n effeithio ar unrhyw

un o gefndir ethnig gwahanol, e.e. pobl o wlad Pwyl. Mae yna elyniaeth wirioneddol tuag at bobl sydd ddim yn dod o'r stryd yma..."

Yn Llanelli, roedd pobl yn diffinio eu hunain mewn termau mwy cymedrol, yn yr ystyr nad oedden nhw'n Saeson: "Nid ein bod ni'n wrth-Seisnig, ond ar yr un pryd, yr ydym yn falch nad ydym yn Saeson. Gellir awgrymu bod elfen o'r 'brawd iau' yn y fan hyn." Wedi dweud hyn, mae'r bobl sydd wedi symud i mewn i'r ardaloedd yma yn ymwybodol o'r elyniaeth, yn arbennig yn yr ardaloedd gwledig, ac mae un arweinydd sy'n dod yn wreiddiol o Dde Affrig yn tynnu cymhariaeth frawychus: "Maent yn teimlo eu bod o dan warchae...ac yn amddiffynnol, yn debyg iawn i'r *Afrikaans*."

Beth bynnag, pan oedd y bobl sydd o fewn y cymunedau hyn yn disgrifio'r sefyllfa, roeddent yn gweld popeth yn wahanol iawn:

"Nid ydym yn hoffi canmol ein hunain ... rydym yn ostyngedig yn yr ystyr hynny. Rydym yn gweld balchder fel rhywbeth na ddylid ei oddef yn y gymuned. Yn wir, mae balchder yn rhywbeth Seisnig. ... Hyd yn oed yn ein hiaith rydym yn defnyddio amseroedd y ferf sy'n fwy goddefol nag ymosodol. Rydym yn amheus iawn o bobl sy'n ymosodol bositif."

Mae'r rhai sy'n cymharu'r *ethnie* Cymreig gyda'r mewnfudwyr yn gweld y Cymry fel cenedl ostyngedig, ac i raddau yn meddu ar feddwl isel ohonynt eu hunain:

"...yr ydym ni'n gwbl wahanol i Saeson ysgol fonedd Anglicanaidd. Popeth yr wyf yn ei gysylltu â hynny, fe wyddoch, yr hyder, y balchder, nid fy mod yn dweud fod y Saeson i gyd fel hyn. Mae pobl Cymru yn gwbl wahanol... efallai yn ymateb i'r ymwybyddiaeth o israddoldeb, ac nad ydym am fod fel y Saeson hynny. Mewn rhyw ystyr, rydym yn weddol falch o'r gwahaniaeth hwn rhyngom."

Mae goblygiadau cenhadol yr ystyriaethau hyn mewn cymunedau yn awgrymu mewn sawl ardal fod yn rhaid i'r dulliau a'r personél fod yn bobl o'r ardal honno. Lle mae cenhadaeth yr eglwys yn cael ei drefnu, ei gynllunio a'i arwain gan bobl nad oeddent yn Gymry, roedd angen gofal mawr i barchu sensitifrwydd lleol. Mae un arweinydd yng Ngorllewin Cymru, oedd yn dod yn wreiddiol o Loegr, yn feirniadol iawn o'r bobl leol. Mae'n eu disgrifio fel pobl emosiynol, yn gyfeillgar ar yr wyneb yn unig, yn mynegi awydd ond ddim yn gweithredu, yn swil, tawel a mewnblyg, gyda diffyg ymrwymiad a dyfalbarhad. Gall rhywun ond amau fod yna densiwn sylweddol wedi ei achosi gan yr arweinydd a oedd yn siarad am bobl oedd angen brwydro i ddod dros eu poen, a'u tuedd "i encilio yn hytrach nag i sefyll ar eu traed". Mae'n amlwg fod yna wahaniaeth disgwyliadau, ynghyd â gwahaniaeth dealltwriaeth ac ymwybyddiaeth o ethnigrwydd. Yn yr achos yma, roedd cenhadaeth yn naturiol yn cael anhawster i addasu i nodweddion lleol. Mae'r tensiynau amrywiol yma'n dangos i ba raddau mae ymwybyddiaeth o wahaniaethau ethnig yn medru cynorthwyo neu yn medru creu anhawster i genhadaeth o Efengylu.

Addasu i Agweddau Ieithyddol a Diwylliannol y Cyd-destun Cymreig

Mae'r amrywiadau rhanbarthol sydd i'w gweld yn y ffactorau daearyddol ac ethnig yn rhai sy'n cael eu hadlewyrchu yn y nodweddion ieithyddol a diwylliannol. Yn hanesyddol, yr iaith Gymraeg yw'r hyn sydd wedi bod yn bennaf gyfrifol am ddiogelu a meithrin y nodweddion diwylliannol ac ethnig yng Nghymru. Mae'r rhai sy'n ymagweddu at genhadaeth gyda'r *Dull* Efengylu yn ymateb i'r iaith Gymraeg a'r diwylliant mewn amrywiaeth eang o ffyrdd, gan amrywio o gefnogaeth weithredol i ymdrechion penodol i osgoi'r cwestiwn.

Yn gyntaf, roedd yna eglwysi a oedd yn addoli ac yn gweinidogaethu trwy gyfrwng yr iaith Gymraeg yn unig, yn cyflawni eu cenhadaeth mewn cymunedau oedd yn siarad Cymraeg, neu yn ceisio gwasanaethu siaradwyr Cymraeg mewn ardaloedd lle'r oedd Saesneg yn cael ei siarad yn bennaf. Roedd Mudiad Efengylaidd Cymru wedi annog ffurfio eglwysi iaith Gymraeg newydd, rhai ar wahân i'r rhai oedd yn addoli yn y Saesneg, yn y rhan fwyaf o ranbarthau Cymru. Byddwn yn ystyried eglwysi sy'n gwasanaethu mewn un iaith yn unig yn yr Adran nesaf, ond nodir un feirniadaeth allweddol yma:

> "Rhoddir llawer iawn gormod o bwyslais ar yr iaith mewn nifer o eglwysi iaith Gymraeg gan ddiystyru eu comisiwn i gyrraedd at bawb."

Y consýrn yma oedd bod neges yr Efengyl yn cael ei chyfeirio at bobl oedd yn siarad Cymraeg yn unig, a hynny mewn ardaloedd lle'r oedd pobl yn siarad Saesneg yn byw hefyd. Nid yw cyhuddiad o'r fath yn gyfan gwbl gywir, oherwydd roedd rhai eglwysi yn darparu offer cyfieithu ar y pryd, ac eraill yn cynnal gwasanaethau dwyieithog neu hyd yn oed wasanaethau Saesneg yn achlysurol, neu ddigwyddiadau ar gyfer pobl oedd yn siarad Saesneg ac yn dysgu Cymraeg. Mae un o'r ymatebion yn delio gyda'r cwestiwn yn uniongyrchol:

> "Yr hyn yr ydym wedi bod yn ei gynnig i'n cymuned – gwasanaethau ar y Sul, astudiaethau Beiblaidd, ysgolion Sul – mae'r rhain wedi bod yn bennaf yn y Gymraeg er ein bod ni bellach yn cynnig gwasanaethau dwyieithog ac yn agored i newidiadau. Ni ddylai'r iaith fod yn faen tramgwydd, ond yn hytrach yn gymorth i'r gwaith yr ydym yn ceisio ei wneud o gyrraedd pobl dros Iesu Grist."

Mae'n wir dweud, er hynny, fod eu cenhadaeth Efengylaidd yn naturiol i'r gymuned oedd yn siarad Cymraeg. Caiff hyn ei fynegi trwy eu hymwneud â gweithgareddau cymunedol yn yr iaith Gymraeg, pethau tebyg i gorau, elusennau, ynghyd â gwaith gyda myfyrwyr, ysgolion, a dysgwyr. Ymhob achos ond un, mae'r eglwysi sy'n addoli yn y Gymraeg wedi dal at fodel capel traddodiadol, sydd yn ei hanfod yn fewngyrchol gydag ond ychydig genhadaeth fwriadol i mewn i'w cymuned.

Yn ail, roedd yna eglwysi dwyieithog oedd yn ceisio cyrraedd a gwasanaethu'r ddwy gymuned ieithyddol. Roedd rhai o'r eglwysi yma yn bennaf yn siarad Saesneg, ond ar yr un pryd, yn ceisio cyrraedd y gymuned oedd yn siarad Cymraeg trwy gynnal digwyddiadau arbennig neu wasanaethau ar gyfer siaradwyr Cymraeg neu ddysgwyr Cymraeg. Yn yr eglwysi hyn, roedd yna gydnabod fod pobl sy'n siarad Cymraeg yn aml heb yr hyder i siarad yn y Saesneg, neu eu bod yn meddu dymuniad cryf i siarad a chlywed y Gymraeg. O ganlyniad, roedd y croeso, yr addoliad, y gweddïau, a hyd yn oed y bregeth o bryd i'w gilydd yn ddwyieithog. Mewn eglwysi eraill, byddai'r gwasanaethau boreol yn Saesneg a'r un fin nos yn Gymraeg, gyda chyfieithiad. Mewn eglwysi eraill, roedd yna wasanaeth Cymraeg misol. Efallai y byddai yna fwy o elfennau o'r iaith Gymraeg yn y gwaith plant oherwydd bod y rhan fwyaf o blant mewn ardaloedd fel hyn yn mynychu ysgolion cyfrwng Cymraeg. Byddai'r gwaith o gyfathrebu a chynnal digwyddiadau yn digwydd yn gyffredinol yn y ddwy iaith.

> "... rydym wedi ceisio bod yn ddwyieithog ymhob un o'n gweithgareddau... Yn ein cenhadaeth i unigolion, rydym yn defnyddio iaith y galon i'r graddau y mae hynny'n bosibl – bydd yn cynnwys, lle bo'n bosibl, y defnydd o lenyddiaeth yn iaith y galon... Yn olaf, a hynny oherwydd ein bod ni'n cydnabod fod yna nifer helaeth o bobl yn y gymuned sydd yn dysgu Cymraeg, rydym wedi cychwyn Grŵp Sgwrsio ar gyfer y dysgwyr hyn."

Mewn un dref wledig mewn ardal Gymraeg, cychwynnwyd eglwys newydd oherwydd nad oedd yr eglwys Efengylaidd oedd yno yn cynnal unrhyw wasanaethau na chenhadaeth trwy gyfrwng y Gymraeg. Mae'r eglwys newydd yn gwasanaethu yn Saesneg ar fore Sul, ac yn Gymraeg gyda chyfieithiad ar fin nos. Maent yn trefnu pob digwyddiad arall, ynghyd â phob cysylltiad gyda'r gymuned, yn ddwyieithog.

Yn drydydd, roedd yna eglwysi oedd yn cydnabod yr iaith Gymraeg mewn enw fel petai. Byddent yn cynnwys Cymraeg yn eu gwasanaethau, gydag emynau Cymraeg, ac yn eu digwyddiadau, gyda thestun Cymraeg i'w deunyddiau cyhoeddusrwydd. Disgrifiwyd hyn fel ymdrech i gynnwys blas o'r Gymraeg ym mywyd a chenhadaeth yr eglwys:

> "Mae ein heglwysi yn rhan o fywyd traddodiadol y pentref. Rydym yn defnyddio'r iaith yn rhai o'n hoedfaon. Mae ein dynesiad i efengylu ac addoli yn benodol "Gymreig" o ran ethos."

Roedd eglwysi Saesneg eu hiaith mewn ardaloedd Cymraeg eu hiaith yn ceisio defnyddio'r iaith fel pont i ddenu mwyafrif y boblogaeth oedd y tu allan i'w muriau. Roeddent yn dal at y Saesneg fel prif iaith yr eglwys, a hynny naill ai allan o argyhoeddiad eu bod wedi eu harwain i wneud hynny, neu oherwydd "nad yw Saesneg yn rhwystr i glywed yr efengyl", neu oherwydd "... byddem yn parhau i fodoli heb fawr o effaith negyddol arnom petai ein cydnabyddiaeth o'r "Gymraeg" yn peidio a bod." Roedd y rhain, er hynny, yn cydnabod:

> "mai iaith y clybiau lleol a'r capeli yw'r Gymraeg. Mae meddu'r gallu i siarad Cymraeg yn yr ardal yma yn fantais sylweddol, yn arbennig felly o ran ein perthynas gyda'r gymuned."

O ystyried cenhadaeth gyd-destunol, mae polisi o'r fath yn ymddangos fel petai yn rhwystr i genhadaeth mewn cymuned lle mae'r rhan fwyaf o bobl yn byw trwy gyfrwng y Gymraeg. Efallai fod y rhelyw o'r boblogaeth yn teimlo fel petaent yn cael eu heithrio oherwydd polisi iaith yr eglwys, yn yr un modd ag y dywedwyd bod siaradwyr Saesneg mewn un ardal yn nodi eu bod nhw'n cael eu heithrio oherwydd darpariaeth Gymraeg yn unig.

Mewn dwy eglwys, a hynny mewn ardaloedd lle mai Saesneg yw'r brif iaith, darganfuwyd fod cysylltiadau trwy'r iaith Gymraeg yn faes ffrwythlon i genhadaeth. O ddarganfod fod yna ganran uchel o'r gymuned yn siarad rhywfaint o Gymraeg, eu bod yn dysgu, neu oedd â phlant mewn ysgolion cyfrwng Cymraeg, bu i'r eglwysi yma redeg Dosbarthiadau Cymraeg, Gwasanaeth Carolau blynyddol ar gyfer Dysgwyr, ynghyd â digwyddiad ar Ddydd Gŵyl Dewi gyda "diwylliant, cawl a'r efengyl" a oedd wedi dod yn ddigwyddiad blynyddol yn y gymuned.

Yn bedwerydd, roedd yna eglwysi oedd yn osgoi'r iaith Gymraeg, ac yn gweld yr iaith fel rhywbeth amherthnasol neu'n rhywbeth nad oedd yn unrhyw fath o gymorth. Roedd y safbwynt yma'n cael ei fynegi bron yn ddieithriad yn yr ardaloedd sydd wedi Seisnigo o amgylch y ffin, yn y dinasoedd, ac yn y Cymoedd ôl-ddiwydiannol. Yn y Cymoedd, mae'n deg dweud fod yr elyniaeth tuag at y Saeson i'w dwyrain yn gymharol i'r un math o elyniaeth tuag at yr iaith Gymraeg yn y gorllewin. Roedd y teimlad fod siaradwyr Cymraeg yn eu gweld hwy fel pobl nad oeddent yn Gymry go iawn wedi esgor ar gasineb tuag at yr iaith. Roedd pobl y Cymoedd yn siarad "Saesneg a rhegfeydd! Mae yna ychydig o siaradwyr Cymraeg yma ond prin yw'r nifer." Gwelodd arweinydd arall o'r Cymoedd yr iaith Gymraeg fel dim byd mwy na "chyfrwng iaith a diwylliant", gan flaenoriaethu agwedd mwy perthnasol a chyfoes. Gwelwyd hefyd yr iaith Gymraeg fel rhywbeth oedd yn rhannu, "yn broblem", ac yn amherthnasol i'r ardal. Mewn cymunedau o'r fath, mae unrhyw ymdrechion i geisio hybu rhyw ffurf ar Gymreictod sydd wedi'i gysylltu â'r iaith, neu'r iaith ei hunan, yn cael ei adnabod fel rhwystr i genhadaeth, yn yr un modd ag y byddai absenoldeb cenhadaeth trwy gyfrwng y Gymraeg yn rhwystr ymhellach i'r gorllewin.

Ar wahân i'r ardaloedd sydd newydd eu disgrifio, roedd yna elfennau diwylliannol, gwyliau ac ati yn cael eu hadnabod fel cyfleoedd i genhadaeth. Roedd digwyddiadau oedd â chysylltiadau â Dydd Gŵyl Dewi, dydd Santes Dwynwen, gemau rygbi, canu corawl, yn arbennig felly canu emynau, yn cael eu hadnabod fel cyfleoedd da iawn i gysylltu â'r gymuned ehangach. Roedd cenhadaeth yng ngolwg y rhan fwyaf yn fwy effeithiol os oedd gan y genhadaeth honno "ethos unigryw 'Gymreig'".

Rhaid i genhadaeth yng Nghymru fod yn sensitif i'r patrymau diwylliannol ac ieithyddol sy'n perthyn i gymuned arbennig. Mae'r ymagwedd a'r dull sy'n mynd i fod o gymorth mewn un ardal, yn mynd i fod yn rhwystr mewn ardal arall. Mae'r Saesneg a Seisnigrwydd yn cael ei weld fel rhywbeth cyfoes ac yn agwedd bositif mewn rhai ardaloedd, tra mewn ardaloedd eraill byddai'r un elfennau yn cael eu gweld fel ymosodiad. Mi fyddai'r iaith Gymraeg a'i diwylliant yn cael ei weld fel rhywbeth oedd yn perthyn i ddoe ac yn dieithrio rhai pobl, tra ar yr un pryd yn cael ei weld gan eraill fel rhywbeth oedd yn gynhwysol ac yn mynegi cariad at y wlad. Mae'r eglwysi sy'n pwysleisio efengylu'n dangos sensitifrwydd yn gyffredinol i iaith ac i ddiwylliant, ac yn gwneud hynny yng nghyd-destun eu cymunedau lleol. Yr eithriad i hyn fyddai mabwysiadu Saesneg fel iaith yr eglwys a'i chenhadaeth mewn ardal lle mae'r Gymraeg yn cael ei siarad gan y mwyafrif.

Addasu i Agweddau Cymdeithasol y Cyd-destun Cymreig

Mae dylanwad topograffi Cymru ar batrymau cymdeithasol wedi eu hystyried yn barod. Mae Cymru, fel "gwlad o bentrefi", yn meddu ar gymunedau bychan llinellog yn y Cymoedd, anheddau gwledig, a hyd yn oed ymwybyddiaeth o bentref mewn cyd-destun trefol. Mae'r cymunedau bychain hyn yn diffinio patrymau cymdeithasol ac wedi arwain at draddodiad o gymunedau lle mae pobl yn cynnal ei gilydd trwy rwydweithiau teuluol estynedig.

> "Yn ein cymuned ni mae pawb yn adnabod pawb arall. Mae'n cymuned wedi ei gweu yn dynn a hynny trwy draddodiad hir o gefnogi ei gilydd, ac mae hyn yn hanfodol wrth inni gyfathrebu gyda'r rhai mewn angen."

Yn y cymunedau hyn, dywedir fod pawb yn adnabod pob un, ac mae derbyn pobl o'r tu allan yn ei hanfod yn medru bod yn broses hir. Mae'r rhwydweithio a'r closio sydd yn nodweddu'r math yma o gymuned yn gyfle i genhadaeth yr eglwys wrth geisio bod yn rhan hanfodol o'r gymuned, ond fe all traddodiad a hanes hefyd fod yn rhwystr.

> "Rwy'n meddwl yn y cyd-destun lleol fod y clymau teuluol mor dynn fel ei bod yn anodd iawn i rywun o'r tu allan i 'dorri i mewn'... Mae'r ffocws ar y teulu ac o ganlyniad, nid ydynt yn edrych i'r tu allan yn gyffredinol."

Wrth gwrs, mae'r cymunedau hyn wedi gwanhau dros y blynyddoedd, yn bennaf gan fod pobl wedi gorfod symud i edrych am waith, neu oherwydd bod pobl wedi mewnfudo sydd heb berthynas na chysylltiadau teuluol ac mae'r cwbl wedi lleihau'r patrymau traddodiadol, ond er hynny, maent yn parhau'n ddylanwadol:

> "Mae cymuned ein pentref ni... yn bersonol iawn. ... Mae pobl yn barod iawn i sgwrsio ac er nad yw bywyd teuluol mor gryf ag y bu, eto yn ein cymuned mae'n parhau'n weddol gryf... Hefyd, mae'r Eglwys mewn cymuned o'r fath yn adnabyddus ac mae pobl yn ymddiried yn yr Eglwys... Mae'r bobl yn parhau i fod yn glos ac mae hyn yn rhywbeth y dylai'r eglwys elwa ohono."

Mae'r ymateb yma yn nodi'r cyfleoedd i genhadaeth o fewn cymunedau o'r fath. Yn y sefyllfaoedd hyn, yn arbennig mewn ardaloedd o anghenion cymdeithasol dwys, mae'r eglwys leol wedi darganfod ei rôl yn gwasanaethu, rôl mae'r gymuned mewn rhai achosion braidd yn ei ddisgwyl yn naturiol:

> "Trwy ein hymrwymiad i wasanaethu yn y siop goffi, rydym wedi llwyddo i ddod yn rhan o fywyd y gymuned a darganfod y math o bethau sy'n codi o fewn y gymuned, gan gynnig ein hunain fel pont i ddatblygu cyfeillgarwch... (mae pawb yn ymddangos fel petaent yn gwybod hanes pawb arall). Mae'r gymuned, yn gyffredinol, yn gwerthfawrogi'r math yma o ymwybyddiaeth gymdogol... Yn wir, mae poblogaeth y pentref braidd yn mynnu'r math yma o ddealltwriaeth a gwybodaeth oddi wrthym."

Mae'n glir felly fod eglwysi nad ydynt yn ymwneud â'r cyfleoedd cymdeithasol yma'n siŵr o gael anawsterau wrth gysylltu â'u cymunedau. Mae'r patrymau sydd i'w darganfod yn y gymuned hefyd wedi llwyddo i gyrraedd bywyd yr eglwys, ac o ganlyniad, mae'r rhwystr diwylliannol rhwng y gymuned a'r eglwys yn fychan iawn:

> "Rydym yn awyddus i fod yn anffurfiol – yn eglwys lle y medrwch ddod fel ag yr ydych. Rydym yn ceisio creu'r un math o 'dewch am baned' o groeso y byddech yn ei gael mewn unrhyw dŷ yn y Cymoedd – pawb yn eistedd o amgylch byrddau crwn ayb. Caniateir i blant fod yn blant heb eu rhwystro. Gall fod yn weddol swnllyd ar brydiau..."

Roedd eraill oedd yn ymateb i'r holiadur yn nodi fod y patrymau o deulu estynedig yn cynnig cyfle sylweddol mewn ardaloedd gwledig:

> "Rydym wedi gweithio yn bennaf trwy linellau teuluol gan fod y rhain yn rhai tynn iawn mewn cymuned Gymreig. Mae'r gymuned amaethyddol a'r llinellau sy'n rhedeg trwy'r teuluoedd yn ei gwneud yn gymuned glos iawn."

Yn yr achosion hyn, roedd bywyd cymdeithasol yr eglwys a'r berthynas yr oedd yr eglwys yn ei chreu â'r gymuned yn ddylanwadol o fewn y gymuned ehangach. Unwaith yr oedd pobl yn ymuno â chymuned yr eglwys, yr oeddent yn tueddu i aros ac roeddent hefyd yn aml yn denu eu teulu estynedig eu hunain. Wedi dweud hynny, er mwyn cyrraedd y math yma o gymuned, mae'n hanfodol i fod yn rhan o'r gymuned honno. Roedd hyn yn arbennig o wir yn y cymunedau gwledig lle'r oedd cysylltiadau teuluol trwy amaethyddiaeth yn llawer cryfach.

> "Gall hyn hefyd fod yn anodd wrth efengylu yn y pentrefi, oherwydd mae yna agwedd gyffredinol lle nad ydi dieithriaid yn cael eu croesawu!"

Yn y sefyllfaoedd hynny, mae "profi eich hunan" yn hanfodol, ac mae adeiladu perthynas hirdymor ddiogel yn anhepgor os ydych am gael gwrandawiad.

Mewn perthynas â'r patrymau cymdeithasol yma o fewn Cymru, y mae eglwysi sy'n pwysleisio efengylu wedi wynebu rhai o'u sialensiau pennaf. Mae effaith Pietistiaeth ar genhadaeth eglwysi dosbarth E1 yn benodol wedi arwain at sefyllfa, yn ôl Chambers, "lle nad ydynt wedi gwneud dim i gynorthwyo eu hachos".[116] Mewn cymunedau lle mae cynorthwyo'n gilydd yn rhan o'r diwylliant, mae'r polisi o wahanu a dibyniaeth ar wahoddiadau i oedfaon a digwyddiadau o fewn adeilad yr eglwys wedi llwyddo i ddieithrio'r eglwys oddi wrth faes ei chenhadaeth. Mewn rhai cymunedau yn y Cymoedd, mae'r arwahanrwydd yma yn mynd yn groes i'r diwylliant. Mae dirywiad sydyn Anghydffurfiaeth yn y Cymoedd ôl-ddiwydiannol yn un canlyniad i hyn. Mae un eglwys sydd wedi newid yn fras o grŵp E1 i E2 yn mynegi ei anhawster:

> "Mae hanes yr eglwysi yn hanes o dueddiad i ymateb yn erbyn yr efengyl gymdeithasol gan fod yn euog wedyn o golli golwg ar yr hyn sy'n hanfodol. Felly, hyd yn oed yn awr yn y blynyddoedd diwethaf, rydym wedi gweld pwysigrwydd gweinidogaethau trugaredd ac ymwneud cymdeithasol yn yr eglwys fel rhywbeth sydd â hawl gan yr eglwysi i'w cyflawni. Nid efengylu yw hyn, ond mae'n hanfodol er hynny."

116 Chambers, "Out of Taste," 92.

Mae Arolwg *Cymrugyfan* yn dangos fod eglwysi E2, eglwysi sy'n weithredol yn eu cymunedau, yn gyffredinol yn eglwysi sy'n gweld eu cenhadaeth yn arwain at aelodau newydd. Yn y Cymoedd, a hynny yn unol â'r ffigyrau cymharol ar draws Cymru, roedd 46% o'r eglwysi 5:2 gyda saith neu fwy o gysylltiadau yn eu cymunedau. Mae Banciau Bwyd, *Cristnogion yn erbyn Tlodi* (CAP) prosiectau dyled, llochesi dros nos, darparu grwpiau mam a'i phlentyn yn y gymuned, clybiau ar ôl ysgol, cyrsiau rhianta, ynghyd â chefnogaeth arall i deuluoedd mewn anawsterau dros dro, i gyd yn enghreifftiau o symud gyda dyheadau'r gymuned, yn hytrach na mynd yn groes i'r dyheadau yna. Roedd un eglwys yn Nyffryn Merthyr yn ymwneud â lloches i'r digartref, cyngor ar ddyled, lle i bobl alw heibio, grwpiau plant bach, Banc Bwyd, ac yn gweithio gyda *Barnardo's* trwy gefnogi eu gweithgarwch ym myd mabwysiadu a maethu. Roedd yr eglwys wedi tyfu o grŵp o tua ugain yng nghynulleidfa'r bore, i 120, a hynny rhwng 2005 a 2014.

Mae strwythurau traddodiadol eglwysi E1, lle mae cenhadaeth i'w weld yn fewngyrchol yn hytrach nag allgyrchol, yn meddu ar fodel sy'n milwrio yn erbyn gweinidogaeth a chenhadaeth o ofal cymdeithasol. O ganlyniad, yn yr ardaloedd traddodiadol amaethyddol, ac yn arbennig felly mewn ardaloedd lle'r oedd yr iaith Gymraeg yn cael ei siarad fwyaf, mae'r eglwysi oedd yn efengylaidd o ran bwriad yn gyffredinol yn dirywio oherwydd eu bod yn cael eu hadnabod fel y grwpiau oedd ar wahân i'w cymunedau. O'r 29 o eglwysi mewn ardaloedd gwledig oedd yn meddu ar *Ddull* o ymagweddu oedd yn pwysleisio efengylu mewn cenhadaeth, 'doedd ond tair ohonynt yn E2, a dim ond dwy o'r tair yn tyfu 5:2.

Mae addasu i batrwm penodol gymdeithasol y cyd-destun Cymreig, nid yn unig yn hanfodol ar gyfer ein dyfodol, ond hefyd yn esboniad posibl o'r dirywiad yn y cyfnod diweddar yma. Mae hyn yn arbennig o wir i'r eglwysi hynny sydd â phatrymau o genhadaeth sydd wedi eu hetifeddu o gyfnod lle'r oedd Cristnogaeth yn grefydd y mwyafrif, ac sydd heb addasu i'r newidiadau crefyddol a chymdeithasol o'u hamgylch.

Addasu i Agweddau Gwleidyddol y Cyd-destun Cymreig

Yn ystod degawd cyntaf yr unfed ganrif ar hugain, fe dyfodd y sefydliadau Cymreig mewn nifer a dylanwad. Derbyniodd Cynulliad Cenedlaethol Cymru rymoedd ychwanegol, ac yn wir bu i *Blaid Cymru* lywodraethu mewn clymblaid, ac fe ddaeth Cymru fel un o wledydd y Deyrnas Unedig yn realiti yr oedd pobl yn gyffredinol bellach yn ei dderbyn. Yn ymatebion yr eglwysi oedd â *Dull* o ymagweddu oedd yn pwysleisio efengylu mewn cenhadaeth, ychydig yw'r ymwybyddiaeth, ac yn wir, ychydig o gyfeiriadau sydd i gyd-destun gwleidyddol cenhadaeth. O ganlyniad, yn y cyfweliadau a ganlynodd, roedd yna gwestiwn penodol yn cael ei gynnwys: "A yw aelodau'r eglwys yn weithredol mewn gwleidyddiaeth, ac a yw eich eglwys yn annog hyn?" Esboniwyd hyn yn nhermau amrywiaeth oedd yn ymestyn o lobïo ar faterion gwleidyddol, moesol neu gymdeithasol, i weithredu mewn gwleidyddiaeth leol neu i gymryd rhan mewn gwleidyddiaeth genedlaethol (Siart 47). O'r ddau ddeg a naw o arweinwyr o eglwysi Efengylaidd, roedd deg nad oeddent yn cyfeirio at unrhyw weithgarwch o gwbl, un deg a thri yn cyfeirio at weithgarwch oedd wedi ei ganoli ar lobïo, deg ar wleidyddiaeth leol, a dim ond pedwar ar wleidyddiaeth genedlaethol. 'Doedd ond dwy eglwys yn ymwneud â gwleidyddiaeth ar bob lefel. Roedd gan un eglwys aelod oedd yn sefyll fel y cynghorydd annibynnol lleol, a dim ond yn y ddwy eglwys oedd yn ymwneud ar bob lefel y gwelid unrhyw arwydd eu bod yn annog eu pobl i fod â'r math yma o ymrwymiad i wleidyddiaeth. Roedd lleisiau o'r fath felly yn anarferol ac yn eithriad.

> "Ydyn, maen nhw'n weithredol mewn gwleidyddiaeth, y mae, (enw) yn aelod sy'n gweithio i Care ac wedi gwneud cais i fod yn Gynghorydd Sir, ynghyd â chais i fod yn Aelod Seneddol Ewropeaidd. Rydym yn dysgu ein pobl ifanc, rhai yn eu harddegau a'r oedolion ifainc, i fod â diddordeb yn y broses wleidyddol. Rwy'n annog ein pobl yn eu hugeiniau i ystyried dod yn gynghorwyr lleol."

Mae'r lefel cymharol isel yma o ddiddordeb mewn gwleidyddiaeth, efallai, yn rhan o dreftadaeth Bietistaidd Anghydffurfiaeth Cymreig, neu efallai ei fod yn ganlyniad i ddiffyg hyder y byddai gweithredu gwleidyddol yn dwyn unrhyw newid i gymdeithas. Yn y Cymoedd, mae'r diffyg diddordeb mewn gwleidyddiaeth yn adlewyrchu siom, neu ddadrithiad, gyda'r Sosialaeth oedd wedi bod mor ddylanwadol yn y cenedlaethau a fu.

> "Dwi ddim yn meddwl fod gan y bobl unrhyw argyhoeddiad fod Sosialaeth, neu'r Blaid Goch, byth yn mynd i sicrhau fawr ddim i ni. Ein harwr oedd y rheswm pam y daeth y Toriaid a Margaret Thatcher i rym eto. Gyda'r Blaid Lafur, petai rhywun ar wahân i Neil yn arwain, efallai y byddent wedi llwyddo, ond yr oedd yr un yr oedd y bobl yma'n ei weld fel arwr yn rhywun na fyddai pobl ar draws Prydain byth yn pleidleisio o'i blaid. Dyma'r rheswm pam yr oedd cymaint o sylw i'w acen, roedd hyd yn oed ei wallt yn goch. Ni lwyddodd i sicrhau dim fel cynrychiolydd olaf Sosialaeth y Cymoedd."

O'r rhai a ddaeth i'w cyfweld, roedd yna siarad am hanes Cymru, "cam-drin diwydiannol", gorthrwm y Saeson, ynghyd â'r syniad ein bod yn "genedl israddol", ond ni arweiniodd hyn at ymateb gwleidyddol. Roedd dwy eglwys sy'n addoli yn Saesneg yng Nghanolbarth Cymru yn sôn am eu cwyn yn erbyn Llywodraeth y Cynulliad ac yn erbyn addysg cyfrwng Cymraeg, ond nid oeddent wedi ymateb yn wleidyddol i'r naill na'r llall. Roedd rhai sy'n siarad Cymraeg yn adnabod eu dyletswydd i weithredu dros "eu hawliau, addysg eu plant, addysg prifysgol a chydnabyddiaeth gyffredinol ", ond yn gwneud hynny trwy weithredu uniongyrchol, nid y broses wleidyddol.

Roedd gan eraill aelodau oedd yn meddu argyhoeddiadau gwleidyddol cryf, ond nid oedd yr eglwysi fel y cyfryw yn wleidyddol, ac nid oeddent ychwaith yn annog cefnogaeth i un blaid wleidyddol. Roedd unrhyw gefnogaeth i wleidyddiaeth genedlaetholgar, a gweithredu mewn perthynas â'r iaith Gymraeg, yn fwy i'w wneud ag unigolion ac eglwysi fel endidau cyfrwng Cymraeg yn hytrach na'u *Dull* Efengylaidd o ymagweddu at genhadaeth. Yn sicr, o ystyried y cyfweliadau, nid oes yna unrhyw argraff fod y gweithgarwch gwleidyddol yma'n cael ei weld mewn unrhyw ffordd fel cyfle i weithgarwch Efengylu.

I'r rhan fwyaf, ystyr bod yn rhan o wleidyddiaeth leol neu genedlaethol yw gweddïo dros y swyddogion sydd wedi eu hethol, neu lobïo ar faterion moesol Cristnogol lle teimlir fod y safbwynt Cristnogol angen ei nodi a'i amddiffyn. Gyda'r lefelau yma o ymrwymiad gwleidyddol, mae'r rhan fwyaf o'r eglwysi sydd â *Dull* sy'n pwysleisio efengylu mewn cenhadaeth, yn cydnabod nad oeddent yn gweld cyd-destun gwleidyddol Cymru fel man i weithredu yn fwriadol, neu fel rhywbeth y dylent addasu eu mynegiant o'u cenhadaeth fel ymateb iddo.

Adlewyrchu ar y *Dull* o ymagweddu sy'n Pwysleisio Efengylu

Mae'n wir dweud fod yr eglwysi a'r arweinwyr hynny sy'n pwysleisio efengylu yn eu cenhadaeth yn canolbwyntio ar gyhoeddi eu neges fel prif weithgarwch cenhadol. Yn ei hanfod, mae gweithredu cymdeithasol yn ganlyniad neu yn arf bwriadol i sylweddoli'r prif fwriad.

> "Rwy'n deall mai cenhadaeth yr eglwys yw efengylu. Nid cenhadaeth yr eglwys yw'r gweithgarwch cymdeithasol, ond er hynny, rydym yn cael ein

> galw fel Cristnogion i garu ein cymydog fel ni ein hunain ac i wasanaethu eraill. Dyma'r hyn ydym fel Cristnogion."

Roedd addasu i'r chwech agwedd ar gyd-destun Cymreig yn hanfodol felly er mwyn gwneud y cyhoeddi'n effeithiol. Mae eglwysi sy'n pwysleisio efengylu, yn arbennig eglwysi yng nghategori E2, sy'n gwneud newidiadau er mwyn cyfathrebu eu neges yn fwy effeithiol. Roedd ganddynt flaenoriaeth, ac er mwyn gwasanaethu'r blaenoriaethau hynny, roedd angen aberthu traddodiadau o bryd i'w gilydd. O ganlyniad, mae ffurfiau eu hefengylu a nifer ac amrywiaeth eu cysylltiadau â'r gymuned yn llawer mwy amlwg yn yr eglwysi hynny lle mai hyn yw eu prif ffocws. Mae'r cysylltiadau cymunedol yn ymdrech, yn arbennig yn achos eglwysi E2, i fodelu eu neges, i roi hygrededd i'r neges ac i ddarparu ar gyfer y neges gysylltiadau gyda'r gwrandawyr. Mae diffyg cysylltiadau o'r fath yn eglwysi E1 yn cael ei adnabod fel un o'r rhesymau pam nad ydynt yn sylweddoli eu dyheadau cenhadol.

Y *Dull* Rhyddfrydol o ymagweddu at Genhadaeth

Ymateb oedd y *Dull* Rhyddfrydol i genhadaeth i'r newidiadau deallus a'r hinsawdd gymdeithasol yn y degawdau oedd yn arwain i fyny at, ac yn dilyn cychwyn yr ugeinfed ganrif. Gellir olrhain ei wreiddiau i'r Dadeni a'r pwyslais ar reswm fel ffordd o ganfod y gwirionedd. Cynhyrchodd y meddylfryd Modernaidd yma optimistiaeth a gobaith yn esblygiad a thwf dynoliaeth. Yr efengyl gymdeithasol oedd hanfod misioleg y mudiad ac mae'n deg dweud fod y dull hwn wedi cofleidio dyheadau ac egwyddorion y Sosialaeth oedd yn nodweddu'r cyfnod.[117] Yn gyffredinol, nid oedd fawr o gydymdeimlad gyda'r goruwchnaturiol ac yr oedd yn gosod iachawdwriaeth yn y byd hwn fel ei brif ffocws, gan leihau neu hyd yn oed wadu unrhyw ddisgwyliad o iachawdwriaeth bersonol. Ystyrid efengylu fel rhywbeth oedd yn gwahanu ac yn perthyn i'r oesoedd a fu. Mae Tudur Jones yn amlinellu'r cynseiliau hyn:

> "I Ryddfrydiaeth, athroniaeth yw diwinyddiaeth, math o resymu yw ffydd, math o gymdeithas yw Eglwys ac nid yw gwyrth yn ddim mwy na digwyddiad sydd ag esboniad rhesymol, athrylith oedd y proffwyd, math o lenyddiaeth yw'r Beibl, math ar esblygiad yw'r Ymgnawdoliad, math o ferthyrdod yw'r Iawn, ac nid yw dysgeidiaeth Iesu ond crynhoad o egwyddorion weddol gyffredin".[118]

Cofleidiodd arweinwyr prif enwadau Cymru y *Dull* Rhyddfrydol o ymagweddu at genhadaeth a diwinyddiaeth yn frwdfrydig.[119] Yn wir, gellir

117 Pope, *Building Jerusalem*, 5, 13-16; R. Pope, *Codi Muriau Dinas Duw: Anghydffurfiaeth ac Anghydffurfwyr Cymru'r Ugeinfed Ganrif* (Bangor: Prifysgol Cymru, 2005), 8.
118 Jones, *Congregationalism*, 239.
119 Pope, *Muriau*, 39-44; Jones, *Faith*, 194-197; Pope, *Building Jerusalem*, 14-15, 40-45.

dadlau fod meddylfryd o'r fath bron yn hanfodol i'r rhai oedd mewn sefyllfa o arweinyddiaeth i'r graddau fod "diwinyddiaeth Ryddfrydol wedi esblygu i fod yn safbwynt orthodocs o fewn yr enwadau hynny".[120] Roedd dysgeidiaeth y colegau diwinyddol yn rhoi ffurf ar weinidogaeth y dyfodol,[121] ac o ganlyniad, dilynodd credo'r eglwysi'r arweiniad hwn. Nid bod pob Anghydffurfiwr yng Nghymru wedi mabwysiadu'r ddiwinyddiaeth yma, ond mae'n deg dweud fod y rhai oedd yn parhau i ddal y traddodiadau Efengylaidd hanesyddol yn griw bychan, yn arbennig ymhlith gweinidogion.

Er hynny, dadrithiwyd llawer oedd yn coleddu'r safbwynt yma gan anawsterau economaidd yn y 1930au, i'r graddau fod y disgwyliadau oedd mor arwyddocaol bellach "wedi eu chwalu ar greigiau dau ryfel byd". Roedd unrhyw ganlyniadau manteisiol yn brin iawn. Wrth adolygu Anghydffurfiaeth Gymreig dros yr ugeinfed ganrif, mae Morgan yn siarad am y cyfan yn "suddo yn y tywod", gyda "chenhedlaeth o weinidogion wedi eu dadrithio, pobl ar ddiwedd eu gweinidogaeth sydd wedi tystio i ddirywiad anferth a digalon".[122] Mae hyn yn arbennig o wir yn yr eglwysi Cymraeg sy'n perthyn i'r enwadau, yr eglwysi lle mae'r *Dull* Rhyddfrydol o ymagweddu wedi goroesi hiraf. Gellir dadlau fod pregethwyr yn yr iaith Gymraeg yn gadael anialwch ysbrydol o'u hôl. Mae Hirsch yn ei alw'n "ideoleg barasitig" gan mai "prin yw'r enghreifftiau o ffurfiau newydd o eglwysi sy'n cael eu creu, ac yn sicr, nid yw'n ymestyn Cristnogaeth mewn unrhyw ffordd arwyddocaol, ond yn hytrach mae'n bodoli ac 'yn bwydo oddi ar' yr hyn a wnaeth y mudiadau cenhadol mwy uniongred ei gychwyn. Mae diwinyddiaeth Ryddfrydol bob amser yn dod yn ddiweddarach yn hanes unrhyw fudiad ac fel arfer yn cael ei gysylltu gyda'i ddirywiad."[123]

120 Jones, *Congregationalism*, 240.
121 Pope, *Muriau*, 40; Jones, *Congregationalism*, 239.
122 D. Morgan, *The Span of the Cross: Christian Religion and Society in Wales 1914–2000* (2il; 1999; repr., Cardiff: University of Wales Press, 2011), xiv.
123 Hirsch, *Forgotten*, 262.

Yr hyn mae'r Holiadur a'r Cyfweliadau'n ei ddangos

Mae Siartiau 27 a 28 yn dangos y gellir adnabod 39 o eglwysi oedd yn coleddu dealltwriaeth Ryddfrydol o genhadaeth yr eglwys leol. O'r rhain, roedd 18% yng nghategori 5:2, canran is na phob *Dull* arall o ymagweddu. Mae'n arwyddocaol hefyd nad oedd yr un o'r saith o eglwysi 5:2 ymhlith yr eglwysi Rhyddfrydol wedi tyfu o ran rhif. Roeddent yn gweld pobl newydd yn mynychu, ond roedd yr elw yma'n cael ei orbwyso gan eu colledion.

Mae'r eglwysi sydd â *Dull* Rhyddfrydol o ymagweddu at genhadaeth, yn gweld gweithredu cymdeithasol fel mynegiant o neges a chenhadaeth hanfodol yr eglwys. O ganlyniad, mae'r ymatebion yn yr holiadur i'r modd y mae neges yr eglwys leol yn cael ei chyfathrebu yn cynnwys ymadroddion fel: "dim rhaglenni ymestyn allanol penodol", "'does dim dulliau efengylu fel y cyfryw", ac "ychydig iawn o weithgarwch cymunedol sy'n pwysleisio efengylu ar wahân i waith plant ac ieuenctid". Cenhadaeth yr eglwys yw gwasanaethu'n ymarferol, nid cyhoeddi: "Rydym yn gweld ein cenhadaeth fel cyfrwng i sianelu cariad Duw i'r byd. Nid ein pwrpas yw dod â phobl i'r Eglwys ar ddydd Sul."

Mae absenoldeb efengylu yn rhannol i'w briodoli i natur draddodiadol yr eglwysi Rhyddfrydol. Roedd y mwyafrif wedi parhau i ddiogelu ffurfiau allanol a gweinidogaeth Anghydffurfiaeth Gymreig y bedwaredd ganrif ar bymtheg. Roedd i hyn nifer o agweddau gwahanol. Yn gyntaf, roedd unrhyw ymestyn allanol fel arfer trwy wahoddiad i oedfaon eglwysig, ac weithiau trwy wefan eglwys. Ystyrid cenhadaeth fel rhywbeth yn nhermau newid i'r gwasanaethau hynny, trwy gyflwyniadau fideo, neu gyfryngau cyfoes eraill: "Nid yw ein hefengylu wedi newid fawr ddim. Mae gennym lyfrau emynau cyfoes, mae gennym fideo ac astudiaethau Beiblaidd ar ffurf DVD, ond byddwn yn hoffi cyflwyno Power Point yn y gwasanaethau". Mae'r newidiadau hyn eto yn adlewyrchu agwedd fewngyrchol, nid allgyrchol i genhadaeth. Yn ychwanegol, wrth ystyried beth yw cysylltiadau'r eglwysi â'u cymunedau, ac yn arbennig sut maent yn cysylltu "bennaf", mae'r defnydd eang o wasanaethau addoliad yn dangos agwedd sydd wedi ei ganoli ar adeilad (Siart 48). Mae'r ymatebion hefyd yn dangos y nifer leiaf o gysylltiadau ymhlith categori'r rhai a "ddefnyddir fwyaf", gan awgrymu fod y cysylltiadau yma'n cael eu defnyddio'n achlysurol, yn hytrach nag yn rheolaidd (Siart 49).

Mae gwaith y gweinidog cyflogedig yn ganolog i genhadu y tu allan i furiau'r eglwys, a hynny yn benodol trwy ymweliadau, priodasau ac angladdau:

> "Ddoe yw mam heddiw yn ein hefengylu. Syrth y baich ar ysgwyddau'r gweinidog. Ceir yr agwedd – ef sy'n cael ei gyflogi – gadewch iddo ennill ei gyflog".

Lle nad oedd gweinidog, gwelwyd cyfyngu o'r herwydd ar genhadaeth yr eglwys:

> "Nid yw'r eglwys wedi cael mantais o gael gweinidog ac felly rydym wedi gwneud dim mwy na chadw i fynd gan ddiogelu addoliad rheolaidd ar y Sul, cynnal yr adeiladau, elfen o genhadaeth trwy ein siop goffi wythnosol a chynnal ein gilydd fel aelodau eglwysig. Nid oes unrhyw ymgyrch efengylu wedi bod oherwydd nad oes gennym yr arbenigedd o fewn yr eglwys i wneud hynny."

Mae patrwm demograffaidd yr eglwysi, gyda chynulleidfaoedd yn heneiddio, hefyd yn siŵr o effeithio ar eu gallu i genhadu: "Yn anffodus, mae'r bobl yn hŷn ac yn mwynhau bod gyda'i gilydd, boed hynny ar fore Sul neu mewn bore coffi/pnawn paned i godi arian i elusennau gwahanol". O ganlyniad, roedd rhai yn gweld ychydig iawn o gysylltu â'r gymuned.

Mae'r siartiau sy'n cymharu cysylltiadau eglwysi Rhyddfrydol â'u cymunedau gyda'r amrywiaeth o *Ddynesiadau* eraill (Siartiau 39 i 45), yn dangos defnydd gweddol uchel o weithgareddau sy'n gysylltiedig ag eglwys, ieuenctid a chaffi. Mae'r patrwm cenhadol traddodiadol yma, sydd wedi ei ganoli ar adeilad eglwysig, hefyd yn dangos llai o ymwneud yn y categorïau Angen a Theulu. Efallai bod y defnydd llai o weithgareddau ymhlith Ieuenctid yn adlewyrchiad o oed cynulleidfaoedd. Ystyr *caffi* i lawer oedd bod adeilad yr eglwys ar agor ar adegau penodol fel lle i alw heibio, yn bennaf fel lle i'r henoed gyfarfod, er bod un eglwys yn rhedeg caffi ar wahân yn y pentref.

Mae'r defnydd ehangach o weithgareddau Addysgiadol, sy'n fwy na'r categorïau eraill o ran *Dull* o ymagweddu, yn arbennig felly yn y defnydd o fwy nag un gweithgarwch, yn adlewyrchu'r ffaith fod mwy na hanner yr eglwysi Rhyddfrydol yn eglwysi lle mai Cymraeg oedd iaith yr eglwys, gyda chyfarfodydd diwylliannol a dosbarthiadau iaith yn rhan o fywyd yr eglwys, ac yn adlewyrchu'r cysylltiad agos rhwng iaith a diwylliant. Mae'r defnydd hwn o gysylltiadau Addysgiadol i'w gweld gliriaf yn yr ymatebion "ddefnyddiwyd fwyaf" (Siart 46).

Y Neges Ryddfrydol a'r Modd o Gyfathrebu

Mae'r *Dull* Rhyddfrydol o ymagweddu at genhadaeth yn dynodi mwy o ddiddordeb mewn materion cymdeithasol a gwleidyddol nag mewn neges i'w chyhoeddi. O ran y neges ei hun, mae'n un cyffredinol, yn canoli ar gariad Duw at bob un, gan bwysleisio nad oes unrhyw wahaniaeth yn y croeso i bawb:

- "[Rydym] yn gymdeithas Gristnogol gynhwysol. Wrth siarad am fod yn gynhwysol, nid yw hyn yn gwahanu rhwng pobl o ran y croeso a'r gwasanaeth wrth i ni arddangos consýrn, cyfeillgarwch a chariad."

- " Y gorchymyn pennaf... caru Duw a charu eich cymydog, mae popeth yn crynhoi o amgylch hyn. Dyma brif sylfaen ein gweithgarwch a dyma sy'n gyrru'r cyfan yr ydym yn ei wneud yn yr eglwys."
- "Byddwn yn galw fy hun yn Gristion blaengar, ac rwy'n ceisio cynnwys hynny yn fy neges... rydym i gyd yn blant i Dduw, rydym i gyd yn gwbl gyfartal... nid ydym ond rhan o'r blaned yma, nid ydym yn llywodraethu'r blaned. Rwy'n ceisio pwysleisio'r pethau hyn i gyd: Gwyrdd, amgylcheddol, parch i fywyd."
- "Fod Duw wedi caru'r byd, ac mae hynny'n golygu'r byd, holl bobl y byd. Daeth Crist i roi ei fywyd, ei wybodaeth, ei gyflawnder yn y byd yma hefyd. ... 'Daioni i bawb', a dyna yw hanfod fy neges."
- "Rydym yn agored i gyhoeddi newyddion da Iesu Grist, a gobaith. Ond mae pawb yn cael ei dderbyn ac yn cael ei garu gan Dduw."
- "Rydym yn gymuned groesawgar a chynhwysol. Mae yna groeso radical a chynhwysol, ac mae'r gymuned o bobl wedi ymrwymo i werthoedd cariad a thrugaredd, bod yn gynhwysol ac amrywiaeth, a'r cyfan. Mae gennym sylfaen i'n cenhadaeth, sef bod 'yn agored i'r byd, yn cefnogi ein gilydd, yn canoli ar Dduw.

Mae'r neges gyffredinol yma o gariad cyffredinol Duw i'r byd i gyd yn un nad yw'n galw pobl i iachawdwriaeth bersonol. Yn amlwg, mae hyn yn ffactor sylweddol wrth ystyried y diffyg ychwanegiadau i eglwysi Rhyddfrydol, ac o'u dirywiad cyson.

Mae'r neges yma'n cael ei chyfathrebu trwy weithgareddau'r eglwys yn adeilad yr eglwys. Mae hyn yn cael ei adlewyrchu yn y defnydd amrywiol o ffyrdd o gyfathrebu eu neges (Siart 50): pregethu, yr Ysgol Sul ac ymweliadau bugeiliol. Mae'r defnydd cymharol isel o ddull eilradd o fewn pob categori (Siart 51) yn tanlinellu fod defnydd unigol yn aml yn waith y gweinidog cyflogedig. Mae'r defnydd isel iawn o ddulliau ar sail "Perthynas" yn dangos y ddibyniaeth ar wasanaethau eglwysig, gyda llai o weithgareddau y tu allan i adeilad yr eglwys. Mae'r ymatebion o ran sut yr oedd pobl yn dod i ffydd (Siart 52), hefyd yn adlewyrchu dylanwad a gwaith y gweinidog, a'r pwyslais ar weithgareddau yn adeilad yr eglwys. Mae'r twf, lle y gwelid hynny, i'w briodoli i ychwanegu aelodau o'r teulu neu o ganlyniad i rieni yn dilyn eu plant i'r eglwys. Yn wahanol i'r categorïau eraill, mae'r defnydd o genadaethau efengylu, oedfaon ar gyfer ymwelwyr, prydau bwyd a chyrsiau, yn isel. Yn wir, o'u cymharu â'r *Dulliau* eraill o ymagweddu at genhadaeth (Siart 38), mae'r atebion yn is ymhob categori ar wahân i un. Gwelodd eglwysi Rhyddfrydol lai o ychwanegiadau.

Ymweliadau bugeiliol gan y gweinidog oedd yr eithriad yn y darlun hwn. Defnyddiodd yr eglwysi Rhyddfrydol y dull Uniongyrchol hwn yn fwy aml na'r *Dulliau* eraill o ymagweddu er mwyn cyfathrebu eu neges (Siartiau 35 a 36), a daeth pobl o'r tu allan, o ganlyniad, yn fynychwyr (Siart 52). Ni welai eglwysi Rhyddfrydol y gwaith o geisio aelodau newydd fel rhan o'u cenhadaeth. O ganlyniad, nid oedd ymweliadau â chartrefi yn cynnwys efengylu o ddrws i ddrws gan aelodau neu'r gweinidog. Mae rôl draddodiadol y gweinidog yn ei ymweliadau bugeiliol â'r cleifion, y rhai sy'n gaeth i'w cartrefi, ar ôl genedigaethau ac angladdau, yn denu pobl i'r eglwysi, yn arbennig felly yn yr ardaloedd gwledig. Roedd mwyafrif llethol yr eglwysi Rhyddfrydol hyn yn yr ardaloedd gwledig neu drefi bychain lle'r oedd cysylltiadau cymunedol yn parhau'n gryf, a lle'r oedd y capel a'i weinidog yn parhau i fod yn berthnasol.

Er y cylch yma o lwyddiant, mae'n deg dweud mai cyfyng oedd effeithiolrwydd gweithgarwch cenhadol eglwysi Rhyddfrydol. Roedd yna ymwybyddiaeth fod diffyg edrych allan mewn cenhadaeth yn peryglu dyfodol yr eglwysi.

> "Mi fydd yna newidiadau, ond cyn belled â bod yr eglwysi Cymraeg yn y cwestiwn, os nad yw'r newid yn y ffordd yr ydym yn ymestyn allan, a'n cyfrifoldeb yw ymestyn allan, yna rydym yn mynd i fynd yn wannach ac yn wannach".

I eraill, roedd helaethrwydd y dirywiad yn rhywbeth oedd bellach y tu hwnt i'w adfer. Roeddent yn ymwybodol o eglwysi oedd yn tyfu, ond roeddent yn anfodlon neu yn analluog i ddilyn eu hesiampl. Roedd yr angen am newid yn cael ei fynegi gan arweinwyr eraill ac roedd rhai yn gweld dyfodol posibl yn eu cymunedau petai yna barodrwydd i'w gofleidio:

> "Nid wyf yn gwybod os oes yna genhedlaeth arall...cenhedlaeth wnaiff eistedd i lawr, dod i gyfarfodydd, gwrando ar bregeth, a bod yn ffyddlon iawn... Mae aros mewn traddodiad yn rhwydd ond mae torri'n rhydd o'r traddodiad yn gam i'r tywyllwch... Rhaid inni wynebu'r risg yma. Fel gweinidogion, ni fyddwn yn llwyddo os nad ydym yn barod i fentro."

Yn gyffredinol, ceidwadaeth a phwyslais ar y traddodiad sy'n mowldio cenhadaeth y rhan fwyaf o eglwysi Rhyddfrydol. Mae'n cael ei adlewyrchu yn eu patrymau twf, ynghyd ag yn eu gweithgarwch cenhadol. Roedd y pwyslais ar gyfeirio at dueddiadau cymdeithasol o'r pulpud wedi effeithio ar agweddau at wleidyddiaeth a diwinyddiaeth, ond yn y rhan fwyaf o'r achosion, nid oedd wedi arwain at genhadaeth ymarferol oedd yn delio ag anghenion y tu allan i adeiladau'r eglwys. Roedd y mynegiant Rhyddfrydol o genhadaeth yn dod i ben, fel ag yr oedd yr ymchwil yn cael ei gynnal. Roedd gweinidogion yn gadael y weinidogaeth neu yn cyrraedd oed ymddeol, gydag ychydig o siawns o olynydd yn y rhan fwyaf o'r achosion wrth i gynulleidfaoedd ddirywio a chapeli gau.

Addasu i Agweddau Crefyddol y Cyd-destun Cymreig

Yn gynnar yn yr ugeinfed ganrif, roedd y *Dull* Rhyddfrydol o ymagweddu at genhadaeth gyda'i efengyl gymdeithasol yn cael ei ystyried fel ymateb *avant garde* i'r sefyllfa yng Nghymru ar ôl y rhyfel. Sosialaeth oedd y prif gredo, roedd y dirywiad diwydiannol yn gorwedd ar y gorwel ac roedd cymunedau mewn anawsterau economaidd. Ceisiodd y neges ddod â newyddion da oedd yn ymarferol ac yn berthnasol i anghenion cyfredol, yn fwy perthnasol na neges draddodiadol yr Eglwys. Gwerthfawrogwyd y capeli fel rhan annatod o fywyd cenedlaethol Cymru, ond pan fethodd y neges newydd â chynhyrchu adfywiad yn y capeli, nac ychwaith roi ateb effeithiol i broblemau cymdeithasol, gwelwyd y dirywiad yn cyflymu.

Mae nifer o ffactorau sy'n gysylltiad â chyd-destun crefyddol Cymru yn rhoi rhyw esboniad ar yr allbynnau siomedig. Yn gyntaf, roedd yr eglwysi Rhyddfrydol yn tybio y byddai yna ymrwymiad parhaol a ffyddlondeb rhwng y cymunedau lleol a'r capel. Er efallai bod yna elfen o anwyldeb wedi parhau, ni welwyd hyn o ran ffyddlondeb:

> "Rwyf wedi siarad â rhai sydd heb gysylltiad o gwbl â'r eglwys, ac i'r rhain, mi fyddai cau'r eglwys yn annerbyniol. Mae'n rhan o'u hanfod, ac yn bwysig iddyn nhw p'un ai ydynt yn sylweddoli hynny ai peidio. Mae'n rhan o'u Cymreictod."

Roedd rhai yn gweld yr etifeddiaeth grefyddol yma'n bositif, ond i lawer, nid oedd yn ddim mwy na rhywbeth oedd wedi ei "drosglwyddo o genhedlaeth a fu", rhywbeth oedd yn peri fod yna ymwybyddiaeth o gysylltiad ond oedd yn "gwbl amherthnasol i bobl bellach". Roedd cymdeithas o amgylch yr eglwysi wedi newid ac er bod yna gofio ffyddlondeb i'r capel, nid oedd yna gysylltiad ystyriol: "mae gennych lawer o bobl sy'n gwybod pa gapel nad ydyn nhw'n mynd iddo".

Yn ail, un o ganlyniadau'r geidwadaeth yma oedd amharodrwydd i newid, a hynny pan oedd y gymdeithas o amgylch y capel yn newid yn chwyldroadol:

> "...amharodrwydd i dderbyn newid, ac i weithredu newid ... Rwy'n credu fod rhai o'r eglwysi, gan gynnwys yr eglwys yma, yn methu gweld y bydd yn goroesi, a hynny yn bennaf oherwydd bod ein cynulleidfa yn hŷn... Ni allaf weld unrhyw obaith am barhad."

Roedd diogelu ffurfiau capel traddodiadol, ynghyd ag amharodrwydd i foderneiddio, yn cael ei weld fel nodweddion arferol Cymreig. Roedd eu dylanwad mewn cymdeithas yn bennaf yn un hanesyddol. Roedd hyn yn arbennig o wir yn yr eglwysi iaith Gymraeg: "ddoe yw mam heddiw yn ein hefengylu". Hanfod y broblem oedd diwylliant y capel gyda "mwy o barch i'r adeilad nag i Grist" a hynny mewn byd lle "mae'r Sul ar gyfer chwaraeon, nid ar gyfer Duw". Roedd cymdeithas wedi newid o'u cwmpas, gyda'r canlyniad fod y capeli wedi eu gadael ar ôl, heb fawr o gysylltiadau gyda bywyd cyfoes.

> "Nid ydynt wedi symud yn eu blaenau. Yn y Capel, ym mywyd yr eglwys, mae yna rywbeth hen ffasiwn iawn... petai rhywun sydd wedi marw gan mlynedd yn ôl yn dychwelyd heddiw, yr unig le y byddent yn ei adnabod yw'r Capel Cymraeg."

O ganlyniad, gwelwyd fod y cenedlaethau iau wedi "rhoi i fyny ar y dylanwad. Mae'n perthyn i genhedlaeth ein teidiau, nid ein cenhedlaeth ni", ac o ganlyniad, mae'r ieuenctid a'r rhai sydd mewn gwaith wedi torri'n rhydd o oblygiadau'r capel.

Yn drydydd, oherwydd y ffordd y mae'r capeli wedi eu hynysu, yn naturiol mae yna anawsterau i gyfathrebu neges yr eglwysi. Mae'r neges Ryddfrydol, o'r modd y mae cariad Duw yn gallu newid y cyflwr dynol, bellach ond i'w glywed y tu mewn i furiau'r capel.[124] O ofyn sut y byddai pobl yn clywed y neges, roedd yr arweinwyr yn ymwybodol o'r diffyg cyfathrebu hanfodol yma. Yr unig ffordd y byddai pobl yn clywed y neges oedd:

> "Trwy ddod. Ni fyddent yn clywed fel arall. Mae hyn yn swnio'n negyddol, yr unig ffordd y byddent yn clywed ein neges yw trwy weld beth yr ydym yn ceisio ei wneud yn ein gwaith cymunedol... casgliadau Cymorth Cristnogol y tu allan i Tesco bob blwyddyn. Nid yw hynny yn flaengar iawn."

Yn bedwerydd, ar waethaf y newid radical i agenda cymdeithasol neges yr eglwysi, mae cenhadaeth wedi parhau i gael ei ganoli mewn adeilad, yn fewngyrchol yn hytrach nag allgyrchol. Heb newidiadau fyddai'n symud cenhadaeth i mewn i'r gymuned, mae'r rhagolygon yn dywyll. Roedd un arweinydd, sydd â dau gapel yn agos i gau, yn gobeithio y byddai'r adeiladau yn dod yn ardd gymunedol ac y byddai'r eglwys yn ail-ffurfio o dan arweinyddiaeth leyg. Roedd y *Dull* Rhyddfrydol o ymagweddu at genhadaeth wedi methu â thrawsffurfio cymdeithas yn ehangach, ond roedd ei hanallu i ddenu aelodau newydd, iau, yn arwain at ei dirywiad ei hun.

> "Maent hwy (yr aelodau) wedi colli llawer yn nhermau dirywiad yr eglwys... Ni fydd eglwys."

Fel datganiad o agwedd benodol i eglwys, diwinyddiaeth a chenhadaeth, mae'r sylwadau hyn yn frawychus ac yn cyhoeddi diwedd cyfnod. Roedd eglwysi Rhyddfrydol wedi priodi eu cenhadaeth â model o genhadaeth oedd yn perthyn i fyd Cristnogol lle'r oedd angen i bobl ddod, yn hytrach

124 "Ni fedraf ddweud fod llawer wedi eu dwyn at Gristnogaeth, ond mae llawer wedi eu harwain i feddwl am y syniad o gariad, rhywbeth yr oedd yr Iesu yn cyfeirio ato yn aml. Efallai fod hyn yn ddigon, oherwydd o ofyn i'r Iesu, nid oedd yn dweud dim am ei hun, dim ond i garu Duw a charu cymydog. Efallai fod hyn yn ddigon felly, dw'i ddim yn gwybod".

nag angen i'r eglwys fynd. Nid oedd gan yr eglwysi Rhyddfrydol genhadaeth na neges oedd yn mynd i ysbrydoli pobl i fod yn rhan o'u heglwysi. O symud oddi wrth etifeddiaeth ddiwinyddol Anghydffurfiaeth Gymreig a'r pwyslais ar gyhoeddi ac efengylu, arweiniodd hyn at genhedlaeth oedd yn diflannu, a chenhedlaeth oedd heb neb i gymryd eu lle yn yr eglwysi.

Addasu i Agweddau Daearyddol o Gyd-destun Cymreig

Roedd arweinwyr yr eglwysi sydd â *Dull* Rhyddfrydol o ymagweddu at genhadaeth yn ymwybodol o bwysigrwydd hunaniaeth sy'n cael ei gysylltu â chymdogaeth. Mae ffyddlondeb i bentref neu i gwm i'w weld yn gryfach nag i hunaniaeth genedlaethol.

> "Yn yr ardal, mae yna fwy o ffyddlondeb i gymdogaeth nag i genedl. ... yr ydym yn tueddu i fod yn fwy plwyfol, gyda mwy o ddiddordeb yn ein milltir sgwâr... Nid ydynt ond yn meddwl am eu rhan hwy o dir."

Mae traddodiad y capel Anghydffurfiol, y traddodiad y mae cenhadaeth y *Dull* Rhyddfrydol yn pwyso arno, yn un enwog yng Nghymru. O ganlyniad, roedd y capel lleol yn gwasanaethu enwad penodol o fewn i ardal benodol. Y ffin oedd y capel nesaf, yr un oedd yn gwasanaethu yn y gymuned drws nesaf. O ganlyniad, roedd gan gapeli eu fersiwn eu hunain o gymdogaeth yn adlewyrchu'r hyn oedd wedi ei ffurfio gan y tir ac agweddau cymdeithasol. Erbyn diwedd yr ugeinfed ganrif, roedd yr agwedd yma at gymdogaeth wedi gwanhau gan aelodaeth oedd yn lleihau, ond roedd yr aelodaeth, er yn hŷn, yn parhau i ddal cysylltiad, ac yn dychwelyd i gapel y teulu i addoli, os oedd siwrne o'r fath yn bosibl yn ymarferol. I aelodau oedd yn teithio fel hyn, yn byw mewn un lle ond yn addoli mewn lle arall, mae cenhadaeth i ardal y capel yn anodd, os nad yn amhosibl.

Roedd y patrymau gwledig yma yn llai amlwg yn agos i neu o fewn ardaloedd mwy trefol. Er hynny, mae un eglwys Gymraeg ger Caerdydd yn cyfarfod ag angen penodol am awyrgylch gwledig ymhlith siaradwyr Cymraeg i bobl oedd yn teithio allan o'r ddinas. Mae un arall yn darparu cymuned eglwysig yn y ddinas, gan drin y Cymry Cymraeg fel cymuned bentrefol o fewn y ddinas:

> "Mewn un ffordd, medrwch edrych ar y capeli Cymraeg mewn lle fel (y lle) fel pobl mewn pentref... Maent yn cyfarfod â'i gilydd ar noson waith, ar brynhawniau, ac ar y Sul i addoli, a dyna yw cyd-destun cymdeithasol llawer ohonynt... mewn un ystyr, dyna yw eu pentref."

Dylanwad arall oedd yn deillio o gymdogaeth oedd yr ymwybyddiaeth o'r angen i gynnal capel o fewn cymuned. Oherwydd yr ymwybyddiaeth gref o gymuned neu gymdogaeth leol, roedd uno capeli mewn man canolog yn opsiwn na ystyrid yn aml. Roedd un eglwys sydd â *Dull* Rhyddfrydol o ymagweddu at genhadaeth wedi ail-agor capel er mwyn ateb anghenion y gymuned honno. A chymryd fod yna bobl ac adnoddau i ganiatáu hyn, mae polisi o'r fath yn ymddangos yn briodol i'r cyd-destun yn hytrach nag adeiladu eglwysi mawr a chanolfannau eglwysig i wasanaethu ardaloedd gwledig eang.

Addasu i Agweddau Ethnig y Cyd-destun Cymreig

Wrth gynnal mynegiant traddodiadol o genhadaeth Anghydffurfiol, mae'r eglwysi Rhyddfrydol yn cysylltu'n fwy naturiol â chymunedau gwledig Cymraeg. Mae'r dull yma o weithredu yn llai addas mewn ardaloedd sydd wedi gweld mewnlifiad sylweddol o Loegr, ac mae'r agwedd draddodiadol yma yn codi ymwybyddiaeth o'r gwahaniaeth rhwng cymdeithas Gymraeg draddodiadol a chymdeithas Saesneg gyfoes. I arweinwyr Rhyddfrydol, yn arbennig felly'r rhai sy'n arwain eglwysi sy'n addoli yn y Gymraeg, mae'r ddwy gymuned yn cynrychioli dwy *ethnie* gwahanol. Mae un o'r gweinidogion sy'n gwasanaethu yn y Gymraeg yn disgrifio'r gwahaniaeth a'r ffordd y mae'r ddau draddodiad wedi gwahanu:

> "Os gofynnwch i bobl ar y stryd os ydynt yn Gymry, ydynt! Ond, nid wyf yn gwybod beth maent yn ei olygu wrth ddweud hyn. Nid ydynt yn gwylio S4C. Mae'n debyg mai diwylliant Eingl-Americanaidd sy'n eu nodweddu, er eu bod yng Nghymru, ac wedi eu magu mewn cymunedau Cymraeg, nid wyf yn adnabod y bobl yma, nid wyf yn cymysgu â hwy, nid yw ein dau fyd yn cyfarfod."

Yn ôl yr arweinwyr Rhyddfrydol, mae'r gwahaniaethau rhwng y grwpiau yma yn dod â goblygiadau i genhadaeth. Mae cenhadaeth Ryddfrydol, yn arbennig felly mewn ardaloedd gwledig, yn canolbwyntio yn bennaf ar y grŵp *ethnie* Cymreig, tra ar yr un pryd yn ddrwgdybus o fewnfudwyr i'r ardal. Maent yn siarad am wahaniaethau sy'n greiddiol, ynghyd â gwahaniaethau iaith a diwylliant. Gwelir y Cymry fel pobl sy'n fwy amharod i arwain rhag iddyn nhw dramgwyddo neb, "Nid oes neb am gymryd arweinyddiaeth, nid oes neb am gael ei weld fel y *Ceffyl Blaen*... A ydynt yn or-ostyngedig? A ydynt wedi eu dal mewn rhigol na allant godi ohoni?" Mae'r ymwybyddiaeth yma o fod yn "israddol", hyd yn oed yn eu heglwysi eu hunain, yn ganlyniad anochel. Gwelwyd y mewnfudwyr fel rhai sydd â llawer mwy o hyder, pobl a ystyrid yn or-flaengar, pobl sydd am arwain mewn cymunedau nad ydynt yn perthyn iddynt yn draddodiadol.

> "Rydym yn ceisio creu cysylltiadau rhwng y gymuned wreiddiol a'r mewnfudwyr. Yn y mewnfudwyr yma, gwelir y bobl sy'n barod i symud ymlaen, sy'n barod i fod yn weithredol. Mae rhai yn teimlo fod hyn yn ymdrech i feddiannu'r gweithgarwch...".

Yn yr ardaloedd Seisnig, mae'r twf yn nifer yr aelodau Saesneg mewn eglwysi yn creu tensiynau. Nid yn unig y mae'r bobl newydd yma o Loegr yn cymryd at arweinyddiaeth yr eglwys a'i chenhadaeth, ond ar yr un pryd, yn peri nad ydi'r aelodaeth draddodiadol yn cael lle i wneud hynny. O ganlyniad, "mae'r Cymry yn gweld y Saeson fel pobl uniongyrchol iawn, lle'r oedd eraill yn dweud fod y bai ar y Cymry oherwydd nad ydynt yn barod i symud". Mae'r arweinydd yma'n siarad am y drwgdeimlad wrth i gymuned y capel gael ei amharu, ac wrth i gapel y teulu gael ei feddiannu. Mae'r eglwysi a'u cenhadaeth sy'n cael ei adnabod fel rhai sy'n ddibynnol ar arweinyddiaeth Seisnig, yn cael eu hadnabod hefyd fel rhai sy'n ddieithr i'r gymuned leol, ac o ganlyniad, ar wahân i'r gymuned honno. Mae un arweinydd yn mynegi ei ddymuniad i weld y Cymry yn dangos mwy o "asgwrn cefn", ac yn cwyno am y diffyg hyder oedd yn perthyn i'r Cymry.

Mae'r newid yma wedi ei ddwysáu gan y diboblogi sy'n digwydd yn yr ardaloedd Cymreig traddodiadol, a mewnlifiad o bobl sy'n ymddeol i'r wlad ac i'r arfordir. Gan fod yr eglwysi Rhyddfrydol, gan fwyaf, o fewn i gymunedau Cymraeg eu hiaith, cymunedau oedd yn lleihau o ran rhif a dylanwad, roedd y goblygiadau i genhadaeth yn sylweddol. Mae un arweinydd yn disgrifio'r her sydd yn y sefyllfa:

> "Yn anffodus, mae yna ddwy gymuned, mae yna gymaint o fewnfudwyr bellach fel eu bod yn ffurfio eu cymuned eu hunain nad yw'n ymwneud fawr ddim â'r gymuned Gymraeg wreiddiol. Fel y gwelwch, yn arbennig felly yn y cymdogaethau Cymraeg, mae'r mewnlifiad yn bobl fwy ymosodol o ran eu hagweddau, mwy hyderus i feddiannu sefydliadau, mae arweinyddiaeth neuadd y pentref, er enghraifft, wedi ei feddiannu..."

Roedd yr arweinydd Rhyddfrydol yma'n mynegi'r teimlad fod y gymuned Gymraeg o dan warchae gan y mewnfudwyr. Roedd yr eglwys a'i chenhadaeth hefyd yn cael eu tanseilio. O ganlyniad mae diffyg hyder, diffyg gallu, a diffyg dyhead i wasanaethu'r gymuned ehangach yn sicr o ddilyn.

Felly, nid yw'r eglwysi sydd â *Dull* Rhyddfrydol o ymagweddu at genhadaeth ond wedi creu perthynas gydag un grŵp mewn cyfnod pryd yr oedd Cymru yn profi mewnlifiad sylweddol. Mae hwn yn gyfnod lle'r oedd yn amhosibl disgrifio unrhyw ardal fel ardal un *ethnie* yn unig. Ar yr un pryd, roedd Cymreictod ei hunan yn cael ei drawsffurfio o dan ddylanwad seciwlariaeth a'r cyfryngau cymdeithasol i'r fath raddau fod cenhadaeth y *Dull* Rhyddfrydol o ymagweddu, hyd yn oed i'w grŵp darged eu hunain, yn gynyddol aneffeithiol.

Addasu i Agweddau Ieithyddol a Diwylliannol y Cyd-destun Cymreig

Mae'r cysylltiad agos rhwng eglwysi Rhyddfrydol a hunaniaeth draddodiadol Gymreig i'w gweld yn y rhannu sydd rhwng yr iaith Gymraeg a diwylliant. Er bod efengyl gymdeithasol Ryddfrydol wedi ei gwreiddio yn y consýrn dros anghenion cymdeithasol a gwleidyddol, roedd hefyd yn amddiffynnydd dewr i'r iaith Gymraeg, ac i'r diwylliant oedd yn cyd-fynd â hynny, yn arbennig felly yn wyneb y dirywiad, ac roedd eu cenhadaeth wedi ei ganolbwyntio ar hyn ar ddechrau'r unfed ganrif ar hugain.

> "Mae wedi bod yn frwydr ar hyd yr amser, ac mae'r frwydr honno'n dwysáu. Maen nhw mewn panig braidd wrth sylweddoli realiti'r sefyllfa. Nid ydynt yn ei hoffi o gwbl."

Roedd cenhadaeth i gymunedau o bobl oedd yn siarad Cymraeg yn golygu darparu addoliad uniaith Gymraeg, ac ar yr un pryd, pobl oedd yn pledio achos cyfieithu ar y pryd mewn cyfarfodydd, cefnogaeth i ysgolion Cymraeg ac i ddysgu trwy gyfrwng y Gymraeg, hybu *eisteddfodau*, corau, cymdeithasau drama, gwasanaethau Cymraeg mewn cartrefi gofal, a hybu diwylliant a hanes Cymru trwy ddosbarthiadau a grwpiau trafod. Mae'r gweithgareddau yma'n cefnogi ac amddiffyn iaith a diwylliant Cymru, "a'r cyfan yn gwasanaethu i blannu hadau mewn bywydau all dyfu". Yn achos yr eglwysi Rhyddfrydol, mae'r defnydd cymharol uchel o grwpiau Dysgu mewn perthynas â chysylltiadau'r gymuned, a ddisgrifiwyd yn gynharach, yn cael ei adlewyrchu yn rhai o'r gweithgareddau hyn.

Mewn ardal lle mai iaith y mwyafrif yw Saesneg ac er mwyn cyrraedd y gymuned Gymraeg leol, mae yna eglwys Gymraeg wedi penderfynu newid yn fwriadol o wasanaethau dwyieithog i wasanaethau yn y Gymraeg yn unig, yn hytrach na gwasanaethau yn Saesneg yn unig. Roedd hyn "yn dipyn o her... Mae cadw at hynny wedi bod yn gryn ymdrech ar adegau", oherwydd roedd cam o'r fath yn mynd yn groes i dueddiadau'r gymuned. Er hynny, gyda'r cynnydd mewn addysg trwy gyfrwng y Gymraeg, a chyda phobl Gymraeg yn symud i'r ardal, cymerwyd y cam oherwydd yr ymwybyddiaeth o gyfrifoldeb tuag at yr iaith a'r diwylliant:

> "Mae hyn yn bwysig i'r eglwys, oherwydd mae'n ymwybodol iawn o'i chyfrifoldeb i ddiogelu etifeddiaeth ein hiaith, ynghyd ag etifeddiaeth Gymraeg y dref... Beth sydd wedi digwydd yw bod y gymuned y mae'r eglwys yn ei gwasanaethu yn gymuned eglwysig. Nid ceisio bod ar wahân yn yr ystyr hwnnw, ond yn hytrach gweld ei hunan fel cymuned sy'n gwasanaethu trwy fyw ei bywyd trwy gyfrwng y Gymraeg... Yr iaith, y diwylliant, popeth ynglŷn â'n diwylliant ni yn wir, gyda'r Capel ynghanol y cwbl."

Mewn cymunedau o'r fath, boed y rheiny'n Gymraeg neu Saesneg eu hiaith, yr iaith oedd allwedd y genhadaeth. Yn naturiol, roedd dynesiad o'r fath yn cau allan yn fwriadol unrhyw gyfraniad gan siaradwyr Saesneg a chenhadaeth iddyn nhw: "gan fod y mwyafrif llethol o'r aelodau yn gwrthod unrhyw syniad o Saesneg ym mywyd yr eglwys. Felly, os yw rhywun yn methu siarad Cymraeg, byddai'n anodd iawn iddyn nhw ddarganfod eu lle."

Mae cenhadaeth yr eglwysi Rhyddfrydol, sy'n cael ei sylweddoli trwy hybu ac amddiffyn yr iaith Gymraeg a'i diwylliant, yn cael ei weld fel rhywbeth sydd i ddwyn elw i gymdeithas, yn hytrach nag ymdrech i gryfhau cynulleidfaoedd. Mewn un eglwys ddinesig, gwelwyd hyn fel canlyniad annisgwyl wrth i'r capel ddod yn ganolbwynt i'r gymuned Gymraeg ehangach. Mewn llefydd eraill, er hynny, roedd yr eglwysi yn parhau i ddirywio gyda'r iaith a'r diwylliant traddodiadol. Ar ddechrau'r unfed ganrif ar hugain, roedd amddiffyn a hybu'r iaith yn gynyddol yn syrthio i ddwylo seciwlar, ac o ganlyniad, roedd y capeli yn dod yn fwyfwy ymylol. Mae'r eglwysi sydd â *Dull* Rhyddfrydol o ymagweddu at genhadaeth, er yn frwdfrydig ac yn weithgar ym maes iaith a diwylliant, wedi bod yn dirywio'n gyflymach na'r achosion y maent yn ceisio eu hamddiffyn.

Addasu i Agweddau Cymdeithasol y Cyd-destun Cymreig

Yn yr eglwysi sy'n gweithredu trwy'r Gymraeg, roedd yna ymwybyddiaeth gref o gymuned Gymraeg ac roedd y cymunedau yma'n defnyddio'r capel fel canolbwynt i fywyd teuluol a chymdeithasol. Roedd hyn i'w weld yn arbennig o glir yn yr ardaloedd trefol, lle'r oedd yn ychwanegu at ddylanwad yr eglwysi.

> "Yn (enw'r dref) mae'r capeli Cymraeg yn parhau i fod yn bwysig i'r gymuned Gymraeg. Maent yn parhau'n ddylanwadol ac mae yna fywyd cymunedol o'u mewn...Mae eu dylanwad yn gryfach yn y ddinas."

Mewn cymunedau gwledig lle'r oedd y Gymraeg yn parhau'n gryf, mae'r berthynas rhwng y capel a'r gymuned yn parhau'n brofiad dyddiol, ac yno mae perthynas teulu a gwaith yn parhau i gael ei glymu i mewn i "un teulu mawr", gydag ymwybyddiaeth eang o'r bobl a'u cysylltiadau teuluol dros genedlaethau.

Mae'r cysylltiad yma â'r gymuned yn wannach yn yr ardaloedd di-Gymraeg, ar wahân i'r canolfannau galw heibio a'r caffis sy'n cael eu darparu i'r gymuned, yn arbennig i'r henoed. Mae'r canolfannau yma'n agored i bawb gan gynnig "awyrgylch nad yw'n feirniadol, ymateb sy'n nodweddiadol o agwedd Iesu". Roedd yr eglwysi Rhyddfrydol yn mynd i drafferth anghyffredin i beidio gwahaniaethu, er bod sawl un yn cydnabod fod eu hagwedd gynhwysol wedi arwain at "berthynas arwynebol iawn" oedd yn deillio o "ddealltwriaeth ddiwylliannol o fywyd capel".

Roedd y cysylltiadau cymunedol yma'n cael eu canoli ar y defnydd o'r adeilad, yn aml gan fudiadau lleol yn eu defnyddio. Roedd y cysylltiadau â'r gymuned yn cael ei ddiogelu yn bennaf trwy waith y gweinidog yn cynnal angladdau, yn ymweld â chartrefi ac ysbytai, yn rhedeg gweithgarwch ar gyfer plant. Roedd rhai eglwysi yn cyfrannu tuag at y Banc Bwyd lleol, neu i weithgarwch eciwmenaidd tebyg, ond ychydig oedd yn ymgymryd ag unrhyw weithgarwch cenhadol arall oedd yn seiliedig ar anghenion. Gwelir hyn amlycaf yn y cysylltiad a "ddefnyddir fwyaf" yn eu cymunedau (Siart 49), sy'n dangos pa ffyrdd oedd yn cael eu defnyddio yn rheolaidd, yn hytrach nag yn achlysurol. Mae proffil oedran yr eglwysi Rhyddfrydol yn peri fod gweithgarwch yn y gymuned yn her, ac mae'n sicr fod hwn yn ffactor yn nirywiad yr eglwysi hyn.

Addasu i Agweddau Gwleidyddol y Cyd-destun Cymreig

Yn y bedwaredd ganrif ar bymtheg, rhoddodd Anghydffurfiaeth Gymraeg lais democrataidd i werin Cymru o fewn i gymuned y capel, a llais unedig pan nad oedd yna sefydliadau gwleidyddol Cymreig yn bodoli. Datblygodd yr eglwysi Rhyddfrydol y traddodiad hwn a'i amddiffyn, ac roedd i'w efengyl gymdeithasol agenda wleidyddol. Roedd yna anogaeth i'r aelodau i fod yn weithredol yn y broses wleidyddol a hynny yn lleol ac yn genedlaethol:

> "Mae'r eglwys wedi bod yn bwysig mewn ystyr sifig, gyda nifer o swyddogion y cyngor yn yr eglwysi . Roeddent yn bobl ddylanwadol iawn. Cafwyd yr elfen yma ymhlith yr Annibynwyr a'r dyhead i fod yn cymryd rhan lawn mewn bywyd gwleidyddol, efallai yn fwy nag mewn unrhyw enwad arall."

Siaradai'r eglwysi Rhyddfrydol am y gweithgarwch sydd ymhlith eu haelodau, ac yn cyfeirio at bresenoldeb swyddogion sydd wedi eu hethol o fewn y gynulleidfa, gan gynnwys teulu Prif Weinidog Cymru. Mae Aelodau Seneddol, Aelodau'r Cynulliad a chynghorwyr lleol hefyd yn aelodau o'r eglwysi, er bod rhai yn nodi fod hyn wedi lleihau dros y blynyddoedd.

Roedd yr arweinwyr yn dweud nad oeddent yn awyddus i fod yn bleidiol o'r pulpud, fod eu heglwysi yn annog gweithgarwch gwleidyddol yn hytrach na phleidiau gwleidyddol; er hynny, roedd rhai eglwysi yn dweud fod eu haelodau yn cael eu hadnabod oherwydd eu blas gwleidyddol. Mae gweithgarwch gwleidyddol i'w weld amlycaf yn yr eglwysi sy'n addoli yn y Gymraeg, ac mae'n deg dweud mai cefnogaeth i Blaid Cymru yw'r gefnogaeth amlycaf. Mae ymwybyddiaeth fod Cymru wedi colli rhyddid, ei chyfoeth a'r hawl i gael ei chynrychioli o dan reolaeth y Saeson, yn rhywbeth sy'n cael ei ailadrodd droeon.

> "Mae'r castell yn ein hatgoffa o'r gorthrwm, ond ni biau'r castell nawr! Mae hyn wedi arwain at ansicrwydd a diffyg hyder. Os ydych bob amser yn cael eich cadw i lawr, rydych yn araf i gymryd cyfrifoldeb ... a'r cyfan braidd yn eich atgoffa o ddoe, a bod ddoe yn parhau heddiw."

Er hynny, roedd presenoldeb y Cynulliad Cenedlaethol yn ffactor sydd yn arwydd o hyder newydd.

Roedd eglwysi yng Nghymoedd de Cymru wedi mynegi eu cefnogaeth i'r Blaid Lafur, plaid oedd wedi ei gwreiddio mewn ymwybyddiaeth debyg o'r ecsbloetio a fu o gyfeiriad Lloegr, a hynny y tro hwn, yn y maes diwydiannol.

> "Mae 'na deimlad bod Lloegr wedi dwyn y cyfan oedd gennym. Mae hyn yn wir yn y Cymoedd diwydiannol, ardal lle y bu i bobl ddod iddi a dwyn ei chyfoeth... Mae'r lefel o gasineb sy'n parhau, casineb o Maggie yn arbennig... oherwydd iddi gau'r pyllau. 'Does neb yn ei hoffi. Yn y sinema, pan fyddai Churchill yn dod ymlaen, byddent yn ei wawdio, oherwydd ei fod wedi danfon milwyr i Donypandy. Mae gan y bobl yma gof hir..."

Er hynny, nid oedd y gefnogaeth yn y Cymoedd i'r Blaid Lafur mor gryf ag a fu yn y cenedlaethau a fu. Mae un arweinydd yn siarad am y dadrithiad, yn arbennig felly ymhlith y bobl ifanc, a ddeilliodd o gau'r pyllau a methiant yr undebau llafur i atal hynny.

Ond ar waethaf y realiti yma, roedd y *Dull* Rhyddfrydol o ymagweddu at genhadaeth yn pwysleisio ymwneud gwleidyddol gan annog ymrwymiad ar bob lefel. Dyma'r grŵp oedd â'r lefel uchaf o ymwneud ar lefel genedlaethol o'r holl gategorïau o *Ddulliau* o ymagweddu, ac mae hyn yn adlewyrchu eu gweithgarwch gyda'r Llywodraeth yn Llundain a Chaerdydd (Siart 47).

Roedd gweithgarwch gwleidyddol ar lefel leol yn golygu cynrychiolaeth a lobïo aelodau, ynghyd â chefnogi "Cymorth Cristnogol, Banciau Bwyd, gwaith i ffoaduriaid...", "Ymgyrchu ar faterion cymdeithasol, tlodi, cydraddoldeb", "tuag at y byd, i sicrhau cyfiawnder, i sicrhau heddwch byd-eang, a dyna hanfod ein cenhadaeth". Mewn rhai eglwysi sy'n addoli yn y Gymraeg, roedd hefyd yn golygu cefnogi *Cymdeithas yr Iaith*, ac mewn gweithredu uniongyrchol yn erbyn ail gartrefi mewn ardaloedd Cymraeg eu hiaith. Dywedodd un arweinydd fod yr union ail dai yma ym mherchnogaeth cyd-aelodau o'r un capel. Rhannodd y digwyddiad aelodau'r capel, ynghyd â'r pentref.

Os yw gweithredu gwleidyddol ar drai mewn eglwysi Rhyddfrydol, mae hynny oherwydd bod yr eglwysi eu hunain ar drai, ac yn cau. Efallai fod y budd ddaeth o'u gweithgarwch gwleidyddol i'r rhai oedd y tu allan i'r eglwysi wedi bod yn sylweddol ac yn barhaol, ond nid yw wedi diogelu cryfder yr eglwysi, ac mae eu dirywiad wedi golygu fod y genhadaeth, a bendithion y genhadaeth honno, yn pylu.

Adlewyrchu ar y Dull Rhyddfrydol o ymagweddu

Roedd y *Dull* Rhyddfrydol o ymagweddu at genhadaeth, oedd wedi uniaethu gyda diwylliant Cymreig traddodiadol yn aml yn ei ffurf wledig, yn llwyddiannus ar brydiau, ond yn ddylanwad sy'n lleihau'n sylweddol. Roedd ei neges gymdeithasol a gwleidyddol, ei amddiffyniad o Gymreictod, yn adlewyrchu dyheadau a blaenoriaethau'r gweinidogion a'r aelodau oedd yn heneiddio. Roedd y dyhead i wasanaethu cymunedau daearyddol lleol ac ieithyddol, ac i ddarparu gofal bugeiliol drostynt dan law gweinidogion oedd wedi eu hyfforddi'n dda, yn annigonol i ddiogelu dylanwad parhaol, ac yn annigonol i ddiogelu dyfodol. Efallai nad oedd ymrwymiad i draddodiad yn agored i drafodaeth: "Efengylwr traddodiadol ydwyf. Cymro yw Duw!", ac efallai y byddai'r math yma o fynegiant yn cael ei ganmol o fewn y capel, ond yn gynyddol, roedd hyn yn ddiystyr yn y gymuned ehangach. Mae'r *Dull* yma o ymagweddu at genhadaeth yn dibynnu yn gyfan gwbl ar gyd-destun crefyddol o Gymru Gristnogol lle'r oedd pobl yn dod i'r capel heb eu cymell. Mae'r methiant i addasu i'r cyd-destun crefyddol sy'n newid yng Nghymru, wedi golygu fod eu cenhadaeth wedi bod yn genhadaeth tymor byr ar eu cyfer hwy, a'r rhai yr oeddent yn dymuno eu gwasanaethu. Roedd y Dull Rhyddfrydol o ymagweddu at genhadaeth yn rhywbeth oedd 'dros amser ac mae'r amser hwnnw wedi dod ac wedi mynd".[125]

125 Chambers, "Out of Taste," 86.

Y *Dull Missio Dei* o ymagweddu at Genhadaeth

Cysylltir y *Dull Missio Dei* o ymagweddu at genhadaeth yn arferol gydag enw Lesslie Newbigin. Ganed ef yn 1909, ac wedi derbyn ei addysg yn un o ysgolion y Crynwyr, cafodd ei ordeinio yn genhadwr gan Eglwys yr Alban, cyn dod yn esgob yn "Eglwys Eciwmenaidd De India".[126] Roedd ei ymagweddiad ef at genhadaeth yn bennaf yn eciwmenaidd. Er ei fod o duedd Efengylaidd, fe'i caed hefyd yn cwestiynu awdurdod y Beibl ac roedd yn gweld athrawiaeth a gwirionedd fel rhywbeth symudol a rhywbeth oedd angen ei addasu i gyd-destun yn barhaus.[127] Tystiodd fod y tensiynau rhwng pobl Ryddfrydol ac Efengylaidd yn "rhaniad dwfn a thrist iawn" ac yn wir yn "frwydr ddifäol", ac felly edrychodd am ffordd ganol eciwmenaidd.

Ar ei ymddeoliad yn 1974 fe ddychwelodd i Brydain, ac o ddod yn ôl, bu iddo ddarganfod gyrfa newydd. Yn 1983, ysgrifennodd lyfryn bychan, "*The Other Side of 1984*",[128] ac yn annisgwyl, fe ddaeth yn llyfr anghyffredin o boblogaidd. Dyma oedd seiliau rhwydwaith "*Gospel and Our Culture*". Roedd Newbigin yn dadlau dros genhadaeth Drindodaidd driphlyg, y *Dull Missio Dei.*[129] Mae Duw ar waith yn ei fyd, felly mae'n rhaid i genhadaeth gymryd o ddifrif ei chyfrifoldeb ym maes cyfiawnder, tlodi a'r amgylchedd, yn enw Iesu. Roedd yn rhaid i efengylu fod ynghanol y genhadaeth,[130] ond

126 P. Weston, gol., *Lesslie Newbigin, Missionary Theologian: a Reader* (Grand Rapids: Eerdmans, 2006), 5-7.
127 J. E. L. Newbigin, *The Open Secret* (Grand Rapids: Eerdmans, 1983), 173-180; Weston, *Newbigin,* 213-215.
128 Weston, *Newbigin,* 189-197.
129 Newbigin, *Secret,* 20-31; J. E. L. Newbigin, *The Gospel in a Pluralist Society* (London: SPCK, 1989), 118-120; Weston, *Newbigin,* 81-3; Keller, *Center,* 251-252.
130 Newbigin, *Secret,* 136, 146.

ymwneud cymdeithasol, gyda goblygiadau moesol, oedd y brif elfen.[131] Mae iachawdwriaeth Duw yn cynnwys ymwneud gwleidyddol, diwylliannol ac ysbrydol gyda'i fyd. Nid yw cenhadaeth mwyach i lifo yn syml o bwyslais ar Gomisiwn Mawr Iesu (Mathew 28:19-20), ond o ymwybyddiaeth fod tri pherson y Drindod ynglŷn â gwaith cenhadaeth i bawb ym myd Duw. Mae Newbigin yn gwahaniaethu rhwng cyhoeddi'r efengyl a'r genhadaeth ehangach.

Yr eglwys leol oedd i fod yn "lais yr efengyl" wrth iddi fyw allan pob agwedd o genhadaeth Duw, dyma "lysgenhadaeth Duw", yn cynrychioli Duw yn ei fyd.[132] Credai fod angen i'r eglwys ail-feddwl yn gyfan gwbl ei strategaeth yng nghyd-destun byd ôl-Gristnogol. Bellach, ymylol oedd ei llais, ac roedd i adfer ei dylanwad trwy herio hygrededd seciwlariaeth ac "adennill tir uchel gwirionedd cyhoeddus".[133] Nid cymdeithas heb Dduw oedd Ewrop, ond yn hytrach, cymdeithas gyda ffug-dduwiau. Mae'r gymdeithas yma yn llawer mwy gwrthwynebus i'r efengyl na chymdeithas sydd heb unrhyw hanes Cristnogol, ac i Newbigin, dyma oedd "maes cenhadol mwyaf heriol ein cyfnod".[134]

Datblygwyd syniadau Newbigin gan David Bosch,[135] un oedd yn gweld cenhadaeth o fewn i fframwaith Trindodaidd tebyg, oedd yn rhoi amrediad ehangach i iachawdwriaeth wrth ystyried iachawdwriaeth hollgynhwysol.[136] Mae'r Eglwys i ymwneud â'r hyn mae Duw yn ei wneud yn y gymdeithas heddiw, yn hytrach na chanolbwyntio ar iachawdwriaeth bersonol.[137] Mae cenhadaeth, sef ymestyn teyrnasiad Duw, i'w weld fel

131 Newbigin, *Secret*, 102, 103, 152.
132 Newbigin, *Pluralist*, 184.
133 Newbigin, *Pluralist,* 232-233.
134 J. E. L. Newbigin, *Foolishness to the Greeks* (London: SPCK, 1986), 20.
135 Yn arbennig yn *Transforming Mission* (Maryknoll: Orbis, 2009).
136 Bosch, *Transforming*, 390, 399-408, 493,
137 Bosch, *Transforming*, 84, 90, 98, 253.

rhywbeth mwy na'r Eglwys. Aeth Bosch ymhellach na Newbigin trwy awgrymu fod cenhadaeth yn amlygiad o waith ehangach Duw yn y byd, ac mai cyfrifoldeb efengylu oedd "codi ymwybyddiaeth am deyrnasiad Duw", nid ceisio "ennill pobl i grefydd".[138]

Yng nghenhadaeth yr eglwys leol, roedd y genhadaeth Drindodaidd yma'n golygu cynnwys yr eglwysi wrth "Drawsffurfio Cymunedau", ac o ganlyniad, i fod ynglŷn â phob math o raglenni cymunedol.[139] Wrth esbonio trawsffurfio cymunedol, mae Duncan yn priodoli teyrnas Dduw gyda gweithgarwch cymdeithasol, ac wrth hyn, yn golygu "y newid hwnnw y mae pobl yn ymwybodol ohono yn ein cymunedau ac yn ein byd",[140] yn arbennig felly wrth inni frwydro dros gyfiawnder yn y byd hwnnw.[141] Wrth bwysleisio natur gymdeithasol teyrnasiad Duw, nid yw efengylu'n flaenoriaeth, "nid yw ceisio tröedigaethau" felly'n flaenoriaeth, a deellir edifeirwch a thröedigaeth mewn termau cymdeithasol.[142]

Yr hyn mae'r Holiadur a'r Cyfweliadau yn ei ddangos

Yng Nghymru, roedd eglwysi *Missio Dei* yn siarad am eu cysylltiadau eciwmenaidd cenhadol ac o bartneriaethau gydag eglwysi eraill mewn "gweithgarwch trawseglwysig". Pwysleisia'r *Dull Missio Dei* o ymagweddu at genhadaeth ehangder ei chenhadaeth yn hytrach na neges gyfyng. Mae Siartiau 27 a 28 yn dangos y gellir adnabod pedwar deg a phump o eglwysi fel rhai sydd â dealltwriaeth *Missio Dei* o genhadaeth yr eglwys leol. O'r

138 D. J. Bosch, *Believing in the Future* (Leominster: Gracewing, 1995), 33, 58.
139 McClymond, "Mission and Evangelism," yn McDermott, *Evangelical Theology*, 7; M. Duncan, *Kingdom Come: The Local Church as a Catalyst for Social Change* (Oxford: Monarch, 2007), 322-323.
140 Duncan, *Kingdom Come*, 21.
141 Duncan, *Kingdom Come*, 18-19, 179, 189, 195.
142 Duncan, *Kingdom Come*, 21, 30, 72, 76-77, 200, 212, 324.

rhain, roedd 27% yng nghategori 5:2. Mae'r 45 o eglwysi yn cynnwys 36 eglwys o enwadau traddodiadol, a 9 eglwys fwy newydd. Roedd yr eglwysi traddodiadol wedi derbyn ymrwymiadau eciwmenaidd *Missio Dei* eu henwad, neu o leiaf roedd eu harweinwyr wedi gwneud hynny, cam oedd yn arwain at dderbyn mewn egwyddor yr angen am genhadaeth o'r fath. Er hynny, nid oedd gweithgarwch cenhadol bob amser yn amlwg.

> "Ni fyddai'r rhan fwyaf o bobl yn fy eglwys i yn gweld yr angen i ymwneud â'r gymuned. Maent yn disgwyl i bobl ddod i'r eglwys (nid i ni fynd at y bobl)... Mae'r capel yn golygu mwy na'r deyrnas."

Mae eraill yn sôn am amharodrwydd cychwynnol i fod yn rhan o unrhyw newid o'r fath, ac yna'n sôn am ddatblygiad graddol i edrych at allan yn eu cenhadaeth.

Gwelir gan fwyaf, mai'r eglwysi newydd, ynghyd â rhai eglwysi Bedyddiedig Carismataidd, oedd wedi symud bellaf oddi wrth batrymau traddodiadol, dyma'r rhai oedd yn ymwneud â chenhadaeth o'r fath yn eu cymunedau. Yn yr eglwysi hyn, gwelwyd gwahanu cenhadu ac efengylu, gan flaenoriaethu gweithgarwch cymdeithasol. Maent yn dymuno darparu gwasanaeth heb unrhyw fwriadau efengylu. Mae un eglwys yn nodi absenoldeb bwriad o'r fath:

> "Tra bod yr eglwys yn weithredol iawn mewn gweinidogaethau "ymestynnol" - p'un ai gweithgareddau rheolaidd gyda'r ifanc, neu weinidogaethau gofal, megis y Banc Bwyd a Chyngor ar Ddyled, eto mae 'gweithgarwch efengylu' yn amheuthun."

Mae eglwys arall yn gweld newid yn ei dynesiad cenhadol fel cam bwriadol i droi oddi wrth y rhaglenni a gweithgarwch efengylu.

Yn gyffredinol, roedd yr eglwysi *Missio Dei* yn ymwneud â'u cymunedau er lles y gymuned yn unig. Maent yn cyfeirio'n gyson at eu hymwneud cymunedol fel rhywbeth sy'n digwydd oherwydd y daioni sy'n perthyn iddo, yn hytrach nag unrhyw gyfeiriad at efengylu. Maent yn mynegi dyhead i gyfarfod ag anghenion eu cymunedau yn y tymor hir er mwyn i'r eglwys "ddod yn rhan annatod o fywyd y gymuned". Roedd yr eglwysi wedi ymchwilio i anghenion eu cymunedau ac wedi ymateb i'r anghenion gweladwy hynny. Maent yn darparu gwasanaethau megis siop goffi cymunedol, grŵp mam a'i phlentyn, man cyfarfod i'r henoed, dosbarthiadau addysg oedolion, Banciau Bwyd, Bugeiliaid y Stryd, bugeiliaid ysgolion, bwydo'r digartref, cefnogi teuluoedd gyda phroblemau dibyniaeth, ynghyd ag ailgylchu dodrefn. Dewisodd un eglwys i fod ynglŷn â chyngor beichiogrwydd gan fod eu tref yn cael ei hadnabod fel yr un â'r canran uchaf o feichiogrwydd merched yn eu harddegau ar draws Ewrop, a thrwy'r criw Bugeiliaid y Stryd oherwydd bod y dref "mor allweddol o ran economi'r nos". Yn gyson â'r *Dull Missio Dei* o ymagweddu at genhadaeth, mae'r gweithgareddau yma'n cael eu gweld yn cynrychioli gweithgarwch y deyrnas o'u cymharu â gweithgarwch sy'n efengylu neu wedi eu canoli ar yr eglwys:

> "Rydym yn ceisio dysgu ymwneud fel pobl sy'n dymuno dylanwad y deyrnas / tystiolaeth ein bywyd o ddydd i ddydd. Mae'n ymdrech barhaol i symud o weithgarwch / efengylu sydd wedi ei sylfaenu ar raglenni, ond credwn ei fod yn hanfodol."

Nid bwriad y math yma o genhadaeth oedd ehangu'r eglwys, nac ychwaith ymateb i angen ysbrydol yr unigolyn, ond yn hytrach awydd ydoedd i fynegi ac adlewyrchu cenhadaeth ddiamod cariad Duw i'w cymuned:

> "Rydym yn ymgymryd â gwaith y Banc Bwyd er mwyn cyfathrebu cariad Duw... (mae'n) cario ein neges i ddangos cymaint mae Duw yn eu caru ... a hynny trwy ein bod ni yno'n gwasanaethu. Yn y Banc Bwyd ac yn y prosiect

> ailgylchu dodrefn, rydym yn glir ein cymhellion, y cymhelliad yw cariad Duw ... Nid ydym yn gwneud hyn i ddenu pobl i'r eglwys, nid dyna yw ein cymhelliad o gwbl".

Roedd yr eglwysi *Missio Dei* oedd yn darparu'r math yma o wasanaeth yn meddu ar "berthynas dda gyda'r heddlu, gyda Chyngor y dref, gyda swyddfa'r di-waith, a'r gwasanaethau cymdeithasol" ynghyd â'r ysgolion. Roedd dwy o'r eglwysi yn trefnu'r holl weithgarwch cymunedol oherwydd diffyg darpariaeth ac adnoddau o gyfeiriadau eraill. Roedd un ohonynt yn ariannu'r holl weithgarwch yma:

> "Rydym yn cyfrannu arian sylweddol i weithgarwch cymunedol, e.e. ysgol iau y pentref, y cylch chwarae, neuadd y pentref. Rydym yn cefnogi'r Ŵyl flynyddol a'r Carnifal. Rydym wedi trefnu 'Parti yn y Parc', a dathliadau ar ôl ysgol ar ein cae pêl-droed, gan ganolbwyntio ar blant lleol, ac mae'r cyfan wedi ei ariannu yn gyfan gwbl gan yr Eglwys ... a chredwn ein bod yn cael ein parchu am hynny."

Mae'r holl weithgareddau yma wedi cael eu cyflawni oherwydd rhesymau dyneiddiol, a heb unrhyw fwriad i'r eglwys elwa yn uniongyrchol nac yn anuniongyrchol. Oherwydd oed y boblogaeth yn yr ardal, roedd eglwys arall wedi canolbwyntio ar ofalu am yr henoed, yn arbennig trwy glybiau cinio. Roeddent hefyd yn arwain prosiect lloches i'r digartref, ac eto yn gwneud hynny heb unrhyw ddisgwyliad efengylaidd: "Rydym yn disgwyl i weld beth ddaw... Ein hangen yw bod yn oleuni. ... nid ydym wedi bod yn fwriadol, ond yn hytrach yn aros i weld beth ddaw o'r sefyllfa."

Mae'r eglwysi *Missio Dei* traddodiadol yn adlewyrchu eglwysyddiaeth sydd wedi ei ganoli ar adeilad ac yn cael ei wasanaethu gan weinidog fel arweinydd. Mae'r traddodiad eglwysig yma wedi ffurfio dynesiad cenhadol y 36 o eglwysi enwadol. Mae hyn yn cael ei adlewyrchu wrth edrych ar y Cysylltiadau Eglwysig i'r gymuned oedd yn cael eu defnyddio gan eglwysi *Missio Dei* (Siart 53). Yn y cyfan, mae'n dangos nad yw'r *Dull Missio Dei* o ymagweddu bob amser yn effeithio ar yr hyn mae'r eglwysi'n ei wneud yn ymarferol. Mae'r patrwm traddodiadol yma hefyd i'w weld yn y defnydd uchel o weithgareddau ieuenctid, teuluoedd a chaffi wrth gysylltu â'r gymuned, gyda'r cysylltiadau yma wedi eu sefydlu gan fwyaf mewn adeiladau eglwysig (Siart 53). Wrth gymharu'r cysylltiadau a "ddefnyddid fwyaf" (Siart 54), mae'n amlwg mai ond gweithgareddau oedd yn gysylltiedig â bywyd yr eglwys oedd yn cael sylw arbennig.

Mae'r siartiau sy'n cymharu eglwysi *Missio Dei* â'u cysylltiadau i'w cymunedau gyda'r *Dulliau* eraill o ymagweddu (Siartiau 39 i 45), yn dangos y defnydd cymharol uchel o weithgareddau yn yr eglwys ymhlith ieuenctid a thrwy'r caffi. Mae'r patrwm traddodiadol yma o genhadaeth yn y mwyafrif o eglwysi *Missio Dei*, sydd wedi eu canoli ar adeilad eglwys, wedi ei ehangu gan weithgarwch rhai o'r eglwysi newydd a'r eglwysi Carismataidd Bedyddiedig. Oni bai ein bod yn eu cynnwys hwy, mi fyddai ymwneud eglwysi *Missio Dei* mewn gweithgareddau Angen a Theulu yn ymylol.

Neges *Missio Dei* a'r Ffurf o Gyfathrebu

Mae'r *Dull Missio Dei*, fel y *Dull* Rhyddfrydol o ymagweddu at genhadaeth, yn pwysleisio cariad Duw a'i waith ymhob rhan o'i fyd, ond yn cynnwys iachawdwriaeth bersonol fel un agwedd. Mae'r disgrifiadau o'u prif neges yn adlewyrchu hyn:

- "Y neges yw'r deyrnas yn y gymuned, i esbonio fod Iesu yma, ac i sôn am y ffordd yr ydym yn dymuno gweld y gymuned yr ydym yn rhan ohoni yn dod â'r deyrnas ble bynnag yr ydym. Sancteiddrwydd yw byw Crist. Mae'r efengyl yn fwy na thröedigaeth a mynd i'r nefoedd, mae ynglŷn â chyfiawnder a gofal."

- "Rwy'n credu mai ein prif neges yma bellach yw ein bod yn gynhwysol fel teulu... Rydym yn cael ein gweld ... fel rhan o'r gymuned... Ein neges greiddiol: Y neges amlwg yw'r efengyl, fod Crist wedi dod i roi bywyd a bywyd yn ei holl gyflawnder, ac na fyddwch yn darganfod bywyd mewn dim byd arall."

- "Yn fewnol, mae teyrnas Dduw wrth law, felly edifarhewch a chredwch. Rydym am gyhoeddi neges sy'n neges am y deyrnas. Ar y tu allan, rydym yn cyhoeddi neges o weithgarwch cymdeithasol, o weithgarwch gwleidyddol... siarad am newyddion da'r eglwys fel cymuned, sy'n ceisio modelu ffordd well o fyw."

- "Faint mae Duw yn eu caru, a'r cyfle i ddod ato ef. Mae 'na ymateb o'n heiddo ni hefyd, i garu."

- "Fod pobl ar daith ysbrydol p'un ai ydyn nhw'n cydnabod hynny neu beidio. Maent yn edrych am ystyr i fywyd. Ni fyddwn yn darganfod yr ystyr nes i ni ddarganfod ein Creawdwr, ac ni fyddwn yn darganfod y Creawdwr os nad ydym yn ymwneud â'r bobl sydd wedi ei ddarganfod, a'i ffordd ef o'i ddarganfod yw Iesu, a'i gariad."

Mae gwreiddiau efengylaidd yr arweinwyr nad oedd yn perthyn i'r enwadau traddodiadol yn amlwg, ond mae'r neges wedi ei gymysgu gyda gweithgarwch cymdeithasol. Mae hyn wedi arwain at leihau'r pwyslais ar iachawdwriaeth unigol neu bersonol, gan weld hyn fel rhan yn unig o agenda ehangach Duw. Mae pwyslais o'r fath yn golygu nad oedd ychwanegu niferoedd yn flaenoriaeth, ac o ganlyniad, nid yw hynny'n amlwg.

Mae dylanwad diwylliant y capel traddodiadol yn cael ei adlewyrchu yn y modd mae eglwysi *Missio Dei* yn cyfathrebu eu neges (Siartiau 56 a 57). Mae'r siartiau yn dangos y defnydd o ddulliau o ymagweddu at efengylu ar sail Perthynas a dulliau Uniongyrchol. Er hynny, mae eglwysi enwadol traddodiadol gyda gweinidog yn cael ei dalu yn dibynnu yn drwm ar y person yma gyda golwg ar gysylltu gyda'r gymuned, gan gynnwys ymweliadau â chartrefi ac ysbytai. Efallai bod hyn yn esbonio pam fod yr eglwysi yma'n ymddangos fel petai yna ddefnydd uchel o ddulliau o ymagweddu ar sail Perthynas ac Uniongyrchol mewn termau cyffredinol (Siart 55), ond yn llai felly yn y categori "defnydd mwyaf" (Siart 56). Nid oedd yr aelodau eglwysig yn ychwanegu yn gyffredinol at weithgarwch bugeiliol ac efengylu eu gweinidog. Gweinidogaeth un dyn neu un ddynes oedd y patrwm amlycaf yn yr eglwysi enwadol, ac yn arbennig felly yn yr ardaloedd lle'r oedd y Gymraeg fel iaith yn amlwg.

Mae'r patrwm i'w weld ar ei amlycaf yn y modd y mae pobl yn dod i ffydd ac wedi eu hychwanegu at yr eglwys (Siart 57), gyda gweithgarwch oedd wedi ei sylfaenu ar fywyd yr eglwys trwy bregethu, clybiau, a gweithgarwch ieuenctid, ynghyd â rôl y gweinidog mewn sgyrsiau ac ymweld yn flaenllaw iawn. O edrych yn fanylach ar y gwasanaethau eglwysig o fewn yr eglwysi *Missio Dei* (Siart 58), mae yna gysylltiad clir rhwng y ddibyniaeth ar Wasanaethau addoli i gyfathrebu'r neges, mewn un neu fwy o ffyrdd, ac i weld a oedd yr eglwys yn tyfu neu yn crebachu. Mae dibyniaeth o'r fath yn nodweddiadol o eglwysi *Missio Dei* sy'n crebachu.

Mewn cymunedau iaith Saesneg, mae'r rhai sy'n dibynnu ar wasanaethau eglwysig traddodiadol a phatrymau o weinidogaeth, er yn cytuno gyda'r *Dull Missio Dei o* genhadu mewn egwyddor, yn brin o weithgarwch ac ymarfer, ac o ganlyniad roeddent hwy hefyd yn dirywio. Roedd y rhai oedd yn meddu traddodiad Efengylaidd neu Garismataidd, er yn gweld eu cenhadaeth trwy weithgarwch cymdeithasol yn hytrach nag efengylu uniongyrchol, gan fwyaf yn weithgar, yn ddylanwadol, ac, mewn rhai achosion, yn tyfu.

Addasu i Agweddau Crefyddol y Cyd-destun Cymreig

Nid oedd yr arweinwyr yn yr eglwysi *Missio Dei* yn disgrifio'r cyd-destun crefyddol Cymreig mewn unrhyw ffordd gwahanol i'r *Dulliau* eraill o ymagweddu at genhadaeth, ond roeddent yn ei weld o bersbectif gwahanol. Nid oedd yr arweinwyr o draddodiadau eglwysig mwy cyfoes yn cael eu cyfyngu gan y patrymau traddodiadol, ond roedd y rhai o gefndir traddodiadol enwadol yn mynegi'r rhwystredigaeth sydd wedi'i ddisgrifio ynghynt. Rhan o'r broblem oedd canlyniad uniongyrchol y ffaith fod pobl yn mynd yn hŷn yn yr eglwysi, ffaith oedd wedi peri eu bod yn mynd yn fwy ymylol yn eu cymunedau, gan "golli eu hawl i fod mewn lle o arweinyddiaeth yn eu cymunedau... Mwy na thebyg wedi mynd yn rhy hen i wneud dim am y sefyllfa erbyn hynny".

Mae'r rhwystredigaeth a'r anobaith sy'n cael ei fynegi yn dangos fod lefel yr hyder yn y ffurfiau sydd wedi eu hetifeddu yn isel iawn. Roedd yr angen i newid eglwysyddiaeth a dynesiad cenhadol, yn cael ei weld fel rhan hanfodol o'r ateb:

> "Mae gan y Cymry argraff negyddol iawn o'r Eglwys, ac mae delio gyda'r agweddau negyddol hynny, o bwy ydym, yn un o'n heriau pennaf".

Mae'r newidiadau sydd ei angen i sicrhau cenhadaeth effeithiol, newidiadau oedd yr eglwysi llai traddodiadol eisoes wedi cychwyn eu gweithredu, yn newidiadau strwythurol a diwinyddol. Mae'r newidiadau strwythurol yn golygu ymwadu yn gyfan gwbl gyda modelau traddodiadol o genhadaeth, gan roi rhywbeth mwy perthnasol a chyfoes yn ei le. Mae hyn yn golygu newid yn y genhadaeth ynghyd â ffurf y gwasanaethau: "... trwy ddangos yn gyson gariad Crist ar waith ac i ddiogelu gwasanaethau sy'n fwy deniadol nag awr o ymweliad diangen gyda'r deintydd."

Roedd y newidiadau diwinyddol yn golygu gwrthod argyhoeddiadau ac ymarfer rhai eglwysi E1. Roedd rhai o'r arweinwyr yn disgrifio'r rhwystredigaeth sydd mewn cenhadaeth yn eu hardaloedd.

> "Mae'r ardal yn drwch o Galfiniaeth, rhyw fath o bolisi yswiriant ysbrydol nad yw, i bob golwg, yn bendithio'r Eglwys... Mae'r eglwysi'n marw ar eu traed oherwydd nad yw'r math yna o Galfiniaeth yn gweithio ym myd cyfryngau cymdeithasol... Mae hwn yn fwy o feddylfryd y clwb ac mae'n deillio o Galfiniaeth a math arbennig o Galfiniaeth... rhyw Galfiniaeth angeuol."

Roedd yr eglwysi yma'n ymwneud â'u cymunedau er gwaethaf gwrthwynebiad, neu wrthodiad i gydweithredu, gan eglwysi eraill. Mae eu hagwedd ymarferol a phragmataidd i genhadaeth yn pwysleisio cyfrifoldeb yr unigolyn i fod yn rhagweithiol. Roeddent yn ceisio cydweithio, ar lefel ddynol, gyda chenhadaeth Duw yn eu cymuned.

Addasu i Agwedd Daearyddol y Cyd-destun Cymreig

Mae yna eglwysi *Missio Dei* ymhob rhanbarth o Gymru, mewn ardaloedd gwledig a threfol, ac yn y ddwy gymuned ieithyddol. Roeddent yn meddu ar yr un ddealltwriaeth o'r lleol, ac o ganlyniad i hyn, roedd cenhadaeth yr eglwysi'n cael ei gyfyngu i'r ardal lle'r oedd yr eglwysi hynny. Roedd yr eglwysi wedi darganfod eu lle mewn ardal arbennig gan dargedu eu gwaith cymunedol o fewn yr ardal honno yn hytrach na cheisio ymestyn y tu hwnt i'r ardal. Roedd yna eglwys ar ymyl stad o dai gyda'i hunaniaeth ei hunan, stad oedd wedi newid o fod yn stad o dai cyngor i stad oedd mewn perchnogaeth breifat, ac roedd yr eglwys yn ymwneud â'r gymuned honno yn unig:

> "... mae yna gysylltiad cryf gyda'r gymuned leol, y gymuned y maent yn credu iddynt gael eu galw i'w gwasanaethu ac i efengylu o'i mewn. Nid ydynt yn taflu eu rhwydau yn eang. ... Dyma'r cyd-destun y mae'r eglwys yn teimlo

> galwad i wasanaethu ynddo, cyd-destun sydd gan fwyaf yn wyn ac sy'n siarad Saesneg."

Mae eglwys arall yn gweld ei chymuned fel "pentref mawr lle mae pawb yn 'nabod pawb", ac yn awgrymu fod y teimlad o "dref fechan" yn elfen hanfodol o Gymreictod ardal. O ganlyniad, roedd yr amrediad eang o weithgareddau wedi'i ganolbwyntio ar y gymuned yma'n unig.

Mae'r *Dull Missio Dei* o ymagweddu at genhadaeth yn golygu gwasanaethu'r gymuned er ei lles, lle mae'r gymuned ei hangen. Mae'n naturiol, felly, y bydd y *Dull* yma'n pwysleisio ymwneud ag ardal benodol. Roedd anghenion mewn ardal ehangach, neu mewn cymunedau cyfagos, yn mynd i fod yn wahanol, felly mae eglwysi *Missio Dei* yn tueddu at ymwneud cyfyngedig â'u cyd-destun penodol.

Addasu i Agweddau Ethnig y Cyd-destun Cymreig

Roedd yr eglwysi *Missio Dei* yn ceisio cenhadu mewn ffordd oedd yn gwasanaethu'r gymuned gyfan. O ganlyniad, o ofyn am Gymreictod pobl, roeddent yn awyddus iawn i bwysleisio amrywiaeth y boblogaeth. Roedd yna eglwys ar y ffin yn siarad am y "rhaniad rhwng y Cymry a'r Saeson oedd yn byw yma", ac roedd arweinydd o Sir Benfro yn siarad am "y rhan yna o Loegr tu hwnt i Gymru", gan nodi,

> "...yn sicr, nid yw hynny'n wir! Mae'n gymuned 'anghyffredin iawn' gyda hanes hir o ymwneud â'r fyddin / gweithgarwch morwrol sy'n golygu nad yw'n draddodiadol Gymreig (ar wahân i pan fydd Cymru yn chwarae rygbi), ond yn unigryw a chyda mwy o gysylltiad gyda de Iwerddon, Cernyw a Llydaw, na Chaerdydd, Treorci neu Aberystwyth".

Roedd arweinydd o Gaerdydd yn siarad am amrywiaeth o fewn ei gymuned gyda phobl o bob rhan o Gymru, yn wir pob rhan o'r byd yn rhan o'r gymuned honno. Siaradai eraill am amrywiaeth o ran y cenhedloedd oedd yn eu heglwysi ac yn eu cymunedau, gan siarad am "naw neu ddeg o grwpiau o bobl yn cael eu cynrychioli ar y Sul", grwpiau o Nigeria, ac yn Wrecsam, mwy o grwpiau o Wlad Pwyl nag o siaradwyr Cymraeg.

Yn wir, roedd yr ymwybyddiaeth o ethnigrwydd cymysg mor amlwg fel bod rhai agweddau at Gymreictod yn esgor ar ofid am hiliaeth.

> "Mae (enw'r dref) yn gymuned gymysg iawn, gyda 7,000 o boblogaeth a chryn dipyn o fewnfudwyr o Loegr ynghyd â'r gymuned gynhenid... Nid ydym yn credu mewn "Cymreictod penodol" ddim mwy na "Seisnigrwydd penodol", mae syniadau felly yn arwain at hiliaeth. Rydym i gyd yn gymysgedd o bobl."

Roedd arweinwyr eglwysi *Missio Dei* yn ymwybodol iawn o'r amrywiaeth ethnig yn eu cymunedau, ac mae rhai yn nodi'r anfanteision sydd i hyn ymhlith y boblogaeth leol. Roedd rhai yn nodi'r ethnigrwydd Cymreig mewn ffordd fanylach, gan siarad am ymwybyddiaeth fod y Cymry yn israddol, yn ddi-hwyl ac yn dal yn ôl yn eu hagwedd at eraill, ynghyd â meddu elfen gref o besimistiaeth "fel petai pawb yn y byd yn well na hwy. Naill ai hyn neu maent yn beio'r Saeson am eu holl ofidiau". Roedd y cymunedau Cymreig gwreiddiol yn cael eu gweld fel rhai oedd yn anfodlon mentro ac efallai yn adweithio i fewnlifiad pobl o ethnigrwydd gwahanol, yn arbennig yn yr eglwysi oedd yn addoli yn y Gymraeg mewn ardaloedd oedd gan fwyaf yn Seisnig. Roedd un arweinydd eglwys Gymraeg yn sôn am y "Cymry creiddiol" fel lleiafrif ac yn siarad am "fewnfudwyr o wahanol rannau eraill o Gymru". O ganlyniad, roedd eglwysi *Missio Dei* sy'n addoli yn y Gymraeg yn cenhadu ymhlith y Cymry Cymraeg yn unig, ac yn gwneud hynny mewn ffordd oedd yn benodol wedi ei anelu at y lleiafrif yma a'u ffordd o feddwl: "Rydym yn ymwybodol o bwy ydym, o ble rydym wedi dod, o'r hyn yr ydym yn sefyll o'i blaid ... ac mae angen i unrhyw genhadaeth feddu cydymdeimlad â hynny".

Mae'r sylw yma yn awgrymu fod y Cymry cynhenid yn fwy ymwybodol o'u hethnigrwydd na'r rhai oedd wedi cyrraedd yn ddiweddarach, pobl oedd yn gweld eu hunain yn perthyn i gymuned. Roedd tueddiad ymhlith eglwysi *Missio Dei* i fynegi agwedd yr ail grŵp, yn hytrach na'r cyntaf. Mewn cymunedau trefol lle'r oedd y boblogaeth yn symudol, roedd agwedd o'r fath yn groesawgar ac yn hael. Er hynny, mewn ardaloedd lle'r oedd y boblogaeth yn fwy sefydlog, a chymunedau fel petaent yn teimlo eu bod o dan warchae, mi fyddai agwedd o'r fath yn medru dieithrio pobl gan uniaethu'r eglwys gyda'r mewnfudwyr. Yn gyffredinol, mae eglwysi *Missio Dei* yn gynhwysol, yn eciwmenaidd, yn groesawgar, ac yn fwriadol yn ceisio lleihau'r gwahaniaethau sydd rhwng pobl.

Addasu i Agweddau Ieithyddol a Diwylliannol y Cyd-destun Cymreig

Roedd arweinwyr eglwysi *Missio Dei* yn gyffredinol yn disgrifio'r amrywiaeth diwylliannol ac ieithyddol yng Nghymru fel ag y'i disgrifir gan y grwpiau eraill. Yn yr ardaloedd Seisnig lle na siaradir y Gymraeg ac nad oes unrhyw bwys iddi, roedd y genhadaeth yn adlewyrchu hynny. Roeddent yn cyfeirio at rygbi fel yr un peth oedd yn nodweddu Cymreictod mewn ardaloedd o'r fath. Ni fu i'r un o'r arweinwyr gyfeirio at gysylltiadau diwylliannol fel cysylltiadau posibl i genhadaeth, ac eithrio dathliad un eglwys o Ddydd Gŵyl Dewi. Mewn cymunedau trefol, roedd yr amrywiaeth ieithoedd yn gwneud yr iaith Gymraeg a'i diwylliant yn ddiddordeb lleiafrifol.

Mewn ardaloedd lle'r oedd y Gymraeg yn cael ei gwerthfawrogi yn y gymuned, roedd yr arweinwyr yn cyfeirio at ddefnyddio emynau Cymraeg, rhoi geiriau Cymraeg a Saesneg ar y sgrin, a hyd yn oed defnyddio "rhywfaint o Gymraeg mewn priodasau ac angladdau ar gyfer y cymundod, ar gyfer croesawu, ac ar gyfer bendithio". Cyfeiriwyd at rai agweddau o'r diwylliant Cymreig, er enghraifft corau meibion, ond roedd y cyfeiriad yn fynych at y defnydd ohonynt fel "diddanwch i'r ymwelwyr" yn hytrach nag fel arf cenhadol. Roedd eglwysi eraill yn cymryd agwedd mwy positif at yr iaith Gymraeg ac yn gweld yr iaith fel cyfle i wasanaethu eu cymuned. Roeddent yn ymwybodol o'r rhan arwyddocaol yma o'u cymunedau, ac yn ceisio adeiladu pontydd i'w gwasanaethu mewn rhyw ffordd.

> "Mae Cymraeg yn cael ei siarad yn eang, a thrwy'r Gymraeg y mae'r plant yn cael eu dysgu yn yr ysgol, mae'r bobl ifanc yn siarad yr iaith... Mae 'na bobl yn y gymuned sy'n gwrthod siarad Saesneg ac eithrio pan fod rhaid gwneud hynny, ac mae eraill sy'n ei chael hi'n anodd iawn i siarad â chi yn Saesneg".

Roedd yr eglwysi hyn, nid yn unig yn cynnal ambell oedfa yn Gymraeg ac yn defnyddio'r Gymraeg yng ngweithgareddau'r plant, ond hefyd yn gartref i rai ysgolion meithrin, ynghyd â chynnal digwyddiadau arbennig i ysgolion cynradd cyfrwng Cymraeg, ac yn siarad am ddarparu dosbarthiadau Cymraeg i ddysgwyr. Mae'r gweithgareddau yma'n cynrychioli'r esiamplau gorau o'r modd y mae eglwysi *Missio Dei* yn addasu eu cenhadaeth ar gyfer iaith a diwylliant, a hynny er lles y gymuned yn unig. Roedd ymwneud â'r gweithgareddau yma'n deillio o'r ymwybyddiaeth fod angen "edrych ar ôl y trysor sydd yn yr iaith", gan ddadlau fod hyn bob amser yn rhan o'u "cymhelliad cenhadol". Mae'n ymddangos nad oedd i'r genhadaeth yma unrhyw fwriad clir o efengylu.

O gymharu â hyn, roedd rhai arweinwyr yn gweld yr iaith Gymraeg fel rhwystr, ac yn gweld "siaradwyr Cymraeg yn amharchus, gan eu bod yn dieithrio siaradwyr Saesneg". Yn yr esiampl sy'n dilyn, mae'r ymateb yn mynegi gelyniaeth tuag at y Gymraeg a thuag at ei diwylliant:

> "Maent yn gorfodi Cymraeg ar yr ysgolion. Rwy'n cwestiynu moeseg gorfodi iaith estron ar blant Saesneg sy'n dod yma i ddysgu. 'Does 'na neb yn meiddio dweud hyn oherwydd byddant yn cael eu dehongli fel pobl gwrth-Gymreig...

Mae'r rhai nad ydynt yn siarad Cymraeg yn Gymry, ond ychydig yn wahanol. Nid ydynt yn cael eu hystyried fel Cymry go iawn."

Mae'r sylwadau yma'n awgrymu cymuned sydd wedi rhannu oherwydd iaith a diwylliant. Roedd hyd yn oed rhai Cymry Cymraeg yn barod i gydnabod y byddai "pobl sy'n siarad Saesneg yn gweld Cymreictod fel byd sydd wedi ei gau iddyn nhw". Mae cyd-destun o'r fath yn gwbl wrthgyferbyniol â chymunedau trefol cosmopolitan, ac yn y math yma o gymunedau, mae eciwmeniaeth gynhwysol *Missio Dei* ar ei orau.

Addasu i Agweddau Cymdeithasol y Cyd-destun Cymreig

Rydym wedi dangos eisoes fod eglwysi *Missio Dei* yn cenhadu yn eu cymunedau lleol er lles y gymuned, ac yn gwneud hynny ochr yn ochr â phawb yn y gymuned oedd yn barod i weithio gyda nhw, p'un ai eglwysi neu gyrff seciwlar. Wrth ddisgrifio'r cymunedau, roedd arweinwyr eglwysi *Missio Dei* yn cyfeirio dro ar ôl tro at "gymuned", "teulu", a "pherthyn". Mae'r ymwybyddiaeth o gyd-dynnu cymunedol wedi lleihau'n sylweddol oherwydd diffyg cyfleoedd gwaith a'r ffaith fod pobl yn symud o'r ardaloedd, ond roedd yr eglwysi *Missio Dei* yn awyddus i'w adfer, ac yn wir i ehangu'r ymwybyddiaeth yma. Mae'r amrywiaeth o brosiectau y mae'r eglwysi ynglŷn â hwy yn dangos y graddau y mae'r eglwysi *Missio Dei* yn addasu cenhadaeth i gyd-destun penodol cymdeithasol. Roedd un arweinydd wedi crynhoi trwy ddweud:

> "Mae gennym ardal benodol o fewn ein cyrraedd, dwy ar ystâd ar drothwy ein drws, un ystâd sydd gan fwyaf yn dai cyngor, ac yna ystâd lle mae mwy o eiddo preifat. Mae yna lefel uchel o angen yn y ddwy gymuned. Rydym yn awyddus i wrando ar anghenion, gan wneud pob cysylltiad posibl yn bositif ac yn berthnasol fel y gall Duw fod ar waith... Dim ond o ystyried lefel yr angen y gellir dweud fod y gwaith yn benodol Gymreig."

Roedd yr eglwys yn gweithio mewn ardal benodol, yn gwrando ar beth oedd anghenion yr ardal honno, a chydag eraill yn y gymuned, yn ymateb i'r anghenion mewn ffyrdd ymarferol. Mae hyn yn adlewyrchu prif flaenoriaethau'r *Dull Missio Dei.* O fewn rhai o'r cymunedau tlotaf, mae'n wir dweud fod yr eglwysi a'r asiantaethau sydd yno i weithio yn gyfyngedig iawn, ond roedd yna gydweithrediad lle'r oedd hynny'n bosibl:

> "Mae pawb yn 'nabod ei gilydd, ac mae cyn lleied o fudiadau fel bod rhaid i ni bartneru â hwy yn yr ardal hon. Ni yw'r unig eglwys, felly rydym yn partneru gyda'r ysgol, a'r cyngor. Mae pawb yn 'nabod ei gilydd. Os ydych yn 'nabod deg o'r arweinwyr cymunedol, yr ydych yn 'nabod pawb."

Roedd yr eglwysi'n aml yn darparu gwasanaethau oedd yn arfer cael eu darparu gan y Wladwriaeth, ond bellach, naill ai oherwydd diffyg arian neu ddiffyg awydd, roeddent wedi dod i ben:

> "Mae yna angen parhaus am ddarpariaeth ymhlith pobl ifainc gan fod rhai o'r gweithgareddau hyn oedd yn arfer cael eu cynnal gan y cyngor wedi eu hatal ... Rydym yn ymwybodol o'r angen i ddarparu ar gyfer pob grŵp oedran ... ac yn benodol i ddarparu cyfleoedd a gweithgareddau i bobl hŷn. Mae grwpiau lleol yn edrych hefyd am le i logi am bris rhesymol oherwydd bod prisiau'r cyngor wedi codi cymaint."

Mae maint y galw yma yn arwydd hefyd o wendid y *Dull Missio Dei* o ymagweddu. Er mwyn cynnal y math yma o ddarpariaeth yn y tymor hir, mae'n rhaid wrth eglwys leol sy'n gryf ac yn tyfu i ddarparu adnoddau ariannol ac i ddarparu gweithwyr. Ond mae bron i 75% o'r eglwysi *Missio Dei* naill ai yn lleihau neu'n tyfu'n ymylol yn unig, ac mae'n anodd gweld sut y gellir cynnal y math yma o weithgarwch cymdeithasol yn y tymor hir. Teg nodi bod unrhyw genhadaeth ar wahân i efengylu yn wynebu anawsterau i'r dyfodol.

Addasu i Agweddau Gwleidyddol y Cyd-destun Cymreig

Roedd arweinwyr eglwysi sydd yn arddel *Dull Missio Dei* o ymagweddu at genhadaeth yn ymwybodol o hanes gwleidyddol a her wleidyddol Cymru, ond yn amrywio yn fawr o ran eu hymateb i hyn. Gwnaed amryw o sylwadau ar effaith negyddol etifeddiaeth wleidyddol ac economaidd Cymru. I rai arweinwyr ymhlith yr eglwysi *Missio Dei*, yn arbennig felly ymhlith y Cymry Cymraeg, roedd hyn yn rhywbeth byw, gydag aelodau'r eglwysi yn cefnogi gwleidyddiaeth genedlaetholgar:

> "Mae eu hymwybyddiaeth wleidyddol yn uchel, er efallai bod eu gweithgarwch gwleidyddol yn isel...y *gorthrwm* [143]... yr ymwybyddiaeth yma o fod wedi eu cam-drin gan y Saeson, o orfod bod yn amddiffynnol, o orfod pwysleisio ac ail bwysleisio eu neges dro ar ôl tro."

I arweinwyr mewn ardaloedd mwy Seisnig, roedd y cydymdeimlad dipyn yn llai:

> "Mae'r Cymry yma'n teimlo eu bod wedi cael cam. Efallai fod Clawdd Offa yno, ond nid oedd fawr o werth. Mae yna ddymuniad ymhlith y Cymry am annibyniaeth. Rwy'n cyfarfod â chenedlaetholwyr o bryd i'w gilydd ac mae'r bobl yma yn gwthio'u syniadau yn fy wyneb."

Roedd rhai yn barod i awgrymu fod yr ymwybyddiaeth o gam ac o orthrwm yn deillio o "ddealltwriaeth gymysglyd o hanes a ffeithiau", rhywbeth oedd wedi arwain at ragfarn, yn arbennig yn erbyn y Saeson: "Maent yn gweld eu hunain fel rhyw bobl ail-ddosbarth o'u cymharu â Lloegr. Nid yw hynny'n wir i bobl Saesneg, nid yw'n real, dim ond rhywbeth mae pobl yn ei dybio."

Mae'r agweddau amrywiol yma'n golygu nad oedd gan eglwysi *Missio Dei* agwedd gyson tuag at faterion gwleidyddol. Wedi dweud hynny, pan oedd

143 Troed nodyn yn y Saesneg

ymwneud â phrosesau a chyrff gwleidyddol amrywiol yn cael ei ystyried, roedd yna lefel uchel o ymwneud ymhob grŵp (Siart 47).

Roedd consýrn, ac ymwneud ag anghenion economaidd a chymdeithasol eu cymunedau, wedi arwain at lefel uchaf o weithredu ymhlith y grŵp yma o ran eu cenhadaeth.

> "Mae gennym nifer o bobl sy'n cysylltu'n rheolaidd gyda'u Haelodau Seneddol i siarad am y ffordd y mae cyfreithiau'n newid yn y wlad hon. Rydym wedi'n dysgu ar faterion cymdeithasol, ac fel rhan o hyn, rydym yn annog pobl i ymwneud â materion gwleidyddol gyda'r Aelodau Seneddol, gyda'r Cynulliad, a Llywodraeth y Cynulliad."

Mae'r ymwybyddiaeth a'r ymwneud yma wedi arwain at weithgarwch yn y byd gwleidyddol sydd y tu hwnt i'r hyn a welir ymhlith y grwpiau eraill. Roedd yr eglwysi'n gweithio gyda'u cynghorau lleol, gyda'r gwasanaethau cymdeithasol, a chyda phrosiectau cymunedol. Weithiau, roedd y cysylltiad yn agos iawn: "Rydym yn 'nabod pob un o'n cynghorwyr lleol. Maent yn rhan o'r eglwys ac yn dod i'r caffi ac yn cynnal eu cyfarfodydd yma." Roedd gan eglwys arall Gadeirydd y Cyngor Sir yn yr eglwys, a golygai hynny mai yn yr eglwys honno y cynhaliwyd y Gwasanaeth Dinesig. Roedd gan eglwys arall gynghorydd lleol ac ymgeisydd seneddol yn y gynulleidfa, ac eglwys arall eto gydag aelod lleol y Cynulliad Cenedlaethol yn aelod yn yr eglwys.

Roedd y lefel yma o ymwneud gwleidyddol o gydweithredu yn rhan hanfodol o genhadaeth yr eglwys yn ei chymuned, yn hytrach na'i gwaith efengylu. Mae'n cynrychioli ymwneud bwriadol a gweithredol mewn gwleidyddiaeth leol a chenedlaethol yng Nghymru, ond heb unrhyw fath o ymrwymiad ffyddlon i un blaid yn unig. Roedd aelodau eglwysig yn swyddogion *Plaid Cymru* a'r blaid Geidwadol, awgrym o'r amrediad eang mewn gwleidyddiaeth Gymreig.

Adlewyrchu ar y *Dull Missio Dei* o ymagweddu

Mae eglwysi lleol yng Nghymru sy'n arddel *Dull Missio Dei* o ymagweddu at genhadaeth, yn cynnal fod ein Duw ni yn gwneud gwaith ei deyrnas ymhob agwedd o'r gymdeithas, a gwaith yr eglwys yw bod yn rhan o hynny gyda'r bobl eraill sydd yno. Mae'r amrediad i weithgarwch cenhadol yn eang, fel y mae'r anghenion y maent yn ceisio eu cyfarfod. Er eu bod yn cytuno gyda chenhadaeth, nid oedd llawer o'r eglwysi traddodiadol yn medru gweithredu'n ymarferol, oherwydd nid oedd eu strwythurau a'u hadnoddau yn caniatáu hynny. O ran yr eglwysi newydd, roedd y rhai oedd heb eu clymu â phatrymau hanesyddol o eglwys a gweinidogaeth, yn weithgar iawn mewn sawl agwedd o weithgarwch cenhadol. Roedd rhai eglwysi yn parhau i fod ynglŷn ag efengylu i ryw raddau, er bod adnoddau'n cael eu rhannu rhwng cenhadaeth ac efengylu, gyda chenhadaeth yn hawlio blaenoriaeth. Gellir dadlau fod absenoldeb twf rhifol, neges amwys, a phatrwm oedran pobl yn nifer o'r eglwysi, yn mynnu bod rhaid holi am ba hyd y gall yr eglwysi yma fod ynglŷn â'r math o amrywiaeth o weithgarwch cenhadol yn y tymor hir.

Y *Dull* Lausanne o ymagweddu at Genhadaeth

Yn dilyn twf Diwinyddiaeth Ryddfrydol gyda'i efengyl gymdeithasol, bu i bobl Efengylaidd gymryd llwybr gwahanol. Ar waethaf eu hetifeddiaeth o'r bedwaredd ganrif ar bymtheg, dechreuodd pobl Efengylaidd ystyried ymwneud â gweithgarwch cymdeithasol fel rhywbeth amheus. Erbyn y 1960au, dechreuodd yr agwedd yma newid, gyda datganiad Wheaton, a sefydlu mudiad Lausanne yn 1974. Mae'r mudiad yma yn dadlau o blaid cenhadaeth integreiddiedig, a mynegir hyn yng Nghyfamod Lausanne:

> "Yr ydym yn cadarnhau fod Duw yn Greawdwr ac yn Farnwr pob dyn. Rhaid i ni felly rannu ei gonsýrn am gyfiawnder a chymod ymhob rhan o'r gymuned ddynol, gan weithio i ryddhau dynion o bob math o ormes. ...Er nad cymod â Duw yw cymod â dyn, eto nid efengylu yw gweithgarwch cymdeithasol, ac nid iachawdwriaeth yw gwleidyddiaeth rhyddhad."[144]

Mae'r Cyfamod yn nodi fod efengylu yn ganolog i genhadaeth yr eglwys ond fod angen hefyd "i fynd â'r efengyl gyflawn i'r byd cyfan".[145] Wrth gyfeirio at "efengyl gyflawn" mae'r mudiad Lausanne yn golygu ymateb i anghenion dynol ym maes cyfiawnder, ecoleg a thosturi, ynghyd ag iachawdwriaeth bersonol.[146]

Un o brif arweinwyr mudiad Lausanne oedd John Stott, Anglican Efengylaidd. Yn y gorffennol, roedd yn weithgar yng nghynulliadau Cyngor Eglwysi'r Byd oedd yn gweithio tuag at gytundeb eciwmenaidd.

144 Lausanne, "The Lausanne Covenant," Ar y we: http://www.lausanne.org/covenant. ; Padilla, 'Historical,' yn Chester, *Integral*, 46.
145 Lausanne, 'Covenant,' adr.6.
146 D. Birdsall a L. Brown, *The Cape Town Commitment: A Confession of Faith and a Call to Action* (Bodmin: Lausanne Movement, 2011), 27-29.

Cyfeiria'n aml at ei wrthdaro gyda'r Rhyddfrydwyr a'i ddymuniad am gymod, ac mae rhai o'i lwyddiannau yn adlewyrchu ei awydd i sylweddoli cydweithio.[147] Mae Cyfamod Lausanne yn gwahaniaethu'n glir rhwng gweithgarwch cymdeithasol ac efengylu, ac mae Stott yn disgrifio'r ddwy elfen, y "gorchymyn mawr" a'r "comisiwn mawr", fel dwy agwedd cenhadaeth.[148] Mae arwyddair y mudiad, "Yr eglwys gyfan yn mynd â'r efengyl gyfan i'r byd cyfan" yn adlewyrchu newid meddwl sylweddol ymhlith pobl Efengylaidd yn yr ugeinfed ganrif, lle gwelwyd gweithgarwch cymdeithasol fel "partner" ar wahân i efengylu mewn cenhadaeth gyflawn.[149] Mae Wright yn siarad am genhadaeth fel rhywbeth sy'n mynd y tu hwnt i efengylu, ac yn fwy na diogelu fod "unigolion yn cael eu cymryd i'r nefoedd".[150] Mae dealltwriaeth Lausanne o genhadaeth yn fwy cyfyng na dealltwriaeth *Missio Dei*, gan fynnu na fydd teyrnasiad Crist yn cael ei fynegi ond lle mae Iesu Grist yn cael ei gyffesu fel Arglwydd, ac felly nid yw cenhadaeth Duw i'w wahanu oddi wrth yr eglwys.[151] Wedi dweud hyn, mae *Dynesiad* Lausanne yn dangos dylanwad *Missio Dei*, lle mae cenhadaeth Trindodaidd braidd wedi dod yn "siarter frenhinol" i'r eglwys. Gwelir hyn yn arbennig yng ngwaith Tom Wright[152] a Chris Wright, lle mae'r bartneriaeth rhwng efengylu a chenhadaeth fel dau lafn siswrn.[153]

Mae Stott yn awyddus iawn i wahaniaethu rhwng y rhai sy'n gweld gweithgarwch cymdeithasol fel "cyfrwng", neu "fynegiant", neu "bartner" i efengylu.[154] Roedd Stott fel Mudiad Lausanne yn ffafrio'r darlun o

147 J. R. W. Stott, *Christian Mission in the Modern World* (London: Falcon, 1975; repr., Downers Grove: Inter-Varsity, 2008), 12, 17, 20, 32.
148 Stott, *Mission*, 43-54.
149 Stott, *Mission*, 43-44.
150 C. J. H. Wright, *The Mission of God's People* (Grand Rapids: Zondervan, 2010), 73
151 Birdsall and Brown, *Cape Town Commitment*, 27-29.
152 N. T. Wright, *Surprised by Hope* (London: SPCK, 2007), 201-244, 277-283.
153 C. J. H. Wright, *The Mission of God* (Nottingham: Inter-Varsity, 2006), 316.
154 Stott, *Mission*, 41-45.

bartner lle mae'r ddwy elfen ar wahân yn gweithredu gyda'i gilydd. Yn ddiweddarach, gellir dadlau fod pobl Lausanne wedi gweld gweithgarwch cymdeithasol ac efengylu fel partneriaid cyfartal na ellir eu gwahanu, gan siarad am y ffordd yr oedd y ddau yn dod yn un.[155]

Mae'r *Dull* Lausanne o ymagweddu at genhadaeth yn cynrychioli ymdrech fwriadol i wrthwynebu'r gwahanu Pietistaidd oedd wedi datblygu yn y byd Efengylaidd. Yn y mannau hynny lle'r oedd pobl Efengylaidd wedi ildio'r tir gan ymateb i bwyslais Diwinyddiaeth Ryddfrydol, roeddent wedi "ildio'r tir i'r Efengyl Gymdeithasol".[156] Mae Parry yn gweld Lausanne fel digwyddiad arwyddocaol i bobl Efengylaidd, a gwelwyd moeseg gymdeithasol y Cyfamod "bellach yn cael ei dderbyn fel yr hyn sy'n ganolog i'r mwyafrif o bobl Efengylaidd".[157] Mae Wright yn parhau i siarad am y bobl y mae'n cyfarfod â hwy o bryd i'w gilydd sy'n "mynnu mynd yn ôl i fyd cenhadol hanner cyntaf yr ugeinfed ganrif pan oedd pobl efengylaidd yn euog o golli cysylltiad gyda'r traddodiad hanesyddol ac yn gwneud hynny trwy gofleidio agwedd at genhadaeth oedd yn sicr gan fwyaf, os nad yn gyfan gwbl, yn mynegi awydd i efengylu yn unig."[158] Mae'r cwestiwn a ddylai cenhadaeth fod wedi "ei ganoli yn gyfan gwbl ar efengylu" yn wahanfur ymhlith pobl efengylaidd yn yr eglwysi lleol yng Nghymru.

---

155 D. Burnett, *God's Mission: Healing the Nations* (Bromley: MARC Europe, 1986), 138; Padilla, *Mission Between the Times*, 1-25; C Van Gelder a D Zscheile J., *The Missional Church in Perspective: Mapping Trends and Shaping the Conversation* (Grand Rapids: Baker Academic, 2011), 34.

156 R. M. Jones, *Crist a Chenedlaetholdeb* (Bridgend: Brintirion, 1998), 30, 41, 116-117.

157 R. Parry, "Evangelicalism and Ethics," yn *The Futures of Evangelicalism* (gol. C. Bartholomew, R. Parry, a A. West; Leicester: Inter-Varsity, 2003), 165.

158 Wright, "Future Trends in Mission," yn Bartholomew, Parry, a West, *Futures*, 162.

Beth welwyd yn yr Holiadur a'r Cyfweliadau

Mae Siartiau 27 a 28 yn dangos fod dwy ar bymtheg o eglwysi yn arddel y *Dull* Lausanne o ymagweddu at genhadaeth yr eglwys leol. O'r rhain, roedd 41% yng nghategori 5:2, canran uwch nag eglwysi E1 (32%), ond llai nag eglwysi E2 (75%). Mae hanner yr eglwysi sy'n meddu ar *Ddull* Lausanne yn rhai o'r cynulleidfaoedd mwyaf yn ninasoedd a threfi mwyaf Cymru, gyda nifer y mynychwyr ar y Sul yn rhifo rhwng 200 a 1,000. Efallai fod hyn yn rhannol yn esbonio'r nifer sydd yn y grŵp 5:2, ac mae'n llai o her i eglwysi sydd â channoedd o fynychwyr i weld pump yn cael ei ychwanegu mewn degawd, a dau mewn blwyddyn, nag i eglwys sydd dipyn yn llai. Yn ychwanegol, mae'r ffaith fod yr eglwysi yma'n fwy yn arwyddo efallai fod gan yr eglwysi hyn gryfder i'w galluogi i ymwneud ag amryw o brosiectau cymdeithasol ar wahân i weithgareddau efengylu.

O ran eu gweithgareddau, roedd cenhadaeth yr eglwysi Lausanne yn debyg iawn i eglwysi E2, ac roeddent yn ymwneud â Banciau Bwyd, cymorth ar ddyled, llochesi dros nos, caffi a chanolfannau galw i mewn, gweithgarwch cymunedol ymhlith yr ieuenctid a gwasanaethau eraill i'r cymunedau. Y gwahaniaeth rhwng yr eglwysi hyn ag eglwysi E2 oedd bod eglwysi Lausanne yn barod i ddarparu'r gwasanaethau yma am resymau dyngarol, gyda chysylltiad bregus i gyfarfodydd eglwysig neu i weithgareddau efengylu. Y gobaith oedd y byddai ymwneud â hyn yn arwain at ddiddordeb yn yr oedfaon ac yn y blaen. Roedd y rhain yn cynnwys cefnogaeth i bobl oedd yn ceisio lloches, dysgu Saesneg fel iaith dramor, dosbarthiadau i gynorthwyo gwragedd Mwslemaidd, canolfan i'r henoed, gofal dros rai oedd yn dioddef o anhwylderau meddyliol, a chlybiau ieuenctid cymunedol. Roedd dwy o'r eglwysi yn gweithio ar gais yr heddlu ar brosiect i dynnu pobl ifanc oddi ar y strydoedd lle'r oeddent yn tarfu ar yr heddwch. Mae eglwys arall sy'n perthyn i'r *Dull* yma o ymagweddu wedi cytuno i redeg canolfan ddydd ar gyfer yr henoed:

> "... daeth y cyngor atom i weld a fyddai gennym ddiddordeb mewn rhedeg canolfan ar y stryd, sydd tua hanner milltir i ffwrdd, gan ddarparu cinio o ddydd Llun i ddydd Gwener ar gyfer y boblogaeth, felly bu inni ddod i gytundeb â hwy, cytundeb tair blynedd. ...rydym yn gweini ar 20 o bobl bob dydd, pobl sydd â braidd dim cysylltiad gyda'r eglwys."

Roedd dealltwriaeth yr arweinydd yn adlewyrchu'r *Dull* Lausanne o ymagweddu yn glir: "Rwy'n gweld cenhadaeth ac efengylu fel dau gylch sy'n gyfochrog. Rwy'n gweld efengylu fel canolbwynt a chenhadaeth fel rhywbeth sy'n cysylltu gyda'r thema ganolog yma." Mae'r agwedd yma at "genhadaeth" ac "efengylu" yn nodweddiadol o *Ddull* Lausanne. Mae gweithgarwch cymdeithasol yn rhan o genhadaeth yr eglwys leol, a hynny er ei fudd ei hun, ac er bod y ddwy elfen ar wahân, eto maent yn gweithio gyda'i gilydd.

Roedd yna argyhoeddiad sylfaenol yn yr eglwysi Lausanne o'r angen i bobl weld y budd y mae'r eglwysi yn ei ddarparu ar gyfer eu cymuned. Dim ond i'r graddau y byddai hyn yn cael ei weld y byddai efengylu yn berthnasol:

> "Credaf ein bod yn cyfathrebu trwy'r hyn yr ydym yn ei wneud, yn fwy na'r hyn yr ydym yn ei ddweud. Fel eglwys, rydym o ganlyniad yn ceisio ffyrdd o roi cnawd ar esgyrn ein pregethu a hynny trwy'r rhaglenni yr ydym yn eu gweithredu yma ... mae'n rhywbeth mwy na'r elfen organaidd."

Gwelai un arweinydd lleol hyn fel newid sylfaenol yn ei agwedd at weinidogaeth yr eglwys leol:

> "Credaf ein bod wedi ceisio symud ffocws o geisio cael pobl i mewn i'r 'eglwys' gan bwysleisio mynd â Christ i'r gymuned. Mae'n ddyddiau cynnar ar y newid yma. Rydym yn awyddus i weld eglwys ymgnawdoledig lle mae Crist yn cael ei amlygu yn y gymuned. Bydd yr eglwys, o ganlyniad, yn cael ei siapio gan hynny, yn hytrach na chael ei siapio mewn unrhyw ffordd arall."

Roedd eglwysi Lausanne yn edrych yn debyg iawn i eglwysi Efengylaidd eraill, ond roedd eu dealltwriaeth o natur cenhadaeth wedi newid yr hyn yr oeddent yn ei wneud a'u heffaith ar y cymunedau. Mae'r tuedd yma yn cael ei awgrymu gan y ffaith fod gan eglwysi Lausanne gyfartaledd is o weithgareddau oedd yn gysylltiedig â'r Eglwys yn y dosbarth "defnydd mwyaf" o ran cysylltu â'r gymuned (Siart 40).

Mae hyn yn adlewyrchu eu bwriad i ymwneud â'r gymuned er ei lles, yn hytrach nag fel modd i dynnu'r gymuned i mewn i'r eglwys. Caiff hyn ei amlygu ymhellach gan y nifer o eglwysi Lausanne sy'n cyflawni gweinidogaeth sy'n gysylltiedig ag Angen ac Ieuenctid (Siart 59), yn arbennig ymhlith yr eglwysi sy'n gwneud y "defnydd mwyaf" o'r cysylltiadau hyn (Siart 60). Ychydig o genhadaeth oedd wedi ei sylfaenu ar Ddysgu a welwyd yn y cymunedau ymhlith yr eglwysi yma, ac nid oedd yr un eglwys Lausanne yn defnyddio'r dynesiad yma fel yr un oedd yn cael ei "ddefnyddio fwyaf". Awgryma hyn wrth edrych ar eglwysi Lausanne ac wrth iddynt hwy edrych ar anghenion eu cymunedau, nad oedd gweithgareddau yn ymwneud â dysgu yn cael eu gweld fel blaenoriaeth.

Mae siartiau 39-45 yn dangos yn glir sut yr oedd y grwpiau gwahanol, a'u hagweddau at genhadaeth, yn adlewyrchu'r un patrymau. O'u cymharu â'r grwpiau eraill, roedd yr eglwysi Lausanne yn canolbwyntio mwy o'u cenhadaeth ar deuluoedd, yr ieuenctid, a phobl mewn angen, o'i gymharu â gweithgareddau oedd wedi eu canoli o amgylch adeilad yr eglwys, o amgylch caffi, neu ddysgu, meysydd lle gwelid fod angen y gymuned yn llai amlwg.

Neges Lausanne a Modd y Cyfathrebu

Roedd arweinwyr Lausanne yn disgrifio eu neges fel un yn pwysleisio efengylu gan fwyaf, ond yn gosod ymwneud cymdeithasol yn gyfochrog â hi:

- "Mae yna Dduw, mae ganddo ddiddordeb ynot ti, mae'n dy garu ac rydym yma os yw wyt yn dymuno gwybod mwy."
- "Dywedodd Iesu mai ef oedd y gwirionedd a'r bywyd. Mae gwir fywyd, gwir wybodaeth, gwir arweiniad mewn bywyd yn bosibl trwy adnabod y Duw sydd wedi ei ddatguddio yn Iesu Grist. Dywedodd Iesu ei fod wedi dod i roi bywyd, a bywyd yn ei holl gyflawnder."
- "Maent o bwys i Dduw. Dyna ble fyddwn ni'n cychwyn."
- "Cariad trawsffurfiol Duw tuag at y gymuned, [yr ydym] yn dyrfa o ddisgyblion sydd â sêl gyda'n gilydd yn nerth yr Ysbryd Glân i rannu angerdd y Tad."
- "Mae angen i bobl wybod fod Duw yn eu caru, ond ar ben ei hun, nid yw hyn yn golygu fawr, felly rydym yn mynd i garu Duw ac i garu pobl, i wasanaethu Duw ac i wasanaethu pobl, felly ein harwyddair yw cariad ar waith. Rydym am gymryd cariad Duw a dangos y cariad yma mewn ffyrdd ymarferol."
- "Rydym am iddyn nhw ei weld hefyd, mae Duw yn eu caru ac mae yna ffordd well i fyw. Os byddwch yn ei ddilyn, byddwch yn darganfod y ffordd well yma".

O ofyn i eglwysi Lausanne sut yr oeddent yn cyfathrebu eu neges yn eu cymunedau (Siart 61), mae'r ymatebion yn dangos fod pob grŵp o gyfryngau efengylaidd yn cael eu defnyddio, ac roedd ambell ddynesiad o'r grŵp yma yn cael ei ddefnyddio fwy nag unwaith. Mae'r amrywiaeth yma hefyd yn cael ei ddangos yn y modd yr oedd pobl wedi ymateb i'r neges, gan eu harwain i ymuno â'r eglwys (Siart 62). Er hynny, o ofyn pa weithgareddau oedd yn cael eu defnyddio fwyaf (Siart 63), roedd y gweithgareddau Uniongyrchol yn llai amlwg. Yn wir, roedd y defnydd o weithgaredd Uniongyrchol yn llai na'r grwpiau eraill ac eithrio'r Egin eglwysi, grŵp nad oedd yn eu defnyddio o gwbl (Siart 36).

Roedd y nifer o eglwysi Lausanne oedd yn defnyddio oedfa fel un o'r ffyrdd a "ddefnyddid fwyaf" i gyfathrebu ei neges yn is nag yn yr eglwysi oedd yn pwysleisio efengylu (Siart 33), gyda thraean yn unig o'r rhain yn eglwysi 5:2. Efallai fod hyn yn dystiolaeth fod y defnydd o oedfaon eglwysig mewn ffordd fewngyrchol yn parhau i fod yn effeithiol mewn efengylu, neu efallai ei fod yn nodwedd o eglwysi mwy lle mae'r llinyn mesur 5:2 yn haws ei gyrraedd, lle mae cynulleidfa yn denu cynulleidfa. Yn sicr, mae'n dangos nad oedd eglwysi lleiaf Lausanne yn llwyddo i gyrraedd 5:2 yn aml iawn.

Mae'r defnydd cymharol isel o oedfaon eglwysi, ac yn arwyddocaol hefyd y defnydd isel o ffurfiau Uniongyrchol o efengylu, yn adlewyrchu pwyslais Lausanne ar fod yn rhan o gymuned, yn hytrach na bod yn rhan o gorff sy'n dod i mewn i gymuned i efengylu ac yna'n diflannu. Mae'r gyfran o eglwysi 5:2 sydd o fewn y *Dull* yma o ymagweddu, hefyd yn adlewyrchu'r defnydd sylweddol o adnoddau'r eglwys ar gyfer cenhadaeth ddyneiddiol, yn hytrach nag efengylu. I'r eglwysi sy'n pwysleisio efengylu, mae cyfathrebu'r efengyl yn flaenoriaeth mewn unrhyw genhadaeth. Mae'n ymddangos fod y pwyslais dwbl yma'n effeithio ar batrymau twf yr eglwysi, ac o bosibl, gallai effeithio ar allu'r eglwysi yma i gyflawni cenhadaeth gan fod angen pobl ac adnoddau cynyddol i wneud hynny.

Addasu i Agweddau Crefyddol y Cyd-destun Cymreig

Rydym wedi dangos fod y *Dull* Lausanne o ymagweddu at genhadaeth yn golygu ail-gyfeirio'r eglwys leol gyda golwg ar ei chenhadaeth a'i gweinidogaeth. Roedd hyn yn sialens, yn arbennig mewn ardaloedd traddodiadol ac yn fwy penodol mewn ardaloedd lle'r oedd y Gymraeg yn cael ei siarad amlaf. Roedd un gweinidog sy'n gwasanaethu trwy gyfrwng y Gymraeg yn cyfeirio at weinidogaeth a chenhadaeth ei ragflaenydd fel un oedd yn gyfan gwbl fugeiliol, wedi ei ganoli ar aelodau'r eglwys, gan ymestyn allan trwy eu teuluoedd. Roedd y gweinidog presennol yn gweld cenhadaeth effeithiol, yn y presennol a'r dyfodol, fel rhywbeth oedd yn mynd i orfod bod y "tu allan i'r Eglwys – dyna fydd her fy Ngweinidogaeth i'r dyfodol". Nid yw trawsffurfio o'r fath ond yn bosibl mewn ardaloedd o Gymru lle mae yna eglwysi sy'n abl i drawsffurfio.

Roedd arweinwyr Lausanne yn disgrifio'r sefyllfa yng Nghymru yn debyg iawn i'r eglwysi sy'n pwysleisio efengylu, ond heb unrhyw ymwybyddiaeth o gyfleoedd positif yn yr hen batrymau. Gan eu bod yn tueddu i fod yn fwy, ac wedi eu canoli mewn ardaloedd trefol lle mae'r traddodiadau cymdeithasol Cymreig yn llai amlwg, roedd yr eglwysi yn gyffredinol yn gyfoes ac wedi gwneud newidiadau sylweddol i'w eglwysyddiaeth. Nid oeddent yn gweld unrhyw ddyfodol i batrymau traddodiadol y capel Cymraeg o gwbl, ond yn hytrach "eu consýrn pennaf oedd bod yn eglwys o fewn y gymuned ac roedd hynny'n golygu sicrhau fod eu pobl yn gweithredu'n genhadol fel Cristnogion". Mae cenhadaeth o fewn eglwysi Lausanne yn gofyn am newid sylfaenol. Byddai ymwneud â'r gymuned yn arwain at drawsffurfio cymdeithasol fyddai'n meithrin hyder.

Addasu i Agweddau Daearyddol y Cyd-destun Cymreig

Gan fwyaf, mae eglwysi Lausanne yn nhrefi mwyaf Cymru ac yn y dinasoedd, y rhan fwyaf yn ne Cymru. Roedd chwech yn y Cymoedd, chwech yng Nghaerdydd, un yn Abertawe, Pen-y-Bont ar Ogwr, Llanelli a Hwlffordd. Roedd pedair yn nhrefi arfordirol gogledd Cymru, un yn Wrecsam, ac un yng nghanolbarth Cymru. Nid oedd yr un mewn pentref, a dim ond yn y canolbarth y caed eglwys Lausanne oedd mewn ardal gyffredinol wledig. Roedd un o'r eglwysi yn eglwys cyfrwng Gymraeg. O ganlyniad, cyfyng yw'r modd y mae'r eglwysi yma wedi eu gwasgaru yn ddaearyddol, gyda'r cymunedau'n drefol neu'n ymylu ar fod yn drefol.

Er hynny, roedd gan eglwysi Lausanne ymwybyddiaeth sy'n bodoli yn ddaearyddol ar draws Cymru:

> "... tref sy'n fwy fel pentref. Mae'n gymuned o grwpiau gwahanol, braidd yn ynysig yn ei hunaniaeth fel pobl, ac eto, pob un yn Gymro i'r carn, yn uniaethu gyda'r gymuned, ond gyda meddylfryd pentref."

Mae'n debyg mai yng Nghymoedd de Cymru y gwelwyd yr ymwybyddiaeth gryfaf o deyrngarwch i leoliad ymhlith yr eglwysi Lausanne. Roedd yr arweinwyr yn y cymunedau glofaol yn meddu'r un ymwybyddiaeth o ffyddlondeb i leoliad â'r hyn a ddisgrifiwyd gan yr arweinwyr oedd yn perthyn i'r eglwysi sy'n pwysleisio efengylu. Roedd un arweinydd yn disgrifio'r cyd-destun yn rymus:

> "Rwy'n ŵr o'r Rhondda cyn fy mod yn ŵr o Gymru. Dyna yw blas y Cymoedd, ac mae rhai o'r pethau sy'n digwydd yn y Rhondda yn unigryw i ni, ac yn sicr, ni fyddent yn cael eu hailadrodd yn y dinasoedd. Rwy'n bradychu Treherbert trwy chwarae rygbi i Dreorci sydd ond milltir lawr y cwm!... Pan mae Treorci yn chwarae Pontypridd, rwy'n cefnogi Treorci. Pan mae Pontypridd yn chwarae Caerdydd, yna byddaf yn cefnogi Pontypridd! Pan mae Cymru'n chwarae Lloegr, yna Cymru."

Roedd yr eglwys yma yn rhedeg banc bwyd, caffi, cyngor ar ddyled, ynghyd â gweithgarwch cymunedol amrywiol i wasanaethu'r gymuned leol.

Roedd y cymunedau mwyaf trefol wedi gweld y lefelau uchaf o fewnfudo ac allfudo, ac o ganlyniad, roedd ymrwymiad i le yn is. Wedi dweud hynny, mae ymwybyddiaeth o ddealltwriaeth bentrefol yn parhau i fodoli. Roedd un eglwys yn y ddinas yn siarad am y teimlad yma mewn ffordd ddiraddiol: "Mae'n rhywbeth i'w wneud â'r teimlad ein bod wedi ein hymylu, y teimlad fod yna wreiddiau, rhyw hanes am y lle yr ydych wedi eich geni a'ch magu ynddo... Yn fy marn i, mae'r agwedd blwyfol yma'n dangos diffyg ehangder...". Roedd yr eglwys wedi gweithio yn eang gyda'r awdurdod lleol i gefnogi pobl ar yr ymylon a rhai oedd yn wynebu her iechyd meddwl, a hynny fel ymateb uniongyrchol i'r cyd-destun o'u cwmpas.

Roedd un eglwys sydd yng nghanol y ddinas, eglwys sydd â chanran uchel o fyfyrwyr ac aelodau o gymunedau sydd wedi symud i Gymru, yn cael ei herio gan y ffaith fod y mwyafrif o'r gwrandawyr yn teithio i mewn o faestrefi'r ddinas. Sylw'r arweinydd oedd bod adeilad yr eglwys yn y lle yma am reswm penodol, ac o ganlyniad penderfynwyd diffinio ei "milltir sgwâr" i bwrpas cenhadaeth. Cychwynnwyd y broses o ymwneud â banc bwyd, o ddarpariaeth ar gyfer y digartref, canolfan ddydd ar gyfer yr henoed, dau ddosbarth Saesneg oedd yn cyrraedd 80 o bobl o gefndir Mwslemaidd, dosbarthiadau coginio a gwnïo ar gyfer gwragedd Mwslemaidd, diwrnodau hwyl i'r gymuned, ynghyd â dyddiau o chwynnu, golchi ceir, a diwrnod rhyngwladol i tua 70 i 80 o fyfyrwyr o genhedloedd gwahanol. Gwnaed hyn am resymau holistaidd, gyda'r ymwybyddiaeth eu bod yn adeiladu pontydd i mewn i gymuned oedd, yn y gorffennol, ddim ond yn gwybod am yr eglwys oherwydd "ein bod yn parcio ein ceir y tu allan i'w tai – roedd y cysylltiad yn un negyddol iawn." Creodd yr eglwys ei hunaniaeth leol ei hun gan wasanaethu'r gymuned o fewn i'r ardal honno.

Er bod y mwyafrif o eglwysi Lausanne mewn ardaloedd trefol, roeddent yn parhau i gydnabod mesur o ymwybyddiaeth leol iawn yn eu cymunedau: "Mae yna berthynas agos â'r filltir sgwâr, eich darn chi o dir, cariad tuag at y tir lle cawsoch eich magu, ond yn hanfodol, eich hunaniaeth fel Cymry". Mae'r agwedd yma ar gyd-destun Cymreig yn rhywbeth y mae eglwysi Lausanne wedi elwa ohono, yn gymaint â'i fod wedi dynodi ardal benodol, pobl benodol, ynghyd ag anghenion penodol, i ymateb iddynt.

Addasu i Agwedd Ethnig Cyd-destun Cymreig

Mae Lausanne yn fudiad rhyng-genedlaethol sy'n annog cydweithrediad rhwng eglwysi mewn cenhedloedd gwahanol, gan ddathlu amrywiaeth cenedlaethol. I eglwysi Lausanne, yn rhyng-genedlaethol ac yn yr eglwys leol, mae presenoldeb diwylliant gwahanol, iaith, traddodiadau a dynesiad amrywiol i genhadaeth, yn rhywbeth i'w ddymuno ac i'w weld fel nodwedd gref yr eglwys Gristnogol. Efallai, y gellir defnyddio hyn yn rhannol i esbonio pam fod eglwysi Lausanne yn tueddu i fod mewn trefi mwy eu maint, ac yn arbennig ar y ffin gyda Lloegr, ardaloedd lle mae yna fwy o amrywiaeth yn y boblogaeth.

> "Nid dim ond y ffaith eu bod yn siarad Saesneg, mae mwyafrif y boblogaeth yn Saeson. Nid wyf erioed wedi arwain eglwys yng Nghymru, dim ond arwain eglwys yng Nghaerdydd. Rwy'n credu fod Caerdydd, ac yn arbennig rhannau o Gaerdydd, yn unigryw. Credaf fod yr ardal yn ei hanfod yn Saesneg."

Mae'r sylw yma, gan arweinydd a anwyd yn un o Gymoedd gorllewin Cymru, yn dangos fod rhannau o ardaloedd trefol Cymru mor amrywiol fel y gellir eu hystyried mor Seisnigaidd, a heb fod yn rhan o Gymru o gwbl.

Roedd yr arweinwyr yn siarad am y cenhedloedd gwahanol oedd yn eu heglwysi a'r cymunedau yr oeddent yn ceisio eu cyrraedd a'u gwasanaethu:

> "...mae cymaint o bobl yn siarad ieithoedd tramor yn ein heglwys ag sydd yn siarad Cymraeg, ac yn arwydd o'r amrywiaeth... y tu allan i'r eglwys fe adnabyddir ein dinas fel dinas noddfa ar gyfer pobl sy'n ceisio lloches, ac mae yna amrywiaeth o ieithoedd yn cael eu siarad ar y stryd."

Mae'r dosbarthiadau ar gyfer gwragedd Mwslemaidd, a ddisgrifiwyd ynghynt, yn arwydd o'r amrywiaeth ethnig ac ymateb cenhadol yr eglwys i hyn. Er hynny, nododd yr eglwysi sydd ar y ffin rhwng Cymru a Lloegr nad oedd yna unrhyw ethnigrwydd penodol: "Ar ryw ystyr, rydym, o fyw ar y ffin, yn ansicr iawn ynglŷn â'n hunaniaeth." O ganlyniad, ychydig o addasu a wnaed yn yr eglwysi hyn i ethnigrwydd Cymreig.

Yn y Cymoedd, lle gwelwyd ychydig iawn o fewnlifiad gyda phobl o ethnigrwydd yn rhifo llai nag 1% o'r boblogaeth, roedd yna elfen gyffredin iawn yn perthyn i'r bobl. Un o ganlyniadau hynny oedd ffyddlondeb anghyffredin i'r llwyth, ond hefyd gwrthwynebiad i'r rhai oedd yn wahanol:

> "Tua 0.5 % o'r boblogaeth sy'n dod o leiafrifoedd ethnig sy'n llai o lawer na Chymru gyfan – er, mae ymosodiadau hiliol, yn arbennig o gyfeiriad pobl ifanc sy'n targedu perchnogion siopau a bwytai, yn broblem o dro i dro."

Roedd arweinwyr eglwysi Lausanne yn awyddus i uniaethu ac i fod yn rhan o'r hunaniaeth yma sy'n perthyn i bobl y Cymoedd. O ganlyniad, roeddent yn naturiol yn gwasanaethu'r mwyafrif, nid y lleiafrif.

Addasu i Agweddau Ieithyddol a Diwylliannol y Cyd-destun Cymreig

Yng Ngwynedd, nid oedd ond un eglwys Lausanne oedd yn bodoli trwy gyfrwng y Gymraeg yn unig, ac roedd ei gweinidog yn weithgar yn hybu ac yn amddiffyn yr iaith Gymraeg. Roedd yr arweinydd yma'n mynnu fod angen i bobl glywed ac i ymateb i wirionedd Cristnogol yn iaith eu calon:

> "Y ffordd orau i gyrraedd ac efengylu i Gymry Cymraeg ydy trwy eglwysi Cymraeg. Mae gen i ffrindiau sydd ddim yn Gristnogion fyddai byth yn gwrando ar neges yr efengyl yn Saesneg, oherwydd maen nhw'n cysylltu'r iaith Saesneg gyda *foreign language*...."

O ganlyniad, roedd cenhadaeth yr eglwys i grŵp ieithyddol penodol, ac yn gyd-destunol mewn diwylliant Cymreig. Wedi dweud hyn, roedd yr agwedd yma at iaith yn unigryw yn yr eglwysi Lausanne. Fel y nodwyd ynghynt, fel mudiad rhyng-genedlaethol, mae Lausanne yn gweld yr eglwys fel man lle mae cenhedloedd yn derbyn ei gilydd, yn gweithio gyda'i gilydd, yn hytrach nag yn eithrio ei gilydd. Cymro o Ferthyr Tudful yw Lindsay Brown, Cyfarwyddwr Rhyngwladol Mudiad Lausanne. Wrth siarad yng nghynhadledd Saesneg Mudiad Efengylaidd Cymru yn Awst 2012, nododd safiad Lausanne, gan esgor ar gryn anesmwythyd ymhlith rhai siaradwyr Cymraeg. Cyfeiriodd at ei falchder yn ei etifeddiaeth Gymreig a'i hunaniaeth, ond mynnodd fod eglwysi sy'n pwysleisio un *ethnie*, un diwylliant, yn colli'r "hanfod atyniadol" a welwyd yn Eglwysi'r Testament Newydd. Roedd yr elfennau yma'n fwy na gwahaniaethau ethnig, ac o ganlyniad yn osgoi gwanhau eu tystiolaeth trwy gyfyngu eu hunain i un grŵp. Mi fyddwn yn ystyried yr agweddau gwahanol yma yn Adran Tri.

Agwedd mwy cyffredin yn yr eglwysi Lausanne fyddai gwneud rhannau o'r oedfaon, cyhoeddusrwydd, a gweithgarwch grwpiau bychan trwy gyfrwng y Gymraeg, tra bod Saesneg yn brif iaith yr eglwys. Byddai'r eglwysi hyn yn cynnwys emynau a thonau Cymraeg o fewn i'w haddoliad, ond ni fyddai yna gynlluniau penodol i sefydlu eglwys Gymraeg, na chwaith i annog siaradwyr Cymraeg i fynychu eglwys felly. Roedd eglwys arall yn awyddus iawn i gael ei hadnabod fel eglwys ddwyieithog, ac yn awyddus i bobl gael profiad o eglwys Gymraeg wrth fynychu. Roeddent yn ceisio cynorthwyo pobl oedd wedi symud i Gymru o ardaloedd eraill i symud tuag at fod yn rhan o Gymru ac i ddeall Cymreictod. Nid oedd ganddynt yr un diddordeb mewn adeiladu pont i gyrraedd a gwasanaethu siaradwyr Cymraeg yn eu cymunedau. Roedd Cristnogion sy'n siarad Cymraeg i fod yn rhan o gynulleidfaoedd oedd yn addoli trwy gyfrwng y Saesneg, a'r rhain yn eu tro yn gwasanaethu cymunedau amrywiol, ieithyddol a diwylliannol.

Yn ne Cymru, roedd yna beth defnydd o ddiwylliant traddodiadol, er enghraifft, canu corawl er mwyn cysylltu â'r gymuned, ond mae'r diwylliant yn yr ardaloedd hyn yn fwy cysylltiedig â rygbi i'r graddau "efallai na fu'r bobl yma erioed mewn gêm o rygbi, ond roeddent yn gefnogwyr rygbi". Roedd mynegiadau eraill o Gymreictod, er enghraifft y Cynulliad Cenedlaethol, a chanu cyfoes Cymraeg, hefyd yn cael eu gwerthfawrogi. Mae eiconau traddodiadol Cymreictod, er enghraifft yr iaith, ac *eisteddfodau* yn perthyn i ddoe: "Yr *eisteddfod* oedd braidd yn drist ac ddim yn gyffrous o gwbl... Mae diwylliant wedi newid, mae mudiad Cŵl Cymru wedi cyrraedd... Mae Llywodraeth Cymru, a'r hunaniaeth sy'n perthyn i hynny, wedi cynorthwyo". Yn hytrach nag uniaethu gyda'r iaith Gymraeg a diwylliant traddodiadol, roedd yr eglwys yma'n rhedeg caffi ar gyfer rhieni a phlant o ysgolion Cymraeg a Saesneg.

Mae'n amlwg felly fod eglwysi Lausanne yn addasu i iaith a diwylliant Cymru mewn ffordd sy'n adlewyrchu eu cyd-destun. Er hynny, mae'r ffaith eu bod, ac eithrio un eglwys sy'n addoli yn y Gymraeg, yn eglwysi mewn trefi a dinasoedd ac mewn cyd-destun Saesneg, wedi arwain at y defnydd o'r Saesneg fel *Lingua Franca.*

Addasu i Agweddau Cymdeithasol y Cyd-destun Cymreig

Fel eglwysi E2, roedd eglwysi Lausanne yn awyddus i fod yn brysur yn eu cymunedau. Roeddent yn gwahaniaethu, er hynny, gan eu bod yn awyddus i fod yn rhan o'r gweithgarwch, hyd yn oed os nad oedd yna gyfle i efengylu ac i rannu eu neges yn y gwasanaeth yma.

Mewn sawl achos, roedd yna arolwg o'r gymuned yn cael ei gyflawni er mwyn darganfod beth oedd yr anghenion neu ddarganfod beth oedd yn digwydd yn barod, a byddent yn aml yn siarad gyda'r cynghorau er mwyn dirnad ble y dylent wasanaethu. O ganlyniad, roedd y cynghorau lleol a'r heddlu yn dod yn ôl at yr eglwysi i edrych am bartneriaethau.

> "Rydym wedi adeiladu ar weithgareddau sy'n digwydd eisoes yn y gymuned, er enghraifft, ysgolion, gwaith ieuenctid, grŵp crefftau i wragedd. Mae gan yr ardal hon ymwybyddiaeth gref o gymuned ac felly, bu inni adeiladu gweithgareddau o amgylch y gymuned, er enghraifft agor caffi cymunedol. Mae yna bwyslais cryf hefyd ar deulu. Felly, byddwn yn cynnal noson hwyl i'r teulu yn flynyddol."

Mae amrywiaeth y gweithgareddau sy'n cael eu darparu yn y gymuned gan yr eglwysi Lausanne, yn helaeth iawn. Mae'r argyhoeddiad fod eglwysi i fod yn rhan o fywyd y gymuned sydd o'i hamgylch, ac er lles y cymunedau hynny, wedi arwain at ganlyniadau ymarferol iawn. Mae llwyddiant y gweithgareddau yn cael eu mesur fel newidiadau positif mewn cymdeithas: y dirywiad mewn trais ymhlith ieuenctid yn y strydoedd, gwella mewn canlyniadau yn yr ysgolion, codi hyder y gymuned, a darparu cyflogaeth. Roedd twf yn yr eglwys yn rhywbeth y gobeithiwyd amdano, ond nid yn amod cyflawni'r gwaith. Nid efengylu, ond tosturi oedd y cymhelliad i'r gweithgarwch. Man cychwyn y gwaith oedd gorchymyn Iesu i roi gwydriad o ddŵr yn ei enw, a'u hawydd i gynorthwyo pobl oherwydd eu bod hwy, a Duw, yn eu caru. Os nad oedd hyn yn arwain at ddiddordeb yn y neges neu yn yr eglwys, neu hyd yn oed os oedd yn arwain at wrthodiad o'r ddau, "byddem yn parhau i weithio".

Addasu i Agweddau Gwleidyddol y Cyd-destun Cymreig

Mae datganiad Lausanne yn annog eglwysi i gymryd rhan flaenllaw mewn materion sy'n ymwneud â chyfiawnder, ecoleg, a thosturi a hynny fel rhan o genhadaeth Duw i fyd Duw. Yn naturiol, mae'r math yma o ddatganiad yn golygu ymwneud â'r byd gwleidyddol. Mae'r ymatebion sy'n cael eu croniclo ymhlith y grwpiau gwahanol i genhadaeth yn amlygu'r ymwneud yma gan eglwysi Lausanne, yn arbennig felly mewn gwleidyddiaeth leol (Siart 47). Mae'r ffaith fod 100% o'r eglwysi yn ymwneud â llywodraeth leol yn adlewyrchu'r cydweithrediad mewn prosiectau cymdeithasol rhwng eglwysi a'r cynghorau hyn. Nid yn unig roedd yr eglwysi yn awyddus i ddelio ag angen, ond hefyd "i ddysgu ac i feithrin hyder yn y gymuned ac yn ein cenedl", ac "i godi disgwyliadau yn y cymunedau".

Roedd yna ddealltwriaeth fod Sosialaeth wedi methu ateb y sefyllfa, ond roedd un arweinydd yn gweld polisïau presennol y llywodraeth fel cyfle i'r eglwysi i wneud gwahaniaeth sylweddol:

> "Yn ôl David Cameron, mae prinder yma i aros, bydd rhaid gwneud mwy gyda llai, ac o ganlyniad, credaf fod hwn yn gyfle i'r eglwys i fod yn un sy'n darparu rhai o'r gwasanaethau sydd ar hyn o bryd yn cael eu cynnig yn statudol."

Mae'r arweinydd yma'n siarad am y cyfle fel sialens barhaus i'r eglwys i fod yn edrych am ffyrdd i amrywio eu gweithgareddau, i fod yn cymryd rhan "mewn ffordd ymgnawdoledig". Byddai hyn yn golygu newid parhaus i'r eglwys, a'r newid o fod yn "fewngyrchol a phroffesiynol" i fod "yn gymuned wedi'i gwreiddio ... a byddai hynny yn arwain at ffyrdd newydd o fod yn eglwys ac o wneud eglwys". Roedd yr eglwys eisoes yn rhedeg caffi cymunedol, Banc Bwyd a gofal i bobl oedd yn dioddef o *dementia*.

Gweithgarwch arwyddocaol arall yn y byd gwleidyddol ymhlith eglwysi Lausanne oedd gweithgarwch aelodau'r eglwys oedd yn addoli yn y Gymraeg wrth amddiffyn yr iaith Gymraeg. Roedd aelodau'r eglwys wedi bod yn weithredol gyda *Chymdeithas yr Iaith Gymraeg* ers ei ffurfio yn 1962, cymdeithas oedd wedi ei modelu ar y symudiad hawliau sifil yn yr Unol Daleithiau. Roeddent yn ceisio amddiffyn a hybu defnydd o'r Gymraeg yng Nghymru gan ddefnyddio dulliau di-drais ac anufudd-dod sifil i brotestio, ac i geisio hawliau cyfartal i'r iaith. I Menna Machreth, aelod o un o'r eglwysi Lausanne, roedd gweithredu o'r fath yn gyfrifoldeb Cristnogol:

> "Wedi dod yn Gristion, ni ddaeth y protestio i ben, ond deuthum yn gynyddol i weld sut allai fy ymgyrchu fod yn rhywbeth hunanol a hunangyfiawn. Mae Iesu Grist wedi fy mhrynu ar y Groes, ond nid yw am orffen ei ymwneud â mi yn y fan honno – mae am i gyfiawnder i fynd trwy'r byd ...mae fy hunaniaeth yng Nghrist yn cadarnhau'r hunaniaeth mae Duw wedi ei roi i mi ar y Ddaear, fel rhan o grŵp o bobl. Mae Duw wedi fy mhrynu fel Cymraes."

Honnodd fod agweddau di-drais y Gymdeithas wedi eu ffurfio gan yr egwyddorion Cristnogol yma,[159] agwedd oedd yn golygu:

> "...dim trais corfforol, dim trais y tafod, a dim trais y galon ...Fel Cristnogion yn y mudiad, rhaid inni weithredu allan o'n cariad yn gyson, gan gofio caru pawb yr ydym ynglŷn â hwy".

Yn wahanol i eglwysi sy'n pwysleisio efengylu, eglwysi oedd yn methu â gweld unrhyw gyfleoedd efengylu mewn ymwneud gwleidyddol, roedd Menna Machreth wedi dod i ffydd trwy gysylltiad â Christnogion oedd yn ymwneud â'r un maes gwleidyddol â hi, ac roedd yn gweld ei hymwneud

159 M. Machreth, "Ethnicity in the Mission of God," Ar y we: HTTP://CONVERSATION.LAUSANNE.ORG/EN/CONVERSATIONS/DETAIL/11211#.VACFTVLDWSO .

bellach fel rhan o'i thystiolaeth fel Cristion. Wrth annerch Cynhadledd Lausanne yn Cape Town yn 2010, mae'n dweud;

> "Mae gennyf gyfle bendigedig i rannu'r efengyl pan fydd pobl yn gofyn i mi pam yr wyf yn ymgyrchu dros yr iaith Gymraeg. Cyn i mi siarad mewn digwyddiad, neu fynd i gyfarfod gyda gwleidyddion, rwy'n gweddïo am ddoethineb a nerth i fod yn dyst iddo Ef ac mae Duw wedi bod yn ffyddlon ac wedi fy mendithio i yn y sefyllfaoedd hynny fel ymgyrchydd."[160]

Mae'r esiampl yma yn arwydd o wahaniaeth sylweddol rhwng eglwysi sy'n pwysleisio efengylu a *Dull* Lausanne o ymagweddu at genhadaeth, mewn perthynas ag ymwneud gwleidyddol. Mae'r *Dull* Lausanne yn gweld ymgyrchu dros gyfiawnder a hawliau unigolion fel rhan o'u cenhadaeth, ac fel rhan o newyddion da yr eglwys. Nid yn unig yr oedd Cristnogion wedi bod yn rhan o weithgarwch gwleidyddol, roeddent wedi bod yn rhan o'r ffordd y ffurfiwyd y gweithgarwch yna hyd yn hyn.

Adlewyrchu ar *Ddull* Lausanne o ymagweddu

Mae neges Lausanne yn debyg iawn i neges yr eglwysi sy'n pwysleisio efengylu ac mae eu cenhadaeth yn debyg iawn i genhadaeth eglwysi E2 o ran eu hymwneud â'r gymuned. Er hynny, mae yna gymhelliad ychwanegol yn deillio o'u hargyhoeddiad fod cenhadaeth Duw trwy'r eglwys leol yn cynnwys agweddau ar gyfiawnder, ecoleg, a thosturi, ynghyd â chyhoeddi. Arweiniodd hyn at amrywiaeth o brosiectau cymdeithasol, gwaith sy'n cael ei gyflawni er budd y rhai sydd yn ei dderbyn, er eu bod yn gobeithio am gysylltiad anuniongyrchol efengylaidd. Wedi dweud hyn, mae cyd-destun trefol eglwysi Lausanne, eu maint ac ati, yn codi cwestiwn a yw'r math yma o agwedd a phwyslais yn bosibl mewn cyd-destunau llai ac

160 Machreth, "Ethnicity," n.p.

sy'n fwy gwledig. Hefyd, mae'r gyfran o eglwysi Lausanne sy'n cyfarfod y llinyn mesur 5:2 yn codi'r posibilrwydd fod yr ynni a'r adnoddau sy'n cael eu cyfeirio at genhadaeth – nad ydynt yn uniongyrchol efengylaidd – yn tueddu at arallgyfeirio'r eglwysi yma oddi wrth eu prif bwrpas.

Dull yr Egin Eglwysi o ymagweddu at Genhadaeth

Mae'r mudiad Egin Eglwysi,[161] neu'r sgwrs fel y'i gelwir yn achlysurol, yn ymateb i ôl-foderniaeth y Gorllewin.[162] Mae gwybodaeth mewn ôl-foderniaeth yn cael ei adnabod fel rhywbeth cymharol, cyd-destunol, rhywbeth sy'n cael ei effeithio gan emosiynau, etifeddiaeth, a heb ddarlun mawr o realiti. Mae arweinwyr yr Egin Eglwysi felly'n awgrymu fod "eglwysyddiaeth genhadol yn y cyd-destun ôl-fodern yn gorfod adlewyrchu natur organaidd y cyd-destun sy'n tyfu".

Roedd aelodau ac arweinwyr yr Egin Eglwysi yn dod gan fwyaf o gynulleidfaoedd oedd â phwyslais Efengylaidd, eglwysi oedd wedi mabwysiadu agenda *Missio Dei* o ran ymwneud cymdeithasol, ac mewn rhai, yn tueddu tuag at gyffredinoliaeth a chynhwysedd diwinyddiaeth Ryddfrydol. Mae Brian McLaren, un o'r arweinwyr mwyaf adnabyddus ymhlith y Sgwrs Eginol yma, yn cofleidio'r cymhlethdod trwy ddisgrifio ei hun fel:

> "cenhadol + efengylaidd + ôl-brotestannaidd + rhyddfrydol/geidwadol + bardd/cyfriniol + beiblaidd + carismataidd + ffwndamentalaidd/ Calfinaidd + Ailfedyddiedig/anglican + Methodistaidd + catholig + gwyrdd + ymgnawdoledig + gyda gobaith er yn digalonni + CRISTION nad yw'n gyflawn ond yn egino".[163]

161 Nid oes un term safonol am "*Emerging*" a "*Emergent*" yn y Gymraeg. Tanseiliwyd yr ymdrech i wahaniaethu rhyngddynt oherwydd diffyg diffiniad clir o fewn y symudiad. Yng Nghymru, ni welwyd unrhyw wahaniaeth yn y defnydd ohonynt.

162 D. Kimball, *The Emerging Church: Vintage Christianity for New Generations* (Grand Rapids: Zondervan, 2003), 14.

163 B McLaren, *A Generous Orthodoxy* (Grand Rapids: Zondervan, 2004), title page.

Mae meddylwyr y mudiad wedi ceisio osgoi diffiniadau clir o dröedigaeth ac, yn ei dro, osgoi unrhyw syniad o unigrywiaeth yr efengyl.[164] Maent yn adlewyrchu dylanwad meddylfryd *Missio Dei*, ac yn cydnabod eu dyled i Newbigin, Bosch ac N. T. Wright.[165]

Erbyn degawd cyntaf yr unfed ganrif ar hugain, roedd yna arweinwyr ac eglwysi yng Nghymru yn mabwysiadu'r *Dull* Egin Eglwysig o ymagweddu at genhadaeth. Ar ddechrau'r mileniwm newydd, gwelwyd y mudiad fel rhywbeth positif, yn cyfeirio at ffordd obeithiol i gynulleidfaoedd oedd yn lleihau. Yn 2005, cyhoeddodd Gibbs a Bolger adolygiad trylwyr o'r mudiad Egin Eglwysig gan ddefnyddio tair enghraifft o Gymru: *Linden Fellowship* yn Abertawe,[166] Eglwys Gymunedol Newydd Duffryn, Casnewydd,[167] a *Zac's Place*, Abertawe.[168] Gwelwyd y rhain fel straeon gobeithiol oedd yn torri tir newydd. Yn ei ragarweiniad i ail gyfrol ei adolygiad o Gristnogaeth yn yr ugeinfed ganrif, mae Morgan hefyd yn nodi *Zac's Place, Solace* (criw o bobl oedd yn casglu mewn clwb nos yng Nghaerdydd), "a gweithgareddau tebyg".[169] Mae'r enghreifftiau i gyd mewn ardaloedd trefol ac mewn ardaloedd yn ne Cymru lle mae'r Saesneg yn cael ei siarad, ond roedd yna obaith ei fod yn cynrychioli cychwyn newydd lle byddai modd ei ailadrodd mewn ardaloedd eraill, mewn cyd-destunau eraill, ac mewn diwylliant arall yng Nghymru.

164 E. Gibbs a R. K. Bolger, *Emerging Churches* (Grand Rapids: Baker Academic, 2005), 123, 132-134, 220; McLaren, *Generous*, 213; R. Bell, *Love Wins* (London: Collins, 2011), 97, 98, 107, 109.
165 McLaren, *Generous*, 17, 115, 118, 288, 303; Gibbs a Bolger, *Emerging*, 26, 48-54, 59, 303-311.
166 Gibbs a Bolger, *Emerging*, 107, 121-122, 232, 280.
167 Gibbs a Bolger, *Emerging*, 53, 310-311.
168 Gibbs a Bolger, *Emerging*, 309.
169 Morgan, *Span, 2011*, xv.

Beth ddangoswyd gan yr Holiadur a'r Cyfweliadau

Mae siartiau 27 a 28 yn dangos mai ond pedair eglwys a ellir eu hadnabod fel Egin Eglwysi o ran eu *Dull* o ymagweddu at genhadaeth fel eglwys leol, ac roedd un o'r rhain yng nghategori 5:2. Mae'r ymatebion yma'n cael eu cefnogi gan eglwysi eraill yn y cyhoeddiad, ynghyd â rhai na gwblhaodd yr holiadur ond oedd yn fodlon cael eu cyfweld. Mae'r sylwadau felly ar y *Dull* hwn wedi eu sylfaenu ar sampl bychan.

Mae yna nifer o ffactorau sydd wedi arwain at y ffaith mai ychydig o Egin Eglwysi sydd yng Nghymru. Yn gyntaf, erbyn diwedd y degawd cyntaf, roedd y mudiad ei hun wedi cloffi, a heb gynyddu mewn rhif. Mae'n aneglur pa "weithgarwch tebyg" oedd gan Morgan mewn golwg, ond mae'r rhifau'n fychan, a'r rhai a nodwyd yn brwydro er mwyn diogelu parhad, neu wedi cau. Parhaodd Eglwys Gymunedol Newydd Duffryn mewn partneriaeth â'r Eglwys yng Nghymru ar ystâd anghenus yng Nghasnewydd a adnabyddir fel "*The Lab*". Mae *Zac's Place*, eglwys a adnabyddid fel "*A Church for Ragamuffins*" wedi datblygu fel canolfan i gefnogi'r digartref a'r rhai mwyaf bregus yn y gymdeithas, ac mae *Solace* wedi cau. Ail-ffurfiwyd yr eglwys fel cymuned genhadol mewn canolfan gelfyddydol yng Nghaerdydd.

Yn ail, roedd yn anodd gwahaniaethu rhwng y *Dull* yma o ymagweddu a rhai grwpiau eraill, yn arbennig felly *Missio Dei*, gan fod y ddau *Ddull* yn eciwmenaidd o ran natur ac yn drwm o dan ddylanwad gwaith Newbigin. Mae rhai o'r eglwysi sy'n adnabod eu hunain fel eglwysi Lausanne yn agos iawn at fod yn Egin Eglwysi, yn yr ystyr bod yr elfennau efengylu yn eu cenhadaeth yn cael eu cyflwyno mewn ffordd weladwy, yn hytrach nag ar lafar. Mewn cyfweliad, mae un o'r eglwysi a nodwyd yn gynharach gan Gibbs a Bolger yn adnabod ei hun fel eglwys Lausanne, er bod nifer o'i hagweddau at genhadaeth yn debycach i Egin Eglwys.

Yn drydydd, datblygodd y mudiad Egin Eglwysig a'i fynegiant o genhadaeth i mewn i brosiectau cenhadol oedd yn rhaglenni ac yn fynegiant o eglwysi oedd yn bod yn barod. Mae'r mudiad *Fresh Expressions* yn gweithredu gan fwyaf o fewn i enwadau Anglicanaidd ac Anghydffurfiol, ac mae'r Eglwys Fethodistaidd yn nodi *Llan Llanast*, caffi, digwyddiadau ieuenctid a chelloedd cenhadol fel eu mynegiant Cymreig. O ganlyniad, efallai bod dirywiad y *Dull* Egin Eglwysig o ymagweddu yn ganlyniad i'w lwyddiant, yn yr ystyr fod pobl eraill wedi meddiannu'r hyn oeddent yn ceisio'i gyflawni, er budd i bawb.[170] Roedd y pwyslais ar gymunedau bychain cenhadol wedi'u gwreiddio mewn ardaloedd o angen, yn esiampl o hyn, ac fe ystyrir hyn ymhellach yn Adran Tri.

Mae'r eglwysi oedd yn arddel *Dull* Egin Eglwysig o ymagweddu at genhadaeth wedi ceisio sefydlu cymunedau o Gristnogion o fewn y gymdeithas yr oeddent yn ceisio eu gwasanaethu. Roedd yna wrthwynebiad i unrhyw syniad o sefydliad, gan arddangos y newyddion da trwy eu gwasanaeth. Roeddent yn osgoi unrhyw ddiffiniadau pendant o strwythur eglwysig, o athrawiaeth, o'r hyn y mae'n ei olygu i fod yn ddisgybl, gan geisio bod yn hyblyg gan ymateb i gyd-destun penodol mewn Cymru ôl-fodernaidd ac ôl-Gristnogol. Roeddent yn edrych am yr hyn oedd Duw yn ei wneud yn y lle yr oeddent yn ceisio ei wasanaethu: "Nid wyf yn mynd â Duw i mewn i unman, ond yn ei ddarganfod yno ac yn ymuno ag ef", neu "Yn hytrach na sugno popeth i mewn i'r eglwys, mae ein pwyslais ar fod allan ac ar fod yn eglwys". Mae Egin Eglwysi yn edrych i drawsffurfio cymdeithas trwy fod yn rhan o'r gymdeithas a thrwy wasanaethu'r gymdeithas.

---

170 Un enghraifft o agwedd sy'n cadarnhau cyfraniad egin eglwysi, yw yr hyn a welir yng nghynadledd y rhwydwaith rhyddfrydol *Cristnogaeth 21* yn 2010, lle y rhoddwyd gofod i'r dynesiad hwn, gydag un o'r arweinwyr yn cyfrannu. T. Ifan, "Neges Misol Mai 2010," Ar y we: http://www.cristnogaeth21.org/?p=104#more-'.

Mae aelodau Egin Eglwysi yn ceisio gwreiddio eu hunain o fewn y gymuned leol yn eu gweithgareddau, yn y berthynas sydd o fewn y gymuned, ac yn yr anghenion. Rhaid i'r genhadaeth fod yn "ymgnawdoledig", ac roedd yn rhaid wrth ymrwymiad tymor hir i fod yn rhan o'r gymuned leol: "I wneud yr hyn sydd rhaid ei wneud yma, ac i fodelu hynny o ddydd i ddydd". Mae'r *Dull* yma o ymagweddu at genhadaeth yn golygu gwasanaethu'r gymuned ac er ei lles. Mae dylanwad gwasanaeth ar y gymuned yn cael ei ddeall fel ffordd o arddangos teyrnas Dduw trwy fynegiant ymarferol o gariad Duw.

> "Mae llawer o'n gwaith yn cael ei ganoli ar bwysleisio'r Deyrnas yn hytrach na'r Eglwys (yn genhadol ac yn ymgnawdoledig). Rydym yn ceisio arddangos gobaith trwy weithgarwch ymhlith pobl sy'n anobeithio".

Mae'r pwyslais yma i'w weld yn y cysylltiadau cymunedol sydd gan Egin Eglwysi. Mae'r siartiau, sy'n cymharu Egin Eglwysi o ran eu cysylltiadau â'r gymuned (Siartiau 39 i 45), yn dangos y defnydd cymharol isel o weithgareddau sydd wedi eu cysylltu ag eglwysi, gyda dulliau Caffi, Angen, Ieuenctid a Dysgu, yn gymharol uchel.

Er hynny, o'u cymharu â'r ymatebion i'r "defnydd mwyaf" (Siart 64), ni ellir darganfod dulliau Caffi, Teulu a Dysgu, gan awgrymu fod eu defnydd yn achlysurol iawn. Ar y llaw arall, mae'r defnydd o Angen ac Ieuenctid yn y dosbarth "defnydd mwyaf" yn uwch nag mewn unrhyw *Ddull* arall o ymagweddu at genhadaeth. Mae Egin Eglwysi yn defnyddio gweithgareddau Eglwysig, ond mae eu prif genhadaeth i ieuenctid a phlant, ac anghenion cymdeithasol yn eu cymunedau.

I'r eglwysi newydd oedd wedi cychwyn gyda *Dull* Egin Eglwysig o ymagweddu, y sialens wreiddiol oedd cael eu derbyn yn y gymuned yr oeddent yn dymuno gwasanaethu ynddi. Ond, i eglwysi oedd yn bodoli'n barod, rhai oedd wedi trawsffurfio i fodel Egin Eglwysig, mae'r sialens yn deillio o ddisgwyliadau'r aelodau presennol.

"Rwy'n credu inni fod yn ceisio symud y ffocws o geisio cael pobl i mewn i'r "eglwys", gan symud tuag at gael Crist i mewn i'r gymuned. Mae'r rhain yn ddyddiau cynnar i'r symud yma".

I rai eglwysi, roedd hyn wedi golygu colli aelodau, ac oherwydd hynny yn drawsffurfio poenus.

Nid yw cenhadaeth Egin Eglwysi yn ymwneud â'r Eglwys fel y cyfryw, ond yn hytrach ar drawsffurfio'r gymuned. Ethos yr eglwysi hyn yw "i garu Duw a phobl ac i chwarae'n rhan i wneud y byd yn well lle ... yn lle mwy cyfforddus a diogel i bobl i fyw", bod yn eglwys yn y byd, mewn cysylltiad â phobl yn gyson.

Neges yr Egin Eglwysi a'r Modd o Gyfathrebu

Mae'r mynegiant yma o gariad i fod yn ddiamodol ac yn gynhwysol, ac yn sicr, nid yw i ddibynnu ar p'un ai fyddai rhywun yn dod i'r eglwys neu'n credu beth mae'r eglwys yn ei gredu. O ganlyniad, roedd yna ymdrech fwriadol i osgoi unrhyw neges oedd yn pwysleisio efengylu uniongyrchol. Gwelid Duw fel un oedd yn caru pobl fel ag yr oeddent, pobl oedd ar daith tuag ato.

"Y neges yw bod Duw yn caru pobl, ac ni allwn ddweud ein bod yn caru Duw a pheidio caru pobl. Gall pawb newid ... Mae'r hyn yr ydym yn ei wneud yn ein hadeilad yn adlewyrchu'r neges, y neges gynhwysol o rymuso pobl, o garu pobl, o ddymuno gweld pobl yn byw'r bywyd gorau. Yn bersonol, ti'n gwybod, dwi'n gweld hynny yn Iesu, roedd o'n awyddus i bobl fyw'r bywyd gorau y medrent."

"Gweledigaeth yr eglwys yma yw cyrraedd y gymuned leol gyda chariad Crist. I fod yn gymuned lle mae Duw yn y canol, yn cyrraedd pobl gyda chariad

Crist ac yn dod â gobaith lle mae anobaith. Mae Duw yn Dduw sy'n poeni amdanynt, yn un y gallant ymddiried eu bywyd bob dydd iddo, yn un sy'n dymuno perthynas â hwy."

"Carwch yr Arglwydd eich Duw â'ch holl galon, â'ch holl nerth, â'ch holl feddwl ac â'ch holl nerth, gyda'r pwyslais ar garu Duw â'n holl galon ... hynny yw, ymhlith y bobl hynny sydd ar bob math o feddyginiaethau, pobl â'u calonnau wedi eu torri, pobl sydd yn ystyried hunanladdiad. Dim ond i'r graddau y byddwn yn cael ein gweld yn gwasanaethu y bydd ein neges yn cael ei chlywed."

"Fod Duw yn eich caru fel ag yr ydych, ac nid oes yn rhaid i chi ddod yn ddim byd cyn i chi fedru adnabod y cariad hwnnw... Rwy'n credu fod pobl yn gallu gweld trwy agenda personol yn fuan iawn, hyd yn oed os yw'r agenda yna'r un gorau yn y byd. Mae cael eich derbyn yn rhywbeth pwysig ofnadwy... rydym yn pwysleisio darlun y daith yn aml, ac mae'r lle yr wyf fi ar y daith honno yn wahanol i'r lle yr wyt ti. Nid fy nghyfrifoldeb i yw edrych a dweud nad wyt yn ddigon pell ar y daith... Rwy'n anghyfforddus iawn yn beirniadu pobl eraill.

Roedd y neges yn pwysleisio gwelliant a newid personol, gan gynorthwyo pobl ar eu taith ysbrydol. Nid oedd yn pwysleisio ffydd ym marwolaeth ac atgyfodiad Iesu fel moddion y newid hwnnw, ac efallai fod hyn yn esbonio pam fod yna rai oedd wedi gwirioni ar y gwasanaeth, ond eto, ddim yn rhannu eu ffydd. Mae nodyn Murray yn bwysig yn y fan hyn: "Mae rhai Egin Eglwysi yn osgoi efengylu yn gyfan gwbl. Ac eto... heb efengylu, ni fydd yna eglwys pan fydd y byd Cristnogol yn diflannu, ac o ganlyniad, ni fydd yna ffordd o gynnal unrhyw fath o genhadaeth".[171]

Fel y nodwyd ynghynt, mae rôl cyfeillgarwch a chymuned yn bwysig iawn fel rhan o genhadaeth. Er hynny, mae'r ymatebion i'r holiadur yn dangos fod hyn er lles y cysylltiadau cymunedol, yn hytrach nag efengylu.

171 Murray, *Church After Christendom*, 163.

> "Wrth inni rannu ein gweledigaeth, bu inni sylweddoli fod Duw yn newid ein ffocws oddi wrth efengylu oedd wedi ei ganoli ar ddigwyddiadau, i broses o wasanaethu".

Ychydig iawn o ddefnydd wnaeth yr Egin Eglwysi ar y dull Perthynas a'r dull Uniongyrchol wrth rannu eu neges (Siart 65), yn arbennig felly'r adran "defnydd mwyaf" sy'n dangos defnydd rheolaidd yn hytrach nag afreolaidd (Siart 66). Maent yn defnyddio "Gwasanaethau", ond ar raddfa lai na phob un o'r *Dulliau* eraill o ymagweddu at genhadaeth, yn y defnydd cyffredinol (Siart 32) ac yn y moddion a "ddefnyddiwyd fwyaf" (Siart 33).

O holi am y ffyrdd o gyfathrebu'r neges, mae'r eglwysi yma'n canolbwyntio ar effaith y gweithgarwch, heb unrhyw bwyslais ar gyfathrebu llafar. Roedd un arweinydd, o holi pa ddulliau efengylu a ddefnyddiwyd gan ei eglwys, yn nodi, "Drama, trafodaeth (a ddefnyddid fwyaf), celf a chrefft". Mae lle trafodaeth, gyda rhyddid i bobl i rannu ac ystyried safbwyntiau gwahanol, yn ganolog i "Gaffi Ysbrydol" eglwys arall, digwyddiad a gynhelir yn fisol ac yn gyfle i'r rhai o gefndir amrywiol sy'n "ceisio ysbrydolrwydd" i rannu eu taith ysbrydol. Roedd hyn yn cael ei ddilyn gan drafodaeth ac "mae pob math o bobl yno, ond mae pawb yn teimlo'n ddiogel gan fod yna ddim pwysau". O ran lleoliadau, roeddent i ddefnyddio'r dafarn, ac yn ddelfrydol "tafarn oedd ym mherchnogaeth y gymuned... Yr eglwys yn meddiannu clybiau bowlio, caffis, a chlybiau eraill". Y ffordd o gyfathrebu'r neges oedd trwy'r gweithgarwch, a hynny yn arbennig wrth iddynt gynorthwyo unigolion i newid, yn hytrach na gwaith efengylu oedd yn anelu at gynyddu rhif yr eglwys leol:

> "Trwy gydol y broses o drawsffurfio, roeddem am annog y gynulleidfa i weld y gymuned, nid fel lle ar gyfer tyfiant eglwysig, ond yn hytrach fel lle i fynd i mewn iddi a'i charu."

O ofyn sut yr oedd pobl wedi dod i ffydd, ac wedi ychwanegu at yr eglwys, mae Egin Eglwysi yn parhau i amlygu tuedd i bwyso ar weithgarwch eglwysig (Siart 67). Yn achos rhai, mae cyrsiau efengylaidd a sgyrsiau, a gwasanaethau yn effeithiol. Mae pwysigrwydd gweithio ymhlith ieuenctid a phlant yn dilyn yr un patrymau â rhai o'r grwpiau eraill, ond mae eu defnydd o "Genhadaeth" yn arwyddocaol. Mae'r Egin Eglwysi yn defnyddio'r term "cenhadaeth" mewn ffordd unigryw i ddisgrifio eu gweithgarwch cymunedol yn unig, a byth yn ei ddefnyddio i ddisgrifio unrhyw fath o ymgyrch wythnos i efengylu fel y gwelwyd ymhlith rhai eglwysi sy'n pwysleisio efengylu.

I Egin Eglwysi, ystyr cenhadaeth yw gwasanaethu'r cymunedau mewn ffyrdd ymarferol, er mwyn trawsffurfio'r gymuned i fod yn lle gwell i fyw, rhywbeth a welir, nid yn unig fel rhywbeth posibl, ond yn hytrach, "y rheswm dros ein bodolaeth".

Addasu i Agweddau Crefyddol y Cyd-destun Cymreig

Mae un arweinydd ymhlith yr Egin Eglwysi yn disgrifio'r sialens fel un cyd-destunol, yn hytrach nag un anorfod:

> "Mae yna symudiad, mae yna waith sy'n digwydd ym Mhrydain trwy'r Egin Eglwysi a'r cymunedau cenhadol, ond yng Nghymru rydym rhywsut fel petaem yn colli allan ar y symudiad yma ..."

Y teimlad oedd bod y cyd-destun Cymreig yn araf i ymateb i'r symudiad newydd yma. Er bod cynulleidfaoedd Egin Eglwysig yn effeithiol mewn rhannau eraill o'r Deyrnas Unedig a thu hwnt, roedd yna wrthwynebiad yng Nghymru. Rhoddwyd amryw o resymau dros hyn gan gynnwys traddodiad y capel, gwrthwynebiad i newid a syniadau newydd, ynghyd â ffyddlondeb i ffurfiau hanesyddol:

> "Mae 'na rywbeth sydd braidd yn greiddiol i Gymreictod, mae 'na galedwch, amharodrwydd i newid, i symud ymlaen... Mae'r Cymry yn teimlo braidd fel eu bod yn methu os oes yna gydnabod eu bod wedi bod yn gwneud unrhyw beth yn anghywir yn y gorffennol."

Nid oedd y modelau traddodiadol yn gweithio rhagor, ac o ganlyniad, rhaid eu gadael: "*When the horse is dead, dismount*". Roedd un arall yn gweld mai dim ond cymunedau bychain cenhadol fyddai'n bodoli yn y dyfodol, ochr yn ochr â rhai eglwysi traddodiadol, "rhyw gymunedau oedd yn mynnu dal yr hen ffordd o fyw... rhyw ynysoedd mewn môr o bobl oedd ddim yn malio dim amdanynt". Am y rheswm yma, roedd arweinwyr yr Egin Eglwysi yn gwrthwynebu pob ffurf draddodiadol, pethau oedd yn perthyn i ddoe ac yn aneffeithiol. Nid oedd pobl Cymru yn gwrthwynebu Iesu fel y cyfryw, ond yn gwrthwynebu'r strwythur crefyddol oedd yn ei gynrychioli.

> "Yn y pentref yma, roedd dros 80% o'r rhai ymatebodd i'r cyfrifiad yn dweud eu bod yn Gristnogion. Mae hynny'n rhyfeddol. 80%, felly nid yw pobl yn erbyn Duw, mae pobl yn erbyn yr hyn y mae'r eglwys sefydledig yn ei gynrychioli."

Roedd arweinwyr yr Egin Eglwysi yn disgwyl i gyfnod y capeli Anghydffurfiol a'u traddodiadau i ddod i ben yn fuan, ac o ganlyniad, roeddent yn paratoi strwythurau hyblyg fyddai'n rhoi perthnasedd cyfoes i'r ffydd Gristnogol: "Nid wyf yn digalonni fod yr eglwys ar farw.... Rwy'n credu y bydd hi'n anodd diffinio sut y bydd pethau'n edrych i'r dyfodol". Roedd y bobl yn cydnabod fod y gobaith i weld pobl yn ymateb i gariad Duw trwy weld y cariad yma'n cael ei fynegi yn sicr ddim yn warant o gynulleidfa yn y dyfodol: "P'un ai a yw hyn yn golygu y byddant yn dod yma ar y Sul neu beidio, dwn i ddim fydd hynny'n digwydd. Efallai y bydd yn digwydd, ond rwy'n awyddus i weld dylanwad cariad Duw yn llifo trwy'r pentref yma, dyna fy ngweledigaeth."

Problem Egin Eglwysi, mae'n debyg, yw bod pobl Cymru ddim eto yn barod i newid. Mae'r eglwysi yma wedi cael anhawster mawr i luosogi, ac mae eu breuddwyd o drawsnewid cymunedol yn parhau yn freuddwyd. Mae'r atgof a'r etifeddiaeth o draddodiad y capel wedi golygu nad oedd cymunedau Cymru yn barod ar gyfer y dull newydd hwn o ymagweddu.

Addasu i Agweddau Daearyddol y Cyd-destun Cymreig

Mae Egin Eglwysi Cymru yn gweithio yn rhai o ardaloedd difreintiedig y wlad, yn benodol yn y dinasoedd a'r Cymoedd ôl-ddiwydiannol. Roedd ffocws y gwaith ar y cymunedau bychain yr oeddent yn eu gwasanaethu, ac mae natur eu cenhadaeth yn dangos parodrwydd i addasu i le, i ardal ac i gymuned. Nid oedd yna unrhyw ymdrech i weithio mewn ardaloedd eang. Mae natur y cymunedau bychain yma'n golygu y gallai'r eglwysi yma luosogi'n rhwydd i wasanaethu cymunedau eraill. Wedi dweud hyn, yn eu hymdrech i fod yn gyd-destunol, yr oedd eu cenhadaeth wedi ei addasu i gymuned benodol, ac i hanes y gymuned honno.

Addasu i Agweddau Ethnig y Cyd-destun Cymreig

O ran yr Egin Eglwysi a ymatebodd i'r holiadur, ynghyd â'r cyfweliadau, yr oeddent i gyd yn ne Cymru ac mewn ardaloedd oedd wedi gweld mewnlifiad sylweddol. Felly, 'doedd yna ddim cyfeiriad at Gymreictod fel y cyfryw, ond roedd yna ymwybyddiaeth o ethnigrwydd Cymreig sy'n deillio o hanes. Mae yna ymwybyddiaeth o hanes a diwylliant yn greiddiol i'w diddordeb mewn modelau Celtaidd o ysbrydoledd a chymuned. Yn yr un modd, roedd yr Egin Eglwysi sy'n gwasanaethu cymunedau yn y Cymoedd ôl-ddiwydiannol yn ymwybodol o hunaniaeth sydd wedi ei sylfaenu ar hanes diwydiannol a'i etifeddiaeth. Gwnaeth un eglwys ymdrech i weithredu yn genhadol trwy ymateb i etifeddiaeth negyddol cau'r pyllau, tlodi a diweithdra. Gwnaed ymdrech i geisio pwysleisio'r hyn oedd yn dda yn y gymuned trwy edrych ar beth oedd y cyfleoedd, yn hytrach na beth oedd yr angen. Roeddent yn cynnal dydd hwyl i'r teulu bob blwyddyn, gyda chystadleuaeth ffotograffiaeth wedi ei ganoli ar yr ardal: "Mae hwn yn gyfle i'r bobl weld eu bod yn byw mewn ardal hardd. Peidiwch â gwrando ar y rhai sydd am ddweud yn wahanol". Mae'r ymwybyddiaeth o gymuned fechan yn y Cymoedd yn rhywbeth sy'n naturiol rwydd i Egin Eglwysi i uniaethu ag ef, a thrwy hynny uniaethu gyda mynegiant lleol o Gymreictod: "Mae pobl yn teimlo eu bod yn ymfalchïo eu bod yn Gymry ... Mae yna ymwybyddiaeth eu bod yn gorfod brwydro dros eu hawliau." Nid oedd y sylwadau yma yn ddim gwahanol i sylwadau'r grwpiau eraill yn eu hagwedd at genhadaeth, ond mae parodrwydd yr Egin Eglwysi i fyw fel rhan o fywyd y gymuned yn golygu bod uniaethu gyda'r cymunedau hynny yn flaenoriaeth iddynt.

Addasu i Agweddau Ieithyddol a Diwylliannol y Cyd-destun Cymreig

Roedd pob un o'r Egin Eglwysi yn ardaloedd Saesneg de Cymru. Roedd yna gymuned oedd yn addoli yn Gymraeg yn bodoli yng ngogledd Cymru am ychydig, ond wedi cau cyn cynnal yr Arolwg. Mae'n deg dweud fod pobl mewn cymunedau oedd yn parhau i ystyried y traddodiad Anghydffurfiol Cymraeg fel rhan o'r diwylliant yr oeddent wedi ei etifeddu, yn amheus iawn o ffurfiau a gweithgarwch Egin Eglwysi. Fel y gwelwyd ynghynt, gwelwyd yr Egin Eglwysi yma fel dieithriaid, fel rhywbeth Seisnig, fel rhywbeth oedd yn berygl i'r ffordd yr oedd pobl wedi arfer deall yr eglwys.

Mae rhai o arweinwyr yr Egin Eglwysi yn mynegi'r gwrthwynebiad i'r iaith Gymraeg sydd i'w weld o bryd i'w gilydd yn y Cymoedd. Roeddent wedi gwreiddio yn y cymunedau ac yn falch o'r Cymreictod a'u traddodiadau, ond eto nid oedd y traddodiadau diwylliannol wedi eu ffurfio gan iaith. Mynegwyd diwylliant y cymunedau yma trwy rygbi, a'r diwylliant sy'n mynd gyda hynny: "Mae yna elfen gref o chwaraeon yn y pentref, mae rygbi yn rhywbeth Cymreig iawn. ... Rhywbeth arall sy'n Gymreig wrth gwrs yw'r dafarn gymunedol, ac yn y pentref yma, mae'n chwarae rhan amlwg." Roedd yr Egin Eglwysi yn rhan o gymunedau o'r fath, ar wahân i un oedd yn cyfarfod mewn galeri gelf ac yn gysylltiedig â diwylliant celfyddydol trefol. Roedd addasiadau i iaith a diwylliant, felly, o fewn y cymunedau trefol yma ac yn adlewyrchu eu blaenoriaethau. Mi fyddai'r agweddau tuag at yr iaith Gymraeg a'i diwylliant, fel y disgrifir uchod, yn sicr o esgor ar wrthwynebiad y tu allan i'r ardaloedd Seisnig a threfol yma. Mae'n amlwg fod yr Egin Eglwysi yn cael anhawster gydag agweddau ieithyddol a diwylliannol y cyd-destun Cymreig, materion na welwyd fel anhawster mewn rhannau eraill o'r Deyrnas Unedig.

Addasu i Agweddau Cymdeithasol y Cyd-destun Cymreig

Gan eu bod wedi eu lleoli mewn cymunedau anghenus iawn, roedd yr Egin Eglwysi yn ymwybodol iawn o'r cyd-destun cymdeithasol, yn enwedig felly yn y Cymoedd ôl-ddiwydiannol. Mae nifer yn gwneud sylw ar "deimlad cymunedol" ardaloedd o'r fath, gan geisio addasu i hyn.

> "...er ein bod yn byw mewn dydd pan mae cymunedau yn tueddu i fod wedi chwalu a theuluoedd yn chwalu, yma mae yna ymwybyddiaeth o deulu ac o gymuned. Mae'n debyg y gallech gyfeirio at hyn fel rhywbeth llwythol, ond mae'n parhau yn yr ardal yma. ... Mae gan bobl rwydwaith o berthnasau yn barod".

Roedd yr Egin Eglwysi yn ceisio cysylltu â'r patrymau yma o berthynas trwy "gamu i mewn i'r gymuned, ymwneud i'r graddau eithaf ym mywyd y gymuned trwy gymryd rhan yn yr hyn oedd yn digwydd yn barod, trwy geisio gwneud yr hyn sy'n diogelu'r ymwybyddiaeth gymunedol". O fyw yn y cymunedau, roedd ganddynt, wrth gwrs, fynediad i'r rhwydweithiau oedd yn bodoli yno. Eu bwriad oedd modelu ffordd o fyw sy'n wahanol: "nid oes angen i chi feddwi bob penwythnos, mae yna ffordd arall o garu eich gilydd". Disgrifir eu hymwneud fel "cynnal y fynwent (roedd ei hesgeuluso yn ofid mawr i'r trigolion lleol)", rhannu bwyd, adfer tai, clybiau celf, ailgylchu dodrefn, ynghyd â champfa ar gyfer iechyd a ffitrwydd, technoleg gwybodaeth, gwnïo, cyrsiau iaith, a gweithiwr ieuenctid oedd yn gwasanaethu fel hyfforddwr rygbi i'r tîm lleol.

Yn ddiamheuol, mae'r amrediad yma o wasanaethau cymunedol gan grŵp cymharol fychan yn rhywbeth nodedig iawn. O weithio o'r tu mewn i gymunedau, fel rhan o'r cymunedau, mewn ffordd fechan a hyblyg, mae'r grwpiau yma'n mynd i addasu i gyd-destun trefol a chyd-destun y Cymoedd yn effeithiol iawn. Mae'n gwestiwn a fydd grwpiau fel hyn yn medru parhau yn y tymor hir, yr un modd ag y mae'n gwestiwn a ellir cymhwyso'r model i ardaloedd mwy cefnog, mwy gwledig, neu i ardaloedd lle mae'r iaith Gymraeg yn parhau i ffynnu, gan fod nifer yr eglwysi yn lleihau.

Addasu i Agweddau Gwleidyddol y Cyd-destun Cymreig

Roedd un o'r Egin Eglwysi, sydd bellach wedi cau, ynglŷn â gwaith oedd yn protestio yn erbyn caethwasiaeth a marchnata pobl. Roedd yna nifer o ddigwyddiadau, gan gynnwys protest y tu allan i *Primark*, ynghyd â ffug-arwerthiant o gaethweision y tu allan i lyfrgell. Roedd un arall o'r arweinwyr yn y Cymoedd wedi bod yn weithgar iawn gyda'r Blaid Lafur, ond oherwydd ymdrech i orfodi ymgeisydd arnynt o'r tu allan, penderfynodd symud tuag at weithredu anwleidyddol. Roedd yna arweinydd arall wedi cynnig sefyll fel ymgeisydd yn y cyngor lleol ond gwrthwynebwyd yr ymdrech gan nad oedd yn aelod o'r Blaid Lafur.

O'u cymharu â'r grwpiau eraill a'u *Dull* o ymagweddu at genhadaeth, mae'n amlwg mai'r Egin Eglwysi yw'r rhai oedd yn ymwneud fwyaf ar y lefel leol gan ymgyrchu dros anghenion y cymunedau (Siart 47). Mae'n gwestiwn a yw gweithredu o'r fath yn addasiad i'r hyn sy'n greiddiol i gyd-destun gwleidyddol Cymreig. Mae eglwysi mewn cyd-destunau cenedlaethol eraill, yn arbennig mewn ardaloedd o dlodi eithafol, yn sicr yn weithredol yn wleidyddol mewn ffordd debyg. Mae'r ffaith nad oes fawr yn y gymuned sydd â diddordeb gwleidyddol cysylltiedig ag iaith, diwylliant ac annibyniaeth genedlaethol, yn golygu fod yr angen i addasu i gyd-destun gwleidyddol Cymreig yn llai.

Adlewyrchu ar *Ddull* yr Egin Eglwysi o ymagweddu

O fod yn rhan o fywyd y gymuned leol, mae'r Egin Eglwysi yn arddangos lefel uchel iawn o addasu i'w cyd-destun, ac o uniaethu gydag anghenion cymdeithasol eu cymunedau. Mae eu *Dull* o ymagweddu at genhadaeth yn arddangos lefel uchel o ymrwymiad i drawsffurfio'r cymunedau hyn. Er hynny, mae patrwm y genhadaeth yn rhedeg ar draws cyd-destun crefyddol Cymru, hyd yn oed yn yr ardaloedd mwyaf seciwlar a Seisnig. Oherwydd natur eu neges, ychydig sydd wedi eu hychwanegu i'w nifer o'r cymunedau hynny. Mae cenhadaeth heb neges yn golygu nad yw'r eglwys yn cael ei hadeiladu. O ganlyniad, ni welwyd lluosogi ar y nifer o eglwysi, ac roedd y gobaith am fudiad oedd yn mynd i drawsnewid tirwedd eglwysig a chenhadol Cymru ar gychwyn y mileniwm wedi pylu erbyn diwedd y degawd. Nid oedd Cymru'n barod, neu nid oedd yn dir da i hadau cenhadol Egin Eglwysi.

Adran Tri:

Cenhadaeth newydd: I ble'r awn ni o'r fan yma?

Bydd yr Adran yma'n ystyried y rhagolygon ar gyfer yr eglwysi yng Nghymru yn y degawd nesaf. Byddwn yn ystyried y gwersi sydd i'w dysgu o'r addasiadau a wnaed i'r Agweddau gwahanol o gyd-destunau Cymreig gan y grwpiau gwahanol sy'n ymagweddu at genhadaeth, ac yn adlewyrchu ar nifer o faterion heriol sydd wedi codi. Mae rhai o'r atebion yn codi yn naturiol o'r atebion a roddwyd i'r holiadur a'r cyfweliadau, ond bydd y rhain yn cael eu miniogi a'u datblygu o ystyried yr ymatebion yn y Cyfarfodydd a gynhaliwyd yn 2015. Mae'r Cyfarfodydd yma yn cynrychioli un ar bymtheg o gynulliadau rhanbarthol, dau yn y Gymraeg, oedd yn gwahodd sylwadau ac ystyriaethau ar gyflwr presennol yr eglwysi yn eu hardal, sut mae'r sefyllfa'n debyg o ddatblygu dros y degawd nesaf, a pha gamau sydd angen eu cymryd yn awr er mwyn paratoi'n briodol ar gyfer y sialens sy'n ein hwynebu. Mae'r agweddau sy'n cael eu cynnig yn gadarnhaol, ond ar yr un pryd yn awgrymu bod rhaid i eglwysi a grwpiau o eglwysi gymryd camau pellach yn y dyfodol.

Mae effeithiolrwydd amrywiol y chwe *Dull* o ymagweddu yn awgrymu rhai pethau y dylid eu hosgoi, ynghyd â rhai pethau y gellir eu mabwysiadu, ond mae unrhyw enghraifft o 'ymarfer da' angen eu cymhwyso ar gyfer y cyd-destun lleol. P'un ai deallir cenhadaeth effeithiol yn nhermau dylanwad yr eglwys ar ei chymuned, neu ei hymdrechion i efengylu fydd am ddiogelu ei pharhad a'i thwf, bydd y gallu i roi'r cyfan mewn cyd-destun yn allweddol. Mae Robinson yn gosod y sefyllfa allan yn glir:

> "... nid yw'r ateb i'r cwestiwn o ddirywiad yr eglwys yn gorwedd mewn rhaglen benodol na model benodol o eglwys. Yn hytrach, rhaid i ni ddysgu sut mae gwneud cenhadaeth – yn ein cyd-destun diwylliannol – a hynny wedi ei wreiddio yn ddwfn yn y lleol... y parodrwydd i gysylltu â, ac i wasanaethu ar lefel ddofn y cymunedau lle mae'r eglwysi wedi eu lleoli."[172]

172 M. Robinson, "Post Christian and Post Secular Europe," Ar y we: http://www.eurochurch.net/news/articles/post-christian-and-post-secular-europe.php.

Crefyddol: Y ffordd yr ydym yn gwneud ein gwaith fel Eglwysi

Yng ngolwg y rhai a ymatebodd yn Adran Un, a'r arweinwyr yn Adran Dau, mae cyd-destun crefyddol yr eglwysi yng Nghymru ar gychwyn yr unfed ganrif ar hugain yn ddigamsyniol. Nid yw Cymru bellach yn wlad o gapelwyr ac nid oes gan yr eglwysi y cryfder, y dylanwad na'r statws yr oeddent yn arfer ei fwynhau. Mae crefydd yn cael ei ymylu yn gynyddol mewn diwylliant unigolyddol. Yn ôl Chambers a Thompson, "mae seciwlareiddiaeth ddeifiol wedi cnoi yn ddwfn ac yn galed yng Nghymru".[173] Mae'r disgrifiadau o ddiffyg diddordeb, amheuaeth, a hyd yn oed gwrthwynebiad yn lleol, yn cadarnhau'r ffaith fod yna fwlch eang rhwng y diwylliant capel traddodiadol â'r Gymru gyfoes.

Roedd y capeli traddodiadol yn aml yn bodoli fel clybiau preifat, heb hyd yn oed hysbysfwrdd i wahodd nac i hysbysu ymwelwyr posibl. Os oedd ymwelwyr yn dod, yn aml byddent yn profi addoliad oedd yn anodd ei ddeall a'i ddirnad ac yn dod o oes wahanol, a hynny mewn iaith anghyfarwydd. Mae'r realiti am fywyd crefyddol wedi newid ac mae llawer o'r eglwysi wedi methu â newid gyda'r realiti yma. Mae'r genhadaeth yn yr eglwysi yma wedi bod gan fwyaf yn fewngyrchol gan ddibynnu ar wahoddiadau, dyletswydd, ac ymrwymiad teuluol i dynnu'r gymuned ehangach i mewn i'r gweithgareddau. Mae'r amharodrwydd neu'r analllu i addasu i'r realiti crefyddol newydd wedi arwain braidd at ddifodiant yr enwadau traddodiadol.

173 P. Chambers a A. Thompson, "Coming to Terms with the Past: Religion and Identity in Wales," *Social Compass* 53 (3 2005): 338.

Os nad yw eglwysi yn cael eu gweld fel rhai cyfoes a pherthnasol, byddant yn cael eu gweld fel rhyw atgof o'r oes a fu. Newid yw'r pris sydd angen ei dalu os ydym am oroesi:

Synnwyr o'r Sgwrs

Wrth ddisgrifio sefyllfa bresennol yr eglwysi traddodiadol, roedd yr arweinwyr yn ddiflewyn-ar-dafod:

"Mae 'na atgof pell, rhyw sentiment am gapel, ond o gloddio o dan yr wyneb mae 'na atgasedd. Does 'na ddim cariad tuag ato...Mae 'na rwystredigaeth... mae enwadaeth a'r system glerigol wedi marw ... Mae capelyddiaeth yn felltith yng Nghymru... Yr unig beth sydd o'n plaid yng Nghymru yw ein bod wedi syrthio dros y dibyn yn gyntaf ... Mae pobl wedi dechrau gweld na allwn barhau fel ag yr ydym". Er hynny, mewn deuddeg o'r Cyfarfodydd, roedd yna destunau anogaeth, gyda phobl yn dweud pethau fel, *"Rwyf braidd yn gobeithio, mewn deg mlynedd, y bydd llawer o ddrysau wedi cau go iawn... mae angen iddynt gau. Mae'n rhaid i ni godi a gwneud rhywbeth. Petai'r capeli ddim yno, mi fyddai 'na gyfle i wneud rhywbeth gwahanol... Bydd goleuni'r efengyl yn disgleirio'n gliriach ymhen 10 mlynedd".*

> "Bellach mae gennym eglwys fywiog sy'n gweithio gyda'r gymuned, ac yn gweithio gyda phobl go iawn. Nid ydym am eistedd i lawr yn gwylio ffilmiau du a gwyn am byth, ac nid ydym am i'r eglwys fod fel hynny chwaith, felly rydym wedi symud ymlaen, at genhedlaeth sydd wedi symud ymlaen."

Yn Saesneg, mae'r term "*missional*" yn disgrifio cenhadaeth holistaidd, lle mae eglwys, efengylu a gweithgarwch cymdeithasol yn cael ei gyfuno mewn sawl ffordd. Mae'r chwe *Dull* o ymagweddu at genhadaeth yn defnyddio'r term, ond yn ei ddefnyddio yn wahanol, gan adlewyrchu eu pwyslais arbennig hwy. Yr hyn sy'n cael ei gadarnhau gan bawb yw bod ein hoes ôl-Gristnogol yn galw am olwg at allan, yn hytrach nag edrych i mewn wrth fynegi ein cenhadaeth. Mae'r twf cymharol uwch sydd i'w gweld yn eglwysi E2 ac eglwysi Lausanne yn dangos fod yna arwyddion gobeithiol i genhadaeth eglwysig pan mae'n allgyrchol, yn ymestyn allan, yn efengylu ac yn gwasanaethu'r gymuned ehangach. Mae llwyddiannau'r ddau *Ddull* yma o ymagweddu i'w cymharu â methiannau yn rhai o'r gweddill lle mae cenhadaeth yn fwy traddodiadol ac yn fwy mewngyrchol.

Efengylu fel Elfen o Genhadaeth

Mae eglwysi E1, E2 a Lausanne yn rhoi'r flaenoriaeth bennaf i efengylu fel rhan, neu yn gyfochrog gyda'u cysylltiadau cymunedol. Yn yr eglwysi sy'n tyfu, roedd efengylu yn flaenoriaeth neu o leiaf yn rhannu'r flaenoriaeth gyda gweithgarwch cymdeithasol. Mae'r eglwysi hynny oedd yn rhoi llai o flaenoriaeth i efengylu ac yn llai uniongyrchol yn y gwaith, er enghraifft yn yr eglwysi Rhyddfrydol, *Missio Dei* a'r Egin Eglwysi, wedi gweld nad ydynt wedi tyfu ar yr un raddfa, os o gwbl. Mae efengylu, trwy ychwanegu pobl i'r eglwys leol a'i chenhadaeth, i'w weld fel rhywbeth angenrheidiol i barhad y genhadaeth honno.

Roedd rhai arweinwyr ac eglwysi yn ceisio efengylu y rhai oedd yn parhau yn y capeli fel maes cenhadol penodol, ond mae'r maes yma'n prysur ddiflannu. Roedd eraill sy'n arwain eglwysi traddodiadol yn ceisio cenhadu trwy weithgareddau newydd, a hynny yn eu hadeiladau presennol. Rhai enghreifftiau o'r rhain oedd *Llan Llanast*, neu oedfaon gwahanol, grwpiau gwahanol a chymunedau gwahanol. Yn yr eglwysi hyn, roedd ychydig o'r patrymau crefyddol traddodiadol megis emynyddiaeth, adeiladau, a chysylltiadau lleol yn cael eu cynnal, gan osgoi unrhyw amheuaeth yn lleol. Yn y ffyrdd hyn, roedd efengylu yn sensitif i draddodiad crefyddol Cymru i ffyddlondeb, i sentiment ac i ymwybyddiaeth pobl, lle byddai anwybyddu'r rhain yn arwain at ddieithrwch a'r dybiaeth fod y gweithgarwch yn Seisnig. Wedi dweud hyn, mae'r rhan fwyaf o boblogaeth Cymru naill ai erioed wedi bod yn yr eglwys neu wedi gadael yr eglwys, ac o ganlyniad, nid ydynt yn ymateb yn gadarnhaol i weithgareddau a rhaglenni sydd wedi eu lleoli mewn eglwysi. Yng nghyd-destun pobl sydd heb fod mewn eglwys, mae cenhadaeth yn golygu mwy nag addasu steil, symbolau neu bregethau mewn pulpud os yw am ennill gwrandawiad neu am gael dylanwad cadarnhaol mewn cymuned.

Synnwyr o'r Sgwrs

Roedd yna gonsýrn yn y grwpiau fod yr efengyl yn colli ei lle canolog, a bod yna ddryswch hyd yn oed ymhlith arweinwyr ynglŷn â beth yw'r efengyl. *"Mae'r efengyl sylfaenol fel petai'n gorfod eistedd yn y sedd gefn. Credo yn yr hyn sydd yn greiddiol. Mae uffern fel petai wedi diflannu o eirfa fy nhraddodiad i. Mae 'na bethau sy'n ymddangos eu bod wedi cael eu rhoi o'r neilltu ac o ganlyniad nid yw'r efengyl yn cael ei chyhoeddi gydag argyhoeddiad a grym" ... "Mae'r efengyl wedi colli ei grym. Mae'r eglwysi yn gwneud pethau ond rydym angen cael gafael ar yr efengyl a chyfathrebu'r efengyl honno. Rydym wedi colli golwg ar rannu'r efengyl gyda'n cymdogion"* a bod yna *"angen adfer hyder yn yr efengyl"*. Teimlwyd y byddai yna *"lai o eglwysi ond gwell eglwysi... rhai sy'n efengyl ganolog, yn canolbwyntio ar yr efengyl, ac yn cymysgu hynny gyda chonsýrn a thosturi tuag at y gymuned. Eglwysi sy'n edrych allan ac â hygrededd."*

Yn yr un modd, mae natur ein neges yn gofyn am gynnwys iawn, ac argyhoeddiad dwfn, ynghyd â gweithredu bwriadol ymhlith y rhai sy'n cenhadu. Ni fydd esgeuluso pwysigrwydd iachawdwriaeth bersonol, cymod gyda Duw sanctaidd, maddeuant, bywyd newydd a gobaith, yn rhoi unrhyw hyder na brwdfrydedd i'n cenhadaeth, ac yn sicr ni fydd yn perswadio'r gwrandawyr. Nid yw syniadau cyffredinol am gariad Duw, y ffaith ei fod yn ein derbyn ac ati, yn herio pobl gyda golwg ar eu hangen am ymateb clir, personol. Mae'n bosib nad yw annog pobl ar daith ysbrydol yn cynnwys unrhyw alwad am ymrwymiad na phrofiad a derbyniad gyda Duw. Roedd eglwysi E2 a Lausanne yn rhoi blaenoriaeth i'r elfennau hyn, ac felly ni ellir priodoli eu heffeithiolrwydd ymddangosiadol i'w gwaith cymdeithasol yn unig.

Gweithgarwch Cymdeithasol fel Elfen o Genhadaeth

Mae'r cofnod sydd gennym o weithgarwch a chysylltiadau eglwysi lleol gyda'u cymunedau yn dynodi eu bod wedi trefnu, yn wreiddiol beth bynnag, ac yn achos rhai fel blaenoriaeth ar gyfer eu haelodau a'u mynychwyr. Mae i fyny at bum gweithgarwch (plant, ieuenctid, yr henoed, cynghori a defnydd o'r adeilad) wedi eu dynodi yn y categori yma. O ganlyniad, roedd yr eglwysi oedd yn meddu pum cysylltiad, ac yn arbennig y rhai oedd â saith neu fwy o gysylltiadau, yn arddangos bwriad mwy clir i gysylltu â'u cymunedau, ac er lles y gymuned. O ystyried y canran ymhlith pob *Dull* o ymagweddu oedd yn tyfu (eglwysi 5:2: Siart 68) a'r canran oedd â mwy na phump neu saith o gysylltiadau (eglwysi >5, >7: Siart 69) mae'n amlwg fod yna gydberthynas. Eglwysi E2 oedd â'r rhan fwyaf o gysylltiadau gyda'u cymunedau, tra yr un pryd oedd â'r canran mwyaf o'u heglwysi yn eglwysi 5:2. Mae'r siartiau yn dangos yr angen i genhadaeth wneud cyfathrebu'r neges yn flaenoriaeth, tra bod twf eglwysi E2 a Lausanne yn dangos yn glir pwysigrwydd cenhadaeth mewn gair a gweithred, ac nid mewn gair neu weithred yn unig.

Mae gan eglwysi E2 a Lausanne hefyd amrywiaeth ehangach o raglenni gweithgarwch cymdeithasol. Nid yw'r flaenoriaeth isel sy'n cael ei roi i gyhoeddi mewn eglwysi *Missio Dei*, Rhyddfrydol ac Egin Eglwysi wedi arwain at ymrwymiad uwch mewn perthynas ag ymwneud â'r gymuned. I'r gwrthwyneb, mae'n amlwg mai'r eglwysi oedd yn gwneud y gwaith mwyaf gyda Banciau Bwyd, cyngor ar ddyled, llochesi dros nos, ailgylchu celfi, a rhaglenni mewn cydweithrediad ag awdurdodau lleol oedd yr eglwysi Lausanne ac E2. Mae'n amlwg fod y cymhelliad i efengylu yn rhoi gwell ysgogiad i ddarparu'r gwasanaethau yma i'r gymuned. Rheswm posibl am hyn yw bod y flaenoriaeth ar gyhoeddi yn troi golygon yr eglwys tuag allan, tra nad oedd yr eglwysi heb y flaenoriaeth yma'n cael eu hysgogi i newid ac i symud oddi wrth y byd Cristnogol mewngyrchol ei genhadaeth a'i bywyd. Hyd yn oed mewn Egin Eglwysi, ar waethaf y ffaith fod yr eglwysi hyn yn rhoi'r fath flaenoriaeth i gysylltiadau cymunedol, mae yna duedd i fynd yn fewnblyg os na roddir blaenoriaeth i gyhoeddi.

Mae'r diffyg o ran cysylltiadau â'r gymuned a gwasanaeth yn eglwysi E1 yn deillio o ddyhead i beidio defnyddio amser ac adnoddau allai effeithio yn andwyol ar eu gwaith o gyhoeddi. Wedi dweud hyn, mae'r diffyg ymwneud wedi arwain at sefyllfa lle'r oedd y gweithgareddau oedd wedi eu bwriadu i fod yn rhai oedd yn ymestyn allan i'r gymuned, p'un ai pregethu, gyda gwaith plant, ieuenctid a'r henoed, yn waith oedd yn cael ei gyflawni yn bennaf ar gyfer aelodau a gwrandawyr yr eglwysi eu hunain. Os uniaethir y cyhoeddi gyda phregethu o fewn i adeilad eglwysig, yn naturiol bydd hyn yn golygu pregethu i'r bobl sydd wedi clywed yn barod. O ganlyniad, ychydig o wrandawyr newydd sydd i'r math yma o gyhoeddi. Mae'n ymddangos na pherthyn i rai o'r eglwysi yma'r hygrededd cymdeithasol, ynghyd â'r berthynas gyda phobl, i sicrhau gwrandawiad ehangach. Nid yw'r Gymru seciwlar ôl-Gristnogol yn meddu ar y ffyddlondeb, na'r ymdeimlad o gyfrifoldeb, i fynychu lle o addoliad. Yn ôl arolwg *Tearfund* yn 2007, mae hanner y boblogaeth yn ystyried eu hunain fel rhai sydd wedi cefnu ar yr eglwys ac yn amharod i ddychwelyd. Os nad yw eglwysi yn barod i adeiladu pontydd i mewn i'w cymunedau, mae'n ymddangos na fydd y boblogaeth yn barod i ailystyried eu hymrwymiad Cristnogol, nac ychwaith yn agored i'r neges Gristnogol. Wedi dweud hyn, tra bod llywodraethau'n torri'n ôl ar wasanaethau cymdeithasol, mae'r cyfleoedd i eglwysi gysylltu â'u cymunedau, ac i effeithio'r cymunedau hynny, yn cynnig cyfleoedd agored i genhadaeth:

> "Yng Nghymoedd Cymru, mae'r eglwysi'n cael y cyfle i gyrraedd angen nad oes neb arall yn ei gyrraedd. Mae'r sefyllfa eithafol yma'n sefyllfa sy'n cynnig cyfle i bobl Dduw ac yn rhoi lle inni gyfarfod â'r angen y mae pobl yn galw amdano. Yn sicr, mae'r cyngor lleol yn gweld perthnasedd ein gwaith. Yn ein cwm ni, yr eglwys sy'n rhedeg yr unig Fanc Bwyd."

Bydd dyfodol cenhadaeth yng Nghymru yn mynnu ein bod yn cyfuno cyhoeddi gyda darparu ar gyfer angen cymunedau.

Y Gwyrthiol fel Elfen mewn Cenhadaeth

Disgrifiwyd twf rhyngwladol eglwysi Pentecostalaidd a Charismataidd yn Adran Un. Mae eu dynesiad hwy at genhadaeth yn rhoi blaenoriaeth uchel i'r goruwchnaturiol ac arwyddion gwyrthiol fel ffyrdd o gadarnhau eu neges. Mae McClymond yn disgrifio sut mae'r dull yma o ymagweddu wedi ei wreiddio mewn ymdrech i ddarganfod dull y Testament Newydd o ymagwedddu a llwyddiant cenhadol eglwysi'r Testament Newydd:

> "Mae traddodiad cenhadol *carismataidd* yn amlwg yn ystod dwy ganrif gyntaf bywyd yr eglwys ac wedi ei ailddarganfod yn ystod y 150 mlynedd ddiwethaf mewn symudiad cenhadol Efengylaidd ymhlith Cristnogion Pentecostalaidd a Charismataidd. Hanfod y ddealltwriaeth yma yw bod cyflwyniad llafar o'r newyddion da yn cyd-fynd gan arwyddion gweladwy o bresenoldeb a grym Duw".[174]

Yn ystod y 1980au, defnyddiodd Wimber y term "efengylu â grym" i ddisgrifio'r cyfuniad sydd rhwng efengylu ar sail cyhoeddi a gweithgarwch goruwchnaturiol. Mae'r traddodiad yma wedi'i gynnal ac wedi ei hybu gan rwydwaith *New Wine Cymru* (NWC), sy'n pwysleisio pwysigrwydd

174 McClymond, "Mission and Evangelism," yn McDermott, *Evangelical Theology*, 5.

y gwyrthiol ym mywyd a chenhadaeth yr eglwys leol, a hynny fel ffordd o sicrhau gwrandawiad i neges yr eglwys. Nid oedd cwestiwn penodol ar y dull yma o ymagweddu at genhadaeth yn Arolwg *Cymrugyfan* 2012, ond mae rhai o'r ymatebion i'r holiadur a'r cyfweliadau yn cyfeirio at y gwyrthiol, hyd yn oed os yw hynny ddim ond ar lefel storïol.

Mae'r agwedd yma at genhadaeth yn ceisio ailgysylltu'r elfennau goruwchnaturiol yn y Testament Newydd, a hynny er mwyn i ni weld yr un canlyniadau i'n gweithgarwch. Byddai arweinwyr Pentecostalaidd, sawl un yn rhan o NWC, yn dal argyhoeddiadau o'r fath, neu o leiaf yn credu hynny, a byddai sawl un yn ceisio eu gweithredu hefyd. Mae NWC, yn ei "Fwydlen Iacháu", yn annog amrywiaeth o weithgarwch sydd wedi'i fwriadu i arddangos gwaith gwyrthiol yr Ysbryd Glân y tu allan i gyd-destun yr eglwys ym mywyd y gymuned:

> "Mae'r Fwydlen Iachau ac Efengylu wedi ei chynllunio gyda'r rhai sydd heb fod â chysylltiad â'r eglwys mewn golwg. Y bwriad yw i eglwysi lleol ddarparu amrywiaeth o gyfleoedd i bobl i dderbyn gweddi am iachâd ac i ddarganfod Iesu mewn ffordd naturiol, heb fod yn ymwthiol, ac mewn ffordd ymarferol o ddydd i ddydd".[175]

Mae gwefan NWC yn darparu ar ffurf podlediadau dystiolaethau o bobl yn cael eu hiacháu, a hyn yn arwain rhai i ddarganfod ffydd am y tro cyntaf. Mae rhwydwaith NWC, sy'n cynnwys mwy na 600 o arweinwyr eglwysig Pentecostalaidd a Charismataidd, yn cwestiynu sylw Bruce fod y Mudiad Carismataidd yn pylu wrth i chi symud o dde-ddwyrain Lloegr.[176] Nid yw'r adroddiadau am ychwanegiadau i'r ffydd Gristnogol o faint digonol i ddangos twf eang mewn eglwysi lleol. Wedi dweud hynny, mae'r dynesiad

175 "New Wine Cymru Healing: Healing Menu," http://newwinecymru.co.uk/healing-campaign/.
176 S. Bruce, "Religion in Rural Wales: Four Restudies," *Contemporary Wales* 23 (2010): 232.

yma mewn cenhadaeth gyda'r cysylltiadau lu i mewn i gymunedau yng Nghymru wedi datblygu i'r fath raddau fel y dylid ei ystyried fel dynesiad y dylid cymryd sylw ohono, nid yn unig i hybu'r neges Gristnogol ond hefyd i hybu gweithgarwch sy'n cyrraedd anghenion cymunedol.

Synnwyr o'r Sgwrs

Roedd y disgwyliad fod Duw yn cael ei weld ar waith mewn eglwysi yn rhoi hyder anghyffredin i bobl. Mae angen i bobl wybod sut mae Cristnogaeth go iawn yn edrych yn ymarferol. *"Mae 'na gyfleoedd yn y gymuned, maent yn barod i dderbyn yr eglwys ... Rydym wedi bod yn dychwelyd i faes iacháu, efengyl Iesu, teyrnas Dduw ... ac yn gweld hyn fel ffordd o gysylltu â phobl ac fel ffordd iddynt hwy weld Duw ar waith yn eu bywydau eu hunain. Mae 'na ysbrydolrwydd sy'n datblygu y tu allan, ond sy'n gwrthod ac yn cefnu ar Gristnogaeth draddodiadol."*

Plannu Eglwysi fel Elfen o Genhadaeth

Mae eglwysi Rhyddfrydol wedi cynnal mynegiant traddodiadol o eglwys a chenhadaeth. Ynghyd ag eglwysi *Missio Dei,* maent wedi bod yn brysur mewn ymdrechion eciwmenaidd i uno eglwysi ac enwadau cyfan er mwyn ateb y dirywiad. Ysgrifennodd Bosch, un o brif ladmeryddion *Dull Missio Dei* o ymagweddu, yn erbyn plannu eglwysi newydd. Mae'n honni, gyda dirywiad y byd Cristnogol, mai ymdrech gan yr eglwys i dynnu sylw at ei hunan fyddai plannu, ac yn fynegiant o awydd enwadau i ehangu eu dylanwad eu hunain. Yn ôl Bosch, mae angen i'r eglwys roi'r sylw i Dduw a'r hyn y mae Ef yn ei wneud yn y byd yn gyffredinol, heddiw ac yn y dyfodol.[177] Er hynny, yn y Testament Newydd, roedd eglwysi newydd yn ganlyniad anochel cyhoeddi efengylaidd. Yr eglwysi newydd yma oedd

177 Bosch, *Transforming*, 332.

tarddiad cenhadaeth ehangach, un oedd yn arwain at newid cymdeithasol, ac sydd braidd yn gwrthddweud yr hyn y mae Bosch yn ei ddadlau.

Fe ymdrechodd yr Egin Eglwysi i gychwyn o'r newydd ond bu iddynt wynebu anawsterau ac amheuaeth wrth iddynt geisio datblygu amlygiad newydd o eglwys leol yng Nghymru. Cyn y gall ffurf arall gymryd ei le, efallai bod angen i'r ffurf draddodiadol, gyda'r cysylltiadau negyddol sy'n perthyn iddi yn y meddwl Cymreig, gael ei anghofio gan y gymdeithas. Er, mae'r posibilrwydd wedi ei awgrymu fod y dirywiad sy'n cael ei brofi yn rhai o'r grwpiau yma, yn ganlyniad i agwedd amwys at efengylu. Mae hyn yn cael ei gefnogi gan y ffaith fod yr eglwysi sy'n pwysleisio efengylu, yn arbennig ymhlith Cymry di-Gymraeg, wedi goroesi a hyd yn oed yn tyfu. Nid yw cymunedau sy'n bennaf yn Gymraeg eu hiaith wedi ymateb mor bositif i'r modelau newydd, ac mae unrhyw ddatblygiad wedi bod gyda chenedlaethau iau. Nid yw'r un teyrngarwch i gapel y teulu yn nodweddu'r rhain, ac maent yn fwy agored i agwedd llai strwythuredig a mwy cyfoes yr eglwysi newydd. Mae'r eglwysi newydd yma wedi ennill tir mewn cymunedau traddodiadol a chymunedau iaith Gymraeg, ac yn aml, maent yn enghreifftiau o ail-blannu i mewn i adeiladau oedd mewn perygl o gau. Maent yn parhau i ddal at elfennau o'r capel Cymraeg traddodiadol ac yn dal at yr iaith lle mae hynny'n briodol. Mae cynulleidfaoedd o'r fath yn gyfoes o ran eu hagwedd, yn genhadol ond hefyd yn diogelu Cymreictod bwriadol.

Synnwyr o'r Sgwrs

Mae'r ffaith fod cymaint o gapeli traddodiadol yn cau, yn arbennig felly mewn ardaloedd gwledig, yn gwneud yr angen am blannu eglwysi yn flaenoriaeth. Gwnaed sawl cyfeiriad at Gymru fel *"gwlad o bentrefi"*, felly *"Ein disgwyliad yng Nghymru yw nid yn gymaint i weld eglwysi o filoedd, ond miloedd o eglwysi. Mae daearyddiaeth Cymru yn ein harwain i ddisgwyl grwpiau llai mewn amryw byd o gymunedau, ond grwpiau sydd wedi'u rhwydweithio o ran perthynas ac, o bryd i'w gilydd, o ran strwythur"*. Yr angen am *"ddechreuadau newydd mewn tir newydd, mewn tir sydd wedi ei ddefnyddio o'r blaen. Nid yw tir newydd bob amser yn bosibl, ac o ganlyniad, mae ail-blannu yn well"*. Mae plannu ar dir sydd wedi ei ddefnyddio'n barod yn golygu defnyddio safle capel presennol ac o ganlyniad, adeiladu ar gysylltiadau sydd eisoes yno yn y gymuned: *"Ail-blannu yw'r elfen allweddol"*. Ond, *"mi fydd angen ail-blannu i mewn i'r lleoliadau hynny sy'n cael eu gadael gan gapeli sy'n cau. Fe fydd adfywio lle mae pobl yn barod, ond ni fydd llawer o'r rhain. Mae'r dyddiau lle rydych yn parhau i aros nes fydd y capel yn cau cyn plannu yn dod i ben. Nid oes gan bobl ifanc unrhyw deyrngarwch i enwadau o gwbl"... "Mae angen modelau newydd arnom; o bryd i'w gilydd, rwy'n credu ein bod yn ceisio ail-greu'r gorffennol. Rydym yn ceisio ail-greu rhywbeth Fictorianaidd. Os awn yn ôl 100 mlynedd cyn hynny, roedd yng Nghymru y model o blannu eglwysi yr ydym bellach yn dyheu amdano."…. "Mi fydd eglwys newydd yn dod allan o'r hen un. Mae angen i'r eglwys newid, i ollwng gafael yn ei hadeiladau, a chael ei haileni yn ystafell ffrynt pobl". Mae Duw yn glanhau y tir i wneud gwaith newydd. Patrymau newydd o eglwys a gweinidogaeth … Grwpiau o bobl … Gweinidogaeth gwneuthurwyr pebyll, sydd ddim yn disgwyl cefnogaeth… Cynulliadau ar draws cymunedau fydd yn defnyddio'r we. Cymuned anffurfiol, nid capel. Aelodau yn gwneud gwaith y weinidogaeth, timau, yn defnyddio doniau ac yn dirprwyo cyfrifoldebau … Mi fydd newid yn galluogi newid. … Mae gennym hyder cryf … mewn Duw cryf. Ni ddylem golli golwg ar y Duw sy'n abl i wneud pethau newydd."*

Yn ôl Wagner, plannu eglwysi yw'r "ffurf fwyaf effeithiol o efengylu o dan y nefoedd",[178] ac os ydym yn dymuno gweld eglwysi byw mewn rhannau o Gymru sydd eisoes wedi, neu am fod heb eglwys o gwbl, mae'n debyg nad oes yna opsiwn gwahanol. Mae Timmis a Chester yn dadlau fod eglwysi newydd fel hyn yn annog ymrwymiad uwch nag eglwysi traddodiadol:

> "…mae plannu eglwysi yn creu symlrwydd sy'n osgoi'r synnwyr o gynnal yn hytrach na chenhadaeth - nid oes adeiladau drud i'w cadw a rhaglenni

178 C. P. Wagner, *Church Planting for Greater Harvest* (Glendale: Regal, 1991), 5.

> cymhleth i'w rhedeg... mae gweinidogaeth yr holl saint yn cael ei fynegi amlycaf mewn lle sy'n diogelu nad yw cyfraniad neb yn mynd ar goll."[179]

I Timmis a Chester, mae cymuned sy'n caru yn sylfaenol i dystiolaeth Eglwys, ac yn wir, dyma'r ddiffynyddiaeth orau, gyda rhagor o gymunedau eglwysig yn cael eu plannu fel canlyniad uniongyrchol.[180] I Van Gelder a Zscheile, mae plannu eglwysi yn weithgarwch angenrheidiol cenhadol, yn weithgarwch sy'n rhydd o'r heriau sy'n gysylltiedig â newid patrymau oesol eglwysi sefydledig.

Adlewyrchu ar yr Addasiadau i'r Cyd-destun Crefyddol

Os oes yna oroesi i fod yn y rhan fwyaf o ardaloedd Cymru i'r dystiolaeth Gristnogol i ganol yr unfed ganrif ar hugain, bydd eglwysi newydd a mynegiant newydd o eglwys a chenhadaeth yn hanfodol. Bydd yn angenrheidiol i eglwysi fod wedi cyfeirio at genhadaeth holistaidd, a hyn fel hanfod eu bodolaeth, yn hytrach na gweld cenhadaeth fel gweithgarwch i ddiogelu eu parhad. Bydd rhaid iddynt fod yn genhadol eu golygon, yn cael eu gweld fel eglwys gyfoes, berthnasol, sy'n rhan o'r gymuned, yn hytrach nag yn ddieithryn yno.

Mae'n ddiddorol fod arweinwyr *Dulliau* o ymagweddu at genhadaeth cyferbyniol i'w gilydd yn sylwi y bydd angen i'r eglwysi yn eu hardaloedd hwy, er mwyn goroesi, fod yn gyfoes a Phentecostalaidd, o'u cymharu â'r model traddodiadol o gapel Cymraeg/ Cymreig, model fydd wedi wynebu difodiant:

---

179 S. Timmis a T. Chester, *Gospel-Centred Church* (New Malden: Good Book Company, 2002), 90.
180 T Chester a S. Timmis, *Total Church: A Radical Reshaping Around Gospel and Community* (Leicester: IVP, 2007), 54-55, 64-66, 83-86.

> "Rhaid i mi fod yn onest, nid yw'r genhedlaeth bresennol o gapeli wedi gwneud unrhyw gymwynas â ni... mae'r genhedlaeth aeth o'n blaenau wedi dangos pa mor arwynebol oedd y cyfan. Bydd y dyfodol yn cael ei lunio gan eglwysi Pentecostalaidd sy'n addoli yn yr iaith Saesneg, gyda'r capeli marw wedi marw ac wedi cau".

Teimlwyd y byddai hyn yn cynrychioli "darlun llawer mwy eglur o'r hyn ag yw'r Efengyl Gristnogol". Hyd yn oed ymhlith y rhai nad oedd yn rhannu argyhoeddiadau diwinyddol yr eglwysi hyn, roedd yna gydnabod realiti'r sefyllfa:

> "Rwy'n credu na fydd rhai o'r eglwysi yma, gan gynnwys hon, mae'n debyg; ni allaf weld sut y byddant yma, a dweud y gwir... Ni allaf weld unrhyw barhad... Mae yna un eglwys efallai fydd yn parhau yma... nid ydynt yn Bentecostalaidd ond maent ar y trywydd hwnnw. ... Gallaf weld y bydd honno'n dal i fynd...".

Roedd yna hefyd ymwybyddiaeth nad oedd diwylliant y capel bellach yn berthnasol, a bod angen dull llawer mwy cyfoes o ymagweddu, a bydd angen i'r mynegiant fod yn Gymreig o ran teimlad, yn hytrach na Saesneg. Mae hyn yn cynrychioli tensiwn rhwng yr hen – ac mae yna deyrngarwch yn parhau i hynny – a'r newydd fydd yn llawer mwy ystyriol a chyfoes yng Nghymru. Mae'n her sy'n un benodol Gymreig, ac yn un fydd angen ei hwynebu mewn ffurf wahanol mewn gwahanol rannau o Gymru.

Daearyddol: Y lle y byddwn ni'n gwneud ein gwaith fel Eglwysi

Mae cyd-destun daearyddol Cymru wedi hyrwyddo synnwyr cryf o'r lleol, gydag ymrwymiad anghyffredin i'r *filltir sgwâr* neu'r *fro*. Yn wir, rydym wedi ceisio dangos fod *brogarwch* hyd yn oed yn gryfach na *gwladgarwch* mewn sawl ardal. Ond, rydym wedi gweld hefyd fod y syniad yma o'r lleol yn rhywbeth a welir hyd yn oed mewn ardaloedd trefol, lle mae cymunedau cyfochrog yn cael eu hadnabod fel pentrefi ar wahân. Mae'r math yma o synnwyr o'r lleol yn effeithio ar brofiad pobl ac ar y ffordd y mae pobl yn gweld heddiw ac yfory'r eglwys, ac wedi effeithio ar yr arweinwyr:

> "Mae'r rhai sydd wedi eu geni a'u magu yma fel petaent heb brofi'r byd go iawn. Maent mor ynysig. Rwy'n cofio dod yma am y tro cyntaf a chyfarfod â ffermwyr oedd erioed wedi bod allan o Gymru, a rhai ohonynt erioed wedi bod allan o ganolbarth Cymru."

Yn y Cymoedd, mae hyn wedi cynhyrchu ymwybyddiaeth gref o'r lleol, a chymdeithas sydd wedi ei chlymu'n dynn gydag amheuaeth o unrhyw beth sy'n dod i mewn o'r tu allan.

Felly, mi fydd y patrymau cenhadol sy'n effeithiol mewn ardaloedd eraill ym Mhrydain a thu hwnt, angen eu haddasu ar gyfer y cyd-destun Cymreig, ac yn arbennig felly ein hardaloedd gwledig. Mae anesmwythyd Rowan Williams gyda golwg ar gymhwyso rhaglenni trefol i gyd-destunau gwledig yn arbennig o berthnasol yng Nghymru:

> "Ni wnaiff y tro yn ein cenhadaeth i ni dybio fod efengylu a'r arfer o addoli yn y wlad yn mynd i fod yn rhywbeth y gellir ei drawsgludo yn uniongyrchol o'r

dref, heb sôn am y patrymau maestrefol; mae rhywbeth o'r rhwystredigaeth sy'n cael ei brofi mewn eglwysi gwledig yn gysylltiedig â hyn, ynghyd â'r disgwyliad fod y patrymau yma yn cael eu dwyn i mewn o le dieithr".[181]

Synnwyr o'r Sgwrs

Mi fydd gweinidogaeth yn rhan amser neu yn amser sbar, a byddwn yn plannu mewn timoedd sy'n byw yn lleol, neu sy'n symud i ymuno ag eglwys newydd: *"ni all fod ond yn lleol...mae'n rhaid annog ymrwymiad i'r lleol, yn hytrach na theithio o ardal wahanol. Mae angen i ni gyfarfod â phobl leol, gwneud disgyblion yn lleol, caru'r bobl leol"... "Mae angen i ni fyw ar flaen y gad, er mwyn cyrraedd anghenion penodol trwy ymwneud â'r gymuned leol."*

Mae'r datganiad yma'n berthnasol, nid yn unig gyda golwg ar y lleol, ond hefyd oherwydd y ffordd y mae dulliau dieithr yn cael eu dehongli'n lleol. Lle mae crefydd faestrefol yn bodoli yn ninasoedd Cymru, mae'r patrwm o eglwysi mawr, gyda rhaglenni ac adnoddau amrywiol, yn amhriodol, ac yn wir yn amhosibl mewn cymunedau llai. O fewn y cynefinoedd hyn, bydd angen ystyried yn ofalus sut mae gwneud cenhadaeth sy'n gyd-destunol a sut mae addasu i'r cymunedau hynny. Mae her eglwysi sy'n dirywio, y diboblogi sy'n digwydd yn yr ardaloedd gwledig, ynghyd â'r chwalu cymdeithasol, yn her gynyddol i genhadaeth yng Nghymru. Mae'r patrymau hanesyddol o eglwys yn gynyddol amhosibl i'w cynnal, tra ar yr un pryd, mae modelau trefol o eglwys a chenhadaeth yn anodd eu cyflwyno mewn sefyllfaoedd ehangach. Mae maint yr her o fewn cymunedau cymharol fychan Cymru yn amlwg yn yr holiadur a'r ymatebion i'r cyfweliadau, ac fe gyflwynwyd nifer o awgrymiadau.

181 S. Gaze, *Mission-Shaped and Rural* (London: Church House, 2007), x.

Polisi o Ganoli

Yn gyntaf, roedd yna weinidogion na welent unrhyw ddyfodol i eglwysi mewn cymunedau gwledig bychain. Efallai fod asesiad o'r fath yn deillio o naill ai besimistiaeth neu bragmatiaeth. Yn naturiol, roedd gweinidogion yr eglwysi Rhyddfrydol, pobl oedd ond wedi gweld capeli yn dirywio ac yn cau, yn agored am eu pesimistiaeth. Yn yr un modd, roedd arweinwyr traddodiadol *Missio Dei* yn gobeithio am bethau gwell, ond yn cael eu rhwystro gan strwythurau anhyblyg.

Roedd rhai eglwysi ac arweinwyr yn bragmataidd ac yn bositif am y problemau, gan gymryd agwedd wahanol. Os oedd gweinidogaeth a chenhadaeth yn anghynaladwy mewn ardaloedd gwledig bychain neu mewn cymunedau yn y Cymoedd, yna roedd angen i ganolfannau rhanbarthol wasanaethu ardal ehangach. Roedd un eglwys oedd wedi gwneud ymdrech i blannu eglwysi mewn cymunedau llai, er yn gyffredinol yn aflwyddiannus, yn gobeithio adeiladu adnodd cymunedol ar gyfer yr ardal gyda meithrinfa, campfa, caffi, ac adnoddau cynadledda. Y weledigaeth yma yw tynnu pobl i ganolfan ranbarthol yn yr un modd ag y mae ysbytai, archfarchnadoedd, ac ysgolion yn gynyddol yn tynnu pobl o ardal ehangach. Byddai'r adnoddau yn y ganolfan ranbarthol, a rhaglenni'n cael eu trefnu o'r fan honno, yn hytrach nag ymhob cymuned. Nid yw polisi o'r fath yn ceisio ymateb i gymunedau lleol neu i *frogarwch* ac mae'n debyg na fyddai ond yn apelio at y rhai hynny sydd â dymuniad i fod yn rhan o'r gymuned Gristnogol ac yn barod i deithio er mwyn sylweddoli hynny. Mae dull o ymagweddu o'r fath, os na fydd yn meddu ar sawl mynegiant lleol, yn mynd i fod yn aneffeithiol i ddarparu gweinidogaeth a chenhadaeth leol, ac eithrio tystiolaeth a gwasanaeth lleol y Cristnogion lleol sy'n teithio o'u cymunedau eu hunain. Mae'n anodd gweld sut gall cenhadaeth wasanaethu a thrawsffurfio cymunedau bychain o ddilyn y model hwn. Byddai pobl yn teithio i oedfaon ac i dderbyn gwasanaethau eraill, er enghraifft y Banc Bwyd, y gampfa, y feithrinfa, cynghori, ond mi fyddai adeiladu perthynas, gofal bugeiliol neu efengylu a chenhadaeth yn anodd. Mae'n bosib hefyd mai dim ond y bobl sydd wedi symud i'r ardal fyddai'n barod i deithio i'r ganolfan, gyda'r boblogaeth gynhenid yn gweld y teithio fel rhywbeth dieithr. Yn yr achos hwn, byddai cenhadaeth i gymunedau gwasgaredig yn parhau yn aneffeithiol.

Polisi o Luosiad

Yn ail, roedd yna arweinwyr oedd am weld cenhadaeth yn bresennol ac yn effeithiol yn lleol mewn trefi bychain a phentrefi. Iddynt hwy, roedd yn angenrheidiol fod cenhadaeth yn adlewyrchu, yn rhan o, ac yn cael ei berchnogi gan y gymuned leol. Ni ellir deall ambell gyd-destun ond o'r tu mewn i'r cyd-destun hwnnw. Mae cymunedau cenhadol bychain sydd wedi gwreiddio yn y gymuned yn debyg o fod yn fwy effeithiol nag eglwysi mwy sy'n casglu o amryw o gylchoedd.[182] Byddai'r eglwysi a'r arweinwyr yma'n darparu adnoddau ar gyfer cynulleidfaoedd rhanbarthol, neu gymunedau Cristnogol lleol, fel rhan o un strwythur eglwysig.

Mae i'r patrwm yma o genhadaeth leol hanes anrhydeddus yn y Gymru wledig. Roedd gan yr Anghydffurfwyr cynnar eglwysi sirol, ac roedd nifer o grwpiau bychain ar draws y cymunedau amrywiol yn perthyn i'r eglwysi sirol hyn, gydag un prif ganolfan a sawl mynegiant lleol. Yn yr ail ganrif ar bymtheg, gwelwyd yr eglwysi sirol yma ar draws siroedd Brycheiniog, Ceredigion, Caerfyrddin, Meirionnydd, Môn a Gorllewin Morgannwg. Roedd strwythur Methodistiaeth Galfinaidd gynnar gyda'i *seiadau* yn meddu'r un mynegiant lleol. Efallai bod y patrymau hanesyddol yma'n briodol unwaith eto yng Nghymru yn yr unfed ganrif ar hugain. Os felly, bydd yr eglwysi mwyaf, yn hytrach na thynnu pobl i mewn i'w heglwysi

182 Timmis a Chester, *Gospel-Centred*, 88.

o ardal eang, yn adnodd i gynnal grwpiau mewn ardaloedd gwahanol. Mi fyddai manteision canolfan fawr, gyda rhaglenni megis gweithgarwch ieuenctid, cynghori, Banc Bwyd, trwy hyn yn medru cael ei rannu ar draws ardal eang. Byddai'r cynulliadau lleol hefyd yn elwa o fod yn rhan o weledigaeth, gofal, ac arweinyddiaeth y corff canolog.

Mae Breen yn cyfeirio at y grwpiau llai yma sy'n "cylchdroi o amgylch yr eglwysi mawr".[183] I un arweinydd, mae grwpiau o'r fath yn hanfodol er mwyn gwneud cenhadaeth yr eglwys yn berthnasol ac o fewn gafael i fywyd pobl yn hytrach na dim ond yn wasanaeth sy'n cael ei ddarparu:

> "Fy ngweledigaeth yw gweld tŷ heddwch ymhob stryd yn (enw'r lle). Nid wyf yn credu fod awr ar ddydd Sul, neu awr a hanner ynghanol yr wythnos, yn ddigon i'r gymuned yr ydym yn ceisio ei chyrraedd. Mae angen modelu Iesu 24/7 ... Mae angen clywed amdano ond rydym angen gweld hefyd, ac ni ddigwydd hynny ond i'r graddau fod gennym grwpiau sy'n ymgnawdoli'r neges yn lleol."

Mewn rhannau eraill o'r Deyrnas Unedig a thu hwnt, mae eglwysi sy'n gweithredu'r model yma gydag amrywiaeth o gynulliadau, ond yn fynegiant o un eglwys ganolog. Efallai mewn rhai, ni fydd ond un neu ddau, tra mewn eraill mi fydd 'na gannoedd, i gyd yn fynegiant o'r un eglwys. Mae technoleg fodern, y defnydd o offer recordio ac yn y blaen, yn golygu y gall cynulleidfaoedd gwahanol dderbyn yr un safon o ddysgu ac o weledigaeth, a theimlo fel rhan o rywbeth mwy, er eu bod wedi eu gwahanu yn ddaearyddol. Wrth i rwydwaith band-eang cyflym ddatblygu ar draws Cymru, gellir defnyddio technoleg o'r fath mewn cymunedau gwledig gwasgaredig, ynghyd ag yng Nghymoedd y De i ddarparu dysgeidiaeth a pherthynas yn ganolog, gyda chenhadaeth, cysylltiadau â'r gymuned, a gofal bugeiliol yn cael ei fynegi yn lleol.

183 M. Breen, *Leading Missional Communities: Rediscovering the Power of Living on Mission Together* (Pawleys Island: 3DM, 2013), 10.

Synnwyr o'r Sgwrs

Roedd yna ymdeimlad cryf o'r angen i'r eglwysi cryfaf yn y dinasoedd a'r trefi mwyaf i dderbyn y cyfrifoldeb o ddarparu adnoddau i eglwysi, a thrwy hynny arwain at ffyniant yr eglwysi bychain. Mae hyn yn golygu bod eglwysi unigol yn ymestyn allan i ardaloedd cyfochrog, ynghyd â bod â diddordeb mewn ardaloedd mwy gwasgaredig, ardaloedd sydd ag angen sylweddol. *"Rwy'n disgwyl gweld yr eglwysi mawr yn ein maestrefi a'n dinasoedd, ond os na fydd yr eglwysi hynny'n sylweddoli eu cyfrifoldeb, yna bydd Cristnogaeth yn ddim ond rhywbeth ar gyfer y dosbarth canol. Mae yna lawer o bobl o'r Cymoedd yn mynd i lawr i'r math yma o eglwysi ... fel ag y maent yn teithio i weithio yn y dinasoedd ... Petai arweinwyr yr eglwysi hyn yn sylweddoli fod yna bobl yn dod o bob man ... yna dewch i ni gasglu pobl at ei gilydd i godi arweinyddiaeth o fewn yr ardal honno ac yna i wneud rhywbeth yn eu hardaloedd eu hunain. Fe all yr eglwysi yma fod yn gwasanaethu'r deyrnas mewn ffordd wahanol. Mae angen i eglwysi mawr gymryd risgiau mawr a rhaid iddynt fod yn barod i golli pobl"... "Twf trwy weld pobl yn symud i mewn, ond hefyd yn symud ar draws i ardaloedd lle nad oes yna eglwys Feiblaidd fel grŵp bychan. Mae yna rywbeth yno ar gyfer yr eglwys sydd am gymryd cyfrifoldeb dros eraill, o feddwl y tu hwnt i'w hadeilad eu hunain"... "Mae'r eglwysi mwyaf yn esgeulus o'r cyfrifoldeb i Jwdea ... Mae yna gyfleoedd, ond ychydig o weithwyr. Rhaid i ni gael eglwys sy'n barod i ddod ochr yn ochr â ni ... tybiaf y byddai yna fudd i'r ddwy ochr"*. Roedd yna deimlad fod angen i'r Eglwys gyfan gymryd cyfrifoldeb am ardaloedd oedd ag angen penodol. Roedd yna ran hefyd i eglwysi yn y cymunedau gwledig: *"Rhaid i ni feddwl fel cenhadon, p'un ai o eglwysi mawr neu fach... ... mae eglwysi sy'n wynebu difodiant lle'r ydan ni yn gweld ein hunain fel eglwysi sy'n darparu adnoddau ... efallai ein bod yn fach ond gallwn fod yn bwynt dylanwadol i'r cymunedau o'n hamgylch"*. Mae'r model sy'n cael ei awgrymu am hyn, rhywbeth sydd wedi ei ailadrodd yn sawl un o'r Cyfarfodydd, yn fodel sy'n awgrymu *"eglwysi mawr gyda grwpiau lleol"*, naill ai trwy weld pobl yn symud cartref, neu yn barod i deithio i ardaloedd mwy pellenig. *"Mae yna rywbeth mewn eglwys sy'n cymryd perchnogaeth a chyfrifoldeb dros ardal arall, yn meddwl y tu hwnt iddi ei hunan"*. I lawer, roedd hyn yn golygu sefydlu *"canolfannau"*, lle'r oedd *"pobl sy'n blwyfol iawn am eu lleoliad... yn cael eu gwasanaethu â gweinidogaeth sy'n addas i'r gymuned ond sydd hefyd yn cysylltu'r gymuned yna â chynulliad a strwythur llawer mwy"*. Fel arall, *"bydd yr ardaloedd gwledig yn cael pobl yn teithio dros ardal eang, felly mae angen mwy o bwyslais ar gymunedau Cristnogol, gyda chysylltiad â'r arweinyddiaeth ganolog. Grwpiau bychain gyda chynulliadau rhanbarthol. Mae pobl yn teithio i eglwysi llwyddiannus oherwydd y diwylliant yr ydym yn perthyn iddo. Mae angen i'r eglwysi cryfaf sefyll ochr yn ochr er mwyn adfywio. Mae angen gradd ehangach o rannu adnoddau ac o rannu pobl"*. Mae'n debyg nad oes yna fater sy'n fwy pwysig yn yr ardaloedd gwledig. Heb ystyried hyn o ddifrif, byddwn yn parhau i weld ardaloedd ac eglwysi yn *"dioddef o hanner canrif o esgeulustod gofalus"... "bydd y Cristnogion sydd ar ôl yn fwy tebygol o deithio ymhellach i'r eglwysi sy'n bodoli, ac wrth deithio, yn colli eu gwreiddiau yn lle mae'r eglwys i fod. Fe ellir mabwysiadau model cymunedol cenhadol lle rhoddir pwyslais ar adegau ac eithrio'r Sul. Yn yr wythnos, dyna lle mae'r credinwyr yn gwneud disgyblion. Trwy hyn, bydd yr eglwysi yn dod yn ganolfannau i arfogi. Ychydig o gost sydd gyda chymunedau bychain"*.

Polisi o Luosogi Celloedd Annibynnol

Y trydydd opsiwn yw lluosogi'r nifer o gelloedd annibynnol, neu eglwysi tai, ac o bryd i'w gilydd, gwneud hynny ar sail plannu eglwysi bychain. Byddai'r rhai cyntaf yn cyfarfod mewn cartrefi, lle byddai'r lleill yn cyfarfod yn wythnosol mewn safle cyhoeddus, a hyn yn dilyn y patrwm traddodiadol eglwysig yn well. Mae yna amrywiaeth o agweddau at eglwysi cell ac eglwysi tai wedi dod yn boblogaidd ym Mhrydain ac ar draws y byd ar ddiwedd yr ugeinfed ganrif a dechrau'r unfed ganrif ar hugain. Mae'r mudiadau yma'n cynrychioli symud sylweddol o'r strwythurau cynulleidfaol traddodiadol:

> "... roedd y grwpiau yma i ddod yn *brif fynegiant profiadol yr eglwys* yn hytrach nag un rhaglen oedd yn perthyn i'r eglwys. Mae pob un o'r grwpiau yma yn eglwys yn ei hunan. Mae hwn yn symud sylweddol."[184]

184 Hirsch, *Forgotten*, 46.

Roedd y celloedd, gan fwyaf, yn annibynnol, yn eglwys ohoni ei hun, neu mewn perthynas llac gyda rhwydwaith o eglwysi cell neu eglwysi tai eraill. Er hynny, ychydig o dystiolaeth sydd, fel yn achos yr Egin Eglwysi, fod celloedd o'r fath yn lluosogi yn llwyddiannus yng Nghymru yn negawd cyntaf yr unfed ganrif ar hugain.

Cychwyn a Darparu Adnoddau i Eglwysi Lleol

Mae Adran Dau yn dangos yr angen am fynegiant newydd a pherthnasol o'r eglwys fyddai'n effeithiol yn lleol. Gwelwyd yr angen am gychwyn newydd fel rhywbeth â brys ac yn angenrheidiol:

> "Bydd yna ffurfiau gwahanol, ond yr un egwyddorion yn yr un gwirioneddau, ond rwy'n medru rhagweld mewn rhai pentrefi bychain, grŵp tŷ, grwpiau bychan, a phresenoldeb mewn rhai llefydd penodol, yn wahanol iawn i'r hyn fyddai'r eglwys yn edrych fel ynghanol (enw'r dref). Rwy'n gweld yr angen i feddwl yn hyblyg, dal gafael yn yr athrawiaeth ond addasu'r ffurfiau i'r lleoliad penodol."

Fe ellir sefydlu celloedd bychain neu eglwysi mewn ardaloedd lle mae eglwysi wedi cau, neu ar gau, trwy gasglu gweddill y bobl o'r eglwysi hynny; trwy gasglu Cristnogion sydd wedi bod yn teithio i eglwysi y tu allan i ardal eu heglwys flaenorol yn y gymuned; neu gan eglwysi mawr yn adleoli aelodau i mewn i ardaloedd o angen. Fe all hyn fod yn ganlyniad i gynllunio strategol, unigolyddol, eglwysig, neu hyd yn oed enwadol, neu hyd yn oed yn ymateb ychydig o bobl sydd â chonsýrn, "y dyhead fyddai gweld Cristnogion yn profi'r baich i gychwyn eglwys newydd".

Synnwyr o'r Sgwrs

Mewn tri ar ddeg o'r Cyfarfodydd, roedd yna ymwybyddiaeth gref mai cydweithrediad ar sail perthynas oedd yr unig ffordd i gyfarfod ag angen Cymru. *"Wrth inni gydweithio, rydym yn gryfach. Pan mae eglwysi sy'n meddwl yr un fath, gyda'r un angerdd, yn dod at ei gilydd mewn eglwysi sy'n anrhydeddu Duw, mae 'na gryfder yn dod o'r berthynas. Mae eraill yn dod ac yn cael eu hannog gan y bywyd sy'n deillio o'r math yma o berthynas. Mae 'na rywbeth arbennig am rwydweithio ... cryfder anghyffredin"... "Nid brawdoliaeth yn unig yw hyn. Mae 'na berthynas ystyrlon, mae 'na rannu profiad, mae 'na wir gariad, a pherthynas ... mae 'na bartneriaeth yn yr efengyl".* Gwelwyd fod yr enwadau yn cydweithio'n gynyddol wrth i ffiniau enwadol gael eu torri i lawr. *"Bellach, mae'r gwaith i gyd yn deillio fwyfwy o berthynas o gyfeillgarwch a phartneriaeth. Yr ydym yn cenhadu allan o'n perthynas".*

Mae rhai arweinwyr ac eglwysi yn argyhoeddedig mai "eglwysi sydd i blannu eglwys", tra bod eraill yn gobeithio gweld cymunedau eglwysig yn datblygu yn fwy organaidd. I eraill, mae adnewyddu cymunedau presennol o fewn y capel, neu ail-blannu i mewn i adeilad sy'n cau, yn fwy addas. Byddai agwedd o'r fath yn rhoi cysylltiad parhaol gyda'r gymuned a chyda'r hanes, ac o ganlyniad, efallai yn rhywbeth y byddai'n cael ei dderbyn yn well mewn cymunedau mwy traddodiadol. Beth bynnag fo'r dynesiad, bydd yr ymdrechion yma i adnewyddu neu i ail-sefydlu cymunedau Cristnogol mewn ardaloedd lleol, yn ymdrech i wneud cenhadaeth o'r tu mewn i'r gymuned yn hytrach nag o'r tu allan.

Bydd cefnogi, hyfforddi a goruchwylio cynulleidfaoedd bychain fel hyn, ynghyd â'i arweinwyr, yn ffactor allweddol gyda golwg ar eu parhad a'u tyfiant. Lle mae cymunedau Cristnogol lleol yn fynegiant o un eglwys ranbarthol fwy, byddai cefnogaeth a hyfforddiant yn cael ei ddarparu gan y rhiant eglwys. Mi fyddai eglwysi newydd eraill yn edrych tuag at enwad, rhwydwaith, neu'r eglwys sydd wedi eu plannu. Mae eglwysi neu gelloedd sy'n cael eu ffurfio gan unigolion heb gysylltiadau ehangach o atebolrwydd, wedi bod yn agored iawn i dreialon ac yn arbennig i frwydrau mewnol. Mae rhai eglwysi'n cael eu goruchwylio gan dimoedd sydd â pherthynas bersonol ac yn aml â chysylltiad anffurfiol gydag arweinwyr lleol ac eglwysi, yn hytrach nag ymrwymiad enwadol traddodiadol.

Adlewyrchu ar yr Addasiadau i'r Cyd-destunau Daearyddol

Mae presenoldeb ymwybyddiaeth gref o'r lleol yn y rhan fwyaf o ardaloedd Cymru yn awgrymu y bydd angen i genhadaeth, ynghyd â'r eglwys, i fod yn lleol. Mae sefydlu canolfannau eglwysig mawr i dynnu Cristnogion o'u cymunedau lleol i addoli yn golygu, er mwyn elwa o genhadaeth, y bydd angen teithio. Am y rheswm hwnnw, mae'r math yma o ddynesiad yn mynd yn groes i'r cyd-destun daearyddol yng Nghymru. Roedd yna arweinydd eglwysig oedd wedi mabwysiadu polisi o'r fath yn mynegi rhwystredigaeth gydag aelodau ac arweinwyr oedd yn dod o ardal leol gan ddweud fod pobl o Loegr yn fwy rhagweithiol a brwdfrydig. Efallai fod hyn yn adlewyrchu ffactorau ethnig fydd yn cael ei ystyried yn yr adran sy'n dilyn, ond efallai ei fod yn arddangos amharodrwydd mewn pobl sydd â chysylltiadau lleol cryf i deithio ac i fod yn rhan o fodel o'r fath.

Gan fod Cymru yn wlad o bentrefi, mi fydd angen cenhadaeth leol. Mae'n ymddangos mai gweithgarwch sy'n anelu at adfywio, ail-blannu, casglu neu ail-leoli Cristnogion mewn cymunedau penodol lleol fydd yr unig ffordd i weld cenhadaeth yn addasu'n briodol i'r gymuned honno. Nid oes fawr o opsiynau eraill yn agored i ardaloedd gwledig nac ychwaith i gymunedau llai. Os yw cymunedau gwahanol ar draws Cymru yn mynd i elwa o'r genhadaeth Gristnogol, bydd yn angenrheidiol i'r genhadaeth honno fod yn lleol, ac wedi ei chyfeirio at anghenion a nodweddion penodol y lleoliad hwnnw.

Ethnig:
Pwy ydym ni'n eu cyrraedd?

Mae yna amrywiaeth o hunaniaeth ethnig wedi ei adnabod ymhlith y bobl sy'n byw yng Nghymru ac yn ardaloedd gwahanol Cymru. Mae'r hunaniaeth amrywiol yma'n cyfuno i greu ymwybyddiaeth genedlaethol gyfun, ond mae'r amrywiaeth yn ddarlun gwahanol, hyd yn oed yn ddarlun sy'n arwyddo anghytundeb ynglŷn â beth yw Cymreictod. Mae'r rhai sy'n gweld eu hunain fel rhan o Brydain hefyd yn cael eu hadnabod fel bygythiad mewn cymunedau sy'n gweld gwerth yn y Cymreictod a etifeddwyd ganddynt, ac yn wir yn destun gwawd yn y Cymoedd diwydiannol. Bydd angen i genhadaeth effeithiol addasu'n briodol i'r amryw ffyrdd hyn o ddeall hunaniaeth.

Synnwyr o'r Sgwrs

"Mae'r miloedd o Syriaid yma'n mynd i gyrraedd y Cymoedd. Mae angen i ni fod yn barod... ni fydd y rhai fydd yn eu croesawu. Rhaid i ni ddechrau hyfforddi... mae 'na don ar ôl ton o fewnlifiad wedi bod i'r Cymoedd. Mae ein cymunedau'n newid, felly mae'n rhaid i ni ddechrau meddwl am y modd y byddwn ni'n cynorthwyo gyda hyn. Mae'r lleiafrifoedd ethnig yn prysur ddod yn grwpiau sylweddol ethnig."

Mewn cymunedau cosmopolitanaidd, trefol, mae angen sensitifrwydd mewn cenhadaeth i'r lleiafrifoedd ethnig sy'n bodoli yn yr ardaloedd hynny. Er hynny, mater o drafodaeth yw a ddylai cenhadaeth i *ethnie* penodol fod yn gyfrifoldeb eglwysi gwahanol. Yng Nghaerdydd, er enghraifft, mae yna eglwysi ar gyfer grwpiau gwahanol wedi eu sefydlu ar gyfer pobl o gefndir Arabaidd, Tsieineaidd, Coreaidd, Persiaidd, ac o

Orllewin yr Affrig. Byddai eglwysi eraill yn annog integreiddio yn hytrach na datblygu ar wahân, ac yn gweld natur ryng-genedlaethol eu heglwys leol fel un o'u cryfderau a'u llwyddiannau ynghanol byd lle mae tensiynau hiliol ac amheuaeth yn bodoli.

Mae'r ymatebion gwahanol yma i'r amrywiaeth o hunaniaeth ethnig sydd yng Nghymru yn datgelu'r sialens mae hyn yn ei osod i'n cenhadaeth. Mae'r dyhead am weld amrywiaeth ethnig yn cael ei fodelu yn yr eglwys leol i'w gymharu i'r rhai sy'n cydnabod cymunedau gwahanol ac yn galw am eglwysi sy'n gweinidogaethu i un grŵp yn unig.

Polisi o Arwahanrwydd

Roedd rhai eglwysi, yn arbennig y rhai o gymunedau o fewnfudwyr mewn dinasoedd, neu eglwysi iaith Gymraeg yn *y Fro Gymraeg,* yn cyfeirio eu gweinidogaeth a'u cenhadaeth i un grŵp yn unig. Roeddent yn mabwysiadu, p'un ai o fwriad ai peidio, egwyddor Donald A. McGavran "*Homogeneous Unit Principle*" sy'n cynnal fod pobl yn dod i ffydd trwy eu diwylliant a'u hiaith eu hunain heb groesi ffiniau hil, iaith, dosbarth na diwylliant. Mae angen plannu eglwysi felly ar gyfer y diwylliannau a'r grwpiau iaith gwahanol yma, yn hytrach nag ar gyfer cymunedau aml-ieithog. Mae'n dadlau fod yr anghredinwyr yn deall yr efengyl yn well wrth iddi gael ei hesbonio gan eu pobl eu hunain.[185]

Mae rhai cymunedau Cymraeg yn ffurfio cymuned ar wahân neu gyfochrog i bobl sydd wedi symud i mewn o Loegr i'w hardal, ac mae rhai eglwysi Cymraeg wedi lleoli eu hunain o fewn grŵp ethnig er mwyn cyrraedd a gwasanaethu'r grŵp yna yn unig. Maent yn cynnal fod y

185 D. A. McGavran, *Understanding Church Growth* (Grand Rapids: Eerdmans, 1976), 167, 198-215.

gwahaniaethau yma yn rhodd gan Dduw a bod angen eu diogelu.[186] Mae Kreitzer yn cynnal fod eglwysi o'r fath yn arbennig o bwysig wrth ystyried plannu eglwysi,[187] rhywbeth sydd o bwys arbennig yn *y Fro Gymraeg*. Er mwyn i eglwys newydd fod yn effeithiol yn ei chysylltiad â'i chymuned, roedd hyn yn hanfodol i'w pharhad.

Polisi o Integreiddio

Dynesiad arall at hyn yw'r galwad am integreiddio, yn hytrach na gwahanu. Mae Malcolm yn ystyried y cymunedau Cristnogol fel rhai sydd "*mewn egwyddor* yn aml-ddiwylliannol".[188] Mae torri i lawr y muriau ethnig yn wedd hanfodol o'r efengyl, ac mae amddiffyn eglwysi sydd ond yn gweinidogaethu i un grŵp yn gwadu catholigrwydd yr Eglwys gan fod hyn yn ei hanfod yn torri ar draws y math yma o grwpiau. Mae Malcolm yn gweld integreiddio fel canlyniad anochel i waith yr Ysbryd, tra ar yr un pryd yn cydnabod yr angen i dderbyn y gwahaniaeth ac unigolyddiaeth; yn hyn, ceir undod mewn amrywiaeth. Mae'r math yma o agwedd gynhwysol yn cael ei weld fel un arbennig o bwysig mewn oes ôl-fodernaidd, lle nad yw plwraliaeth a gwahaniaeth bellach yn fygythiad:

> "Tra bod sefydliadau eraill yn dadwahanu, ac amrywiaeth mewn ysgolion a mannau gwaith, bydd cynulleidfaoedd sy'n cynnwys grwpiau o ddiwylliannau gwahanol yn gwneud mwy o synnwyr i'r genhedlaeth nesaf na

186 Jones, *Faith*, 86-88, 94, 206-207; Jones, *Crist a Chenedlaetholdeb*, 9-10, 30, 37, 46.

187 M. R. Kreitzer, *Good News for All People: Towards a Biblical Theology of Ethnicity and Mission* (Birmingham: Birmingham Theological Seminary, 2004), 5, 297.

188 L. Malcolm, "Raised for Our Justification: Christ's Spirit for Us and for All," yn *Created and Led by the Spirit: Planting Missional Congregations* (gol. M. Dreier; Grand Rapids: Eerdmans, 2013), 64-66.

chynulleidfaoedd sydd ond yn perthyn i un diwylliant."[189]

I eraill, mae cynulleidfaoedd sy'n gweinidogaethu i un grŵp yn ddim mwy na man cyfforddus diwylliannol, ar waetha'r ffaith fod hygrededd diwylliannol wedi arwain at dystiolaeth o dwf. Yn y diwedd, nid yw'n gwneud dim mwy o synnwyr yn nhermau Beiblaidd i gael 'eglwys sy'n addoli yn Saesneg' neu i gael 'eglwys Gymraeg' nag ydyw i gael 'eglwys gyfoethog' neu 'eglwys dlawd'. I'r gwrthwyneb, mi fyddai eglwys amrywiol yn elwa o her diwylliannau gwahanol. Dadl wahanol yw y gall eglwysi sy'n gweinidogaethu i un grŵp yn unig fodoli am gyfnod penodol, tra bod pobl yn addasu i arferion diwylliannol gwahanol, ond fod hyn yn cael ei adnabod "fel 'cartref hanner ffordd', gyda'r nod terfynol o sylweddoli un gymdeithas amlddiwylliannol.".

I'r rhai sy'n ceisio eglwysi a chenhadaeth aml-ethnig, roedd y dynesiad at un grŵp yn unig yn ymddangos bron yn hiliol, neu yn debyg i sefyllfa apartheid yn y gorffennol. Roedd hyn yn cael ei adnabod fel "newyddion drwg", gan achosi i Gristnogion i "fyw bywydau hunan-ganolog", ac nid oedd yn dymchwel muriau hiliol, diwylliannol a muriau dosbarth. Ni ellir ond cyfiawnhau sefyllfa o'r fath, yn y tymor byr, os byddai yn y pen draw yn arwain at eglwysi amlddiwylliannol ac aml-ethnig.

Mae'r dadleuon yma, er hynny, yn cymryd yn ganiataol nad yw'r eglwysi un 'ethne' yng Nghymru yn gweithio fel partneriaid, ac yn cydweithio ag eglwysi sy'n gweinidogaethu i grwpiau gwahanol lle mae hynny'n bosibl. A dweud y gwir, mae hyn wedi bod ymhell o'r gwir, gydag eglwysi yn cysylltu, a hyd yn oed yn plannu ar draws ffiniau ethnig. Mae Eglwys Efengylaidd ym Mangor wedi bod yn eglwys ddwyieithog, gyda grwpiau iaith yn cyfarfod ar wahân a chyda'i gilydd, ond bellach wedi penderfynu dod yn ddwy gynulleidfa sy'n gweinidogaethu i un iaith yn unig. Mae patrwm

189 Malcolm, "Raised for Our Justification," yn Dreier, *Missional Congregations*, 173-174.

tebyg i'w weld mewn nifer o eglwysi sy'n addoli yn yr iaith Saesneg yn ne Cymru, eglwysi a gychwynnwyd gan gynulleidfaoedd Cymraeg i wasanaethu'r mewnfudwyr o Loegr adeg yr ymestyniad diwydiannol. Mae eglwysi sy'n gwasanaethu grwpiau gwahanol yn gweithio gyda'i gilydd ar brosiectau megis Banciau Bwyd, cyngor ar ddyled, neu lochesi dros nos, ac mae'r rhain yn rhoi neges o undod a chydweithrediad yn hytrach na rhaniad. Mae cenhadaeth o'r fath yn mynegi undod rhwng eglwysi a Christnogion, tra ar yr un pryd yn parchu'r gwahaniaeth sydd mewn hunaniaeth. I McGavran, mae gweithio gyda grŵp penodol yn bont sy'n galluogi cenhadaeth ymhlith pobl o'r grŵp hwnnw. Mewn rhannau o Gymru, er enghraifft yn *y Fro Gymraeg*, byddai gweithio ar draws y ffiniau yma yn creu gwrthwynebiad ac yn cyfyngu ar effeithiolrwydd unrhyw genhadaeth. Yn sicr, byddai cydweithio cenhadol gan eglwysi sy'n gwasanaethu cymunedau Cymraeg a Saesneg yn medru bod yn fodel o gydweithio cymunedol sy'n lleihau amheuaeth a gelyniaeth. Mae gorfodi cymunedau at ei gilydd, neu fynnu fod rhaid cydymffurfio â phatrymau iaith pobl eraill, yn tueddu at gynyddu teimladau negyddol.

Os yw'r Eglwys mewn tref neu ardal yn cael ei gweld fel un yn ei chenhadaeth, ond yn canolbwyntio ar gylchoedd gwahanol o waith, mae'r cyhuddiad o weithredu'n groes i'r efengyl neu o esgeuluso elfennau hanfodol yn anodd ei gynnal.

Goblygiadau ar gyfer Arweinyddiaeth

Mae gallu'r arweinydd, ynghyd â pha mor dderbyniol yw'r arweinydd hwnnw, yn hanfodol i unrhyw genhadaeth. Mewn ardaloedd o Gymru lle mae ymdeimlad cryf o Gymreictod, p'un ai yn y Cymoedd ôl-ddiwydiannol neu yn *y Fro Gymraeg*, bydd y rhai sy'n arwain cenhadaeth yn cael eu gweld fel rhywun o'r tu fewn neu o'r tu allan, gan ddibynnu ar eu cefndir:

> "Mae'n cymryd ychydig o amser i bobl ymddiried mewn pobl o'r tu allan, yn enwedig gyda neges yr efengyl. Byddant angen gwybod i bwy mae'r bobl yma'n perthyn, oes yna unrhyw gysylltiadau â'r lle..."

Mae amheuaeth a hyd yn oed gwrthwynebiad yn realiti sy'n cael ei brofi gan y rhai sy'n gwneud cenhadaeth. Yn yr un modd, mewn cymunedau sydd â phoblogaeth amrywiol, naill ai yn yr ardaloedd trefol neu yn y cymunedau ar y ffin, byddai gweithio, gan anwybyddu anghenion rhai yn y gymuned, yn cael ei weld yn yr un modd yn beth dieithr iawn. Mae cyd-destun i fod i lywio'r modd yr ydym yn cyflawni ac yn arwain mewn cenhadaeth, a'r modd y mae arweinwyr yn cael eu hyfforddi.

O ganol y bedwaredd ganrif ar bymtheg, arweiniwyd gweinidogaeth a chenhadaeth gan weinidogion ordeiniedig yn y model traddodiadol o arweinyddiaeth a chenhadaeth yng Nghymru. Byddent wedi derbyn hyfforddiant ffurfiol mewn diwinyddiaeth, ond efallai na fyddai eu gwreiddiau yn y gymuned yr oeddent yn ei gwasanaethu. Roedd eu statws fel gweinidogion, a'u cymwysterau addysgiadol sylweddol, yn peri eu bod yn cael eu derbyn yn y cymunedau yr oeddent yn symud iddynt yn ystod eu bywyd proffesiynol. Nid yn unig mae dirywiad Anghydffurfiaeth wedi gwneud y math yma o weinidogaeth yn amhosibl yn ariannol, ond nid yw'r math yma o weinidogaeth a chenhadaeth yn ystyrlon rhagor, ar wahân i'r cymunedau traddodiadol lle mae'r hen batrymau yn parhau. Yn y Gymru ôl-Gristnogol, bydd angen i'r rhai sy'n arwain a gwneud cenhadaeth sicrhau derbyniad a hygrededd yn y lle maent yn gwasanaethu. Yn y Cymoedd, bydd cenhadaeth sy'n cael ei arwain gan bobl leol, sy'n cael ei arwain gan arweinwyr o'r cymunedau hynny, yn osgoi'r cyhuddiad o fod yn Seisnig, neu'r gwrthwynebiad o du patrymau hanesyddol o genhadaeth wedi ei ganoli ar weinidog. Yn *y Fro Gymraeg*, mae arweinwyr lleol yn osgoi gwrthwynebiad sy'n deillio o'r ofn sy'n gysylltiedig â chael ein gorthrymu gan Loegr. Er y cymhellion gorau, bydd unrhyw genhadaeth sy'n cael ei ddirnad fel rhywbeth Seisnig, rhywbeth sy'n arwyddo pobl ddieithr yn cymryd drosodd, yn cael ei wrthwynebu. Lle mae cenhadaeth eglwys yn cael ei drefnu, ei gynllunio ac yn cael ei ddarparu gan bobl ddi-Gymraeg, rhaid wrth ofal arbennig i barchu sensitifrwydd lleol. Bu i eglwys a blannwyd mewn ardal Gymraeg gan eglwys oedd yn agos i'r ffin â Lloegr gau oherwydd y sefyllfa yma:

> "...iddynt hwy, roedd eu bywydau wedi eu cysylltu yn agos, i'r Capel, ac nid oeddent byth am ddod yn aelodau nac yn rhan o eglwys newydd. Wrth gwrs, roedd y bobl oedd yn cychwyn y gwaith yn Saeson hefyd...".

Mae arweinwyr yr eglwys oedd yn plannu yn nodi'r sefyllfa'n glir:

> "Mae 'na fath o Gymreictod lle mae pobl yn anghyffredin o amddiffynnol... Mae fel petai'r bobl yma'n gweld ein gwaith fel yr oeddent yn deall yr ymosodiadau yn y gorffennol, yr ydych yn dod atynt gyda'r efengyl, ond i'r bobl hyn, mae yna awgrym o orthrwm ac mae hyn yn dyfnhau wrth i chi symud ymhellach i'r gorllewin."

Mae cynlluniau cenhadol sydd wedi eu gwreiddio yn Lloegr, ac yn yr achos yma mewn rhan arall o Gymru, yn cael eu gweld fel rhywbeth oedd yn awgrymu perygl mawr. Gwelodd yr arweinwyr, a'r dulliau a ddaeth o'r tu allan i Gymru, yr un math o wrthwynebiad.

Y tu allan i'r prif drefi a'r dinasoedd, bydd arweinyddiaeth, gweinidogaeth a chenhadaeth yn cael ei gyflawni yn gynyddol gan arweinwyr lleyg neu arweinwyr rhan amser. Bydd absenoldeb unigolion sy'n cael eu talu yn llawn amser, ac o ganlyniad yn cael amser i wneud pethau ar ran eu haelodau, yn cael eu cyfnewid am dimau o bobl leol. Mae manteision newid o'r fath yn nhermau cenhadaeth yn cael ei wneud gan y bobl i'r bobl yn amlwg. Yn sicr, nid yw Clerigiaeth wedi esgor ar berchnogaeth gyfun o genhadaeth yr eglwys.

Bydd angen i hyfforddiant arweinwyr a hyfforddiant eglwysi ar gyfer cenhadaeth fod yn un sy'n cymryd i ystyriaeth gyd-destun y sefyllfa leol, a bydd angen darparu'r hyfforddiant yn lleol. Ni fydd gan arweinwyr lleyg neu ran amser y rhyddid o ran amser nac adnoddau i fynychu hyfforddiant ymhell o gartref.

Yn yr holiadur a'r ymatebion i'r cyfweliadau ymhlith yr arweinwyr, cyfeiriwyd droeon at y diffyg hyder, ymrwymiad a dyfalbarhad oedd yn nodweddu'r Cymry o'u cymharu â'r rhai oedd wedi symud i mewn i'r eglwys a'r gymuned ehangach o Loegr. Mae un arweinydd yn disgrifio'r sefyllfa fel hyn:

> "...mae'r bobl yma'n amddiffynnol, gydag ychydig o fenter, yn bodloni'n rhwydd gyda'r hyn sydd ganddynt ...a bod yn gwbl onest ni allaf weld sut yn y byd i godi tîm o arweinwyr gyda dim ond Cymry arno. Mae unrhyw fywyd yn ein heglwys, unrhyw awydd cryf i ennill pobl i fynd allan atynt, yn dod oddi wrth y Saeson."

Mae un arall yn siarad am ddiffyg menter, a diffyg brwdfrydedd i newid pethau:

> "rwy'n credu fod gan Gymru'r agwedd 'fe wnaiff y tro' ... yr hyn sydd ganddynt yw'r hyn y byddant yn ei ddymuno, yn hytrach na mynegiant o rywbeth mwy. ... Nid ydym yn edrych am unrhyw beth mwy, nac unrhyw beth gwell. Oherwydd bod pobl yn wrthwynebus i newid... Mae'n ymddangos mai'r rhai anoddaf i'w hysgogi i newid yw'r rhai sy'n siarad Cymraeg."

Mae'r un nodwedd yn cael ei ddisgrifio yn y Cymoedd, lle mae cenedlaethau o ddirywiad a'r "meddylfryd eu bod o dan warchae" wedi cynhyrchu cenhedlaeth sy'n teimlo nad oes ganddynt ddim i'w gynnig, er bod yna ddoniau amlwg: "...Nid wyf yn credu y medrwch orbwysleisio'r gwahaniaeth a wnaeth cau'r pyllau... Rydym yn ddiwerth. Does 'na ddim disgwyliadau o gwbl." Mae un o'r arweinwyr yn disgrifio'r realiti yma gyda hiwmor arferol y Cymoedd: "Yn ôl *Murphy's Law* os all unrhyw beth fynd o'i le, fe aiff. Mae cyfraith Jones yn dweud fod Murphy braidd yn optimistaidd." Mae'r diffyg hyder yn cael ei adnabod fel rheswm i wahodd pobl i arweinyddiaeth, yn hytrach na gofyn i bobl wirfoddoli:

> "Mae'n rhyfedd, a dweud y gwir, mae 'na feddwl isel o'r hunan yma. Anaml y ceir unrhyw un i wirfoddoli i unrhyw beth, ond os gofynnwch i rywun, wel wir! ... Mae fel petai'r bobl yn tyfu i fod yn ddwy lath a hanner – mae'n meddwl ei fod yn ddigon da i rywun ofyn i mi. Mae'r fath olwg israddol ganddynt ar eu hunain, felly, wrth ofyn i rywun, rydych yn delio gyda pherson gwahanol. Mae'n anhygoel y gwahaniaeth mae hyn yn ei wneud."

Mae'n amlwg fod hyfforddi arweinwyr sy'n cadarnhau ac yn adeiladu hyder i arwain yn bwysig, ochr yn ochr â diwinyddiaeth systemataidd ac ymarferol. Efallai y bydd rhaglenni hyfforddiant neu agweddau at genhadaeth sy'n gweithio mewn cenhedloedd eraill yn methu â datblygu arweinwyr cenhadol yng Nghymru. Rhaid wrth lefel uwch o gadarnhau, o annog, ac o gefnogaeth tîm os oes yna ymwybyddiaeth o ddiffyg symud, o anobaith, neu o ddiffyg menter. Gellir priodoli hyn i achosion gwahanol, naill ai blynyddoedd o ddirywiad yn yr eglwysi neu ganlyniad i'r gorthrwm yn y gorffennol, ond mae galwad Dr Dilys Davies am ddarpariaeth ehangach ym maes iechyd y cyhoedd yn rhywbeth y dylem ni ei ystyried wrth feddwl am faes hyfforddi i genhadaeth.

Synnwyr o'r Sgwrs

Ymhob Cyfarfod, mynegwyd consýrn am yr angen am hyfforddiant perthnasol a digonol. Nid oedd hyfforddi un arweinydd diwinyddol bellach yn ddigonol. Roedd yn rhaid i eglwysi gael eu harwain gan dimau lle'r oedd yr aelodau i gyd yn derbyn hyfforddiant i wneud disgyblion, hyfforddiant diwinyddol a hyfforddiant mewn gweinidogaeth. Roedd angen arfogi'r holl aelodaeth, nid dim ond ychydig o'r rhai clerigol. Heb luosogi arweinwyr ifanc, ni fydd cenhadaeth newydd i Gymru yn bosibl. Roedd y rhan fwyaf yn gweld yr hyfforddiant yma'n cael ei ddarparu orau yn lleol, gan grwpiau neu rwydweithiau o eglwysi, mewn ffordd sy'n *"hyfforddi arweinwyr cymunedol efengylaidd... newid diwylliant ... yn organaidd ac i bwrpas"*. Mynegwyd awydd am hyfforddiant *"blwyddyn gap"* yn y Gymru wledig, gan *"adnabod galwad, hyfforddi yn y galwad hwnnw, darparu prentisiaeth, ac ymestyn pobl yn ddiwinyddol"*. *"Tebyg mai yn yr eglwys leol y dylai pobl gael eu harfogi, dyma lle maent i gael eu hyfforddi, i dyfu, lle maent yn byw ac yn gweithredu ochr yn ochr â chael eu hyfforddi. Rhaid i natur hyfforddiant diwinyddol newid ... Hyfforddi arweinwyr a phob rôl arall. Mae angen i bob eglwys fod yn rhyw fath o academi Gymreig lle rydym yn hyfforddi pobl ar gyfer y weinidogaeth yn y cyd-destun lleol. ... Mae'n rhaid cael strategaeth mewn hyfforddiant. Hyfforddiant i genhadaeth. Os oes undod ymhlith yr eglwysi, yna mae cyfle i rannu'r adnoddau sydd gan yr eglwysi ar gyfer hyfforddiant"* ... *"Buddsoddi mewn pobl ... mae'r rhaid i ni fuddsoddi yn y dyfodol"*.

Adlewyrchu ar yr Addasiadau i'r Cyd-destun Ethnig

Mae'r amrywiaeth hunaniaeth sy'n perthyn i Brydeinwyr, i Gymry, i Gymry Prydeinig, neu i rai sy'n olrhain eu hachau i'r Celtiaid, yn rhywbeth sy'n galw am agweddau gwahanol, nid yn unig i natur cenhadaeth, ond hefyd i bwy sy'n gwneud y genhadaeth a sut mae'r genhadaeth yn cael ei chyflawni. Mae Cymru yn genedl o grwpiau ethnig sy'n amrywiol, ac o bryd i'w gilydd, mewn rhyw fath o frwydr, a lle mae'r amrywiadau i'w gweld mewn cymunedau cyfochrog, efallai mai'r ffordd orau i ddynesu at y gwaith yw trwy geisio gwasanaethu un grwp ethnig, yn hytrach nag amrywiaeth ohonynt. Efallai y byddai hyn yn gwasanaethu angen cenhadol yr eglwys yn well, cyn belled â bod undod rhwng yr eglwysi a'u harweinwyr.

Er bod y Mudiad Lausanne yn ffafrio eglwysi aml-ethnig yn fwy nag eglwysi o un grŵp ethnig, maent yn cydnabod pwysigrwydd cenhadaeth gyd-destunol yr eglwysi:

> "... mae'r rhwystrau i dderbyniad o'r efengyl yn aml yn fwy cymdeithasegol na diwinyddol; mae pobl yn gwrthod yr efengyl nid oherwydd eu bod yn credu bod yr efengyl yn gelwydd, ond oherwydd ei bod yn ddieithr iddynt. Maent yn dychmygu er mwyn dod yn Gristion bod angen iddynt ymwrthod â'u diwylliant eu hunain, colli eu hunaniaeth, a bradychu eu pobl eu hunain. Oherwydd hyn, er mwyn eu cyrraedd, nid yn unig mae'n rhaid i'r efengylydd uniaethu gyda'r bobl, a hwythau gyda'r efengylydd; nid yn unig mae'n rhaid i'r efengyl fod yn gyd-destunol mewn ffordd sy'n cyfathrebu'n effeithiol gyda phobl; ond rhaid i'r eglwys sy'n gwahodd hefyd berthyn i'r diwylliant i'r graddau y bydd pobl yn teimlo'n gartrefol yno".[190]

190 J. R. W. Stott, gol., *Explaining the Gospel in Today's World: Church Planting - The Homogeneous Unit* (London: Scripture Union, 1978), *Unit*, 5.

Iaith a Diwylliant: Cymraeg, Saesneg neu'r Ddwy?

Mae'r iaith Gymraeg wedi creu a chynnal ei diwylliant unigryw ei hun. Mae'r dirywiad wedi ei ddisgrifio: o amser pan oedd Cymru yn wlad o siaradwyr Cymraeg; i gyfnod lle caed tri prif goridor yn rhedeg o'r gogledd i'r de, gyda'r siaradwyr Cymraeg yn bennaf yn y Gorllewin; i'r clytwaith presennol lle mae yna ardaloedd bychain lle mae siaradwyr Cymraeg yn y mwyafrif. Ar yr un pryd, gwelodd addysg trwy gyfrwng y Gymraeg gynnydd sylweddol ymhob rhan o Gymru, ac o ganlyniad, mae patrwm yr iaith, oedd yn arfer cael ei lywodraethu gan y genhedlaeth hŷn, bellach yn dangos arwyddion o gynnydd ymhlith pobl ifainc. Mae'r adfywio, os bydd y genhedlaeth iau yn parhau i ddefnyddio'r iaith, yn siŵr o gael effaith sylweddol ar y cyd-destun cenhadol. Ar hyn o bryd, mae'r iaith yn medru bod yn symbol o undod ac o wahaniaethu, gyda phobl yn mynnu lle'r iaith mewn cymdeithas mewn rhai ardaloedd, a gwrthwynebiad mewn ardaloedd eraill. Mae'r mynegiant o ddiwylliant yn tueddu i ddilyn y rhaniad yma. Bydd angen i'n cenhadaeth adlewyrchu'r realiti yma.

Mae'r achos dros ac yn erbyn eglwysi un 'ethne' wedi cael ei ystyried. Mae iaith a diwylliant yn agwedd ar ethnigrwydd, ac mae'r addasiadau i iaith a diwylliant mewn cenhadaeth yn adlewyrchu'r ddau begwn. Yn yr ardaloedd lle'r mae'r iaith Gymraeg yn cael ei siarad amlaf, mae'r priodoldeb o eglwysi sy'n gweithredu trwy'r Gymraeg yn bwysig ar gyfer cenhadaeth. Yn yr ardaloedd trefol, y Cymoedd a'r ardaloedd ar y ffin, yr her yw adnabod y diwylliant Eingl-Gymreig, ac addasu cenhadaeth i hynny.

Eglwysi Cymraeg eu hiaith

Mae eglwysi sy'n addoli yn yr iaith Gymraeg wedi tyfu, neu wedi eu plannu yn ddiweddar, mewn cymunedau Cymraeg. Gall y rhain fod yn gymunedau gwledig neu yn haen o gymdeithas mewn trefi a dinasoedd. Maent yn ymdrechu i weithio'n gyfan gwbl trwy gyfrwng y Gymraeg yn eu gweinidogaeth a'u cenhadaeth. Nid dim ond arf i genhadaeth yw'r iaith, ond dyma'r iaith sy'n cael ei defnyddio ar gyfer addoliad a pherthynas, ar gyfer pobl sy'n meddwl, yn byw ac yn gweddïo trwy gyfrwng y Gymraeg:

> "Y peth mwyaf pwysig a mwyaf *intimate* ym mywyd rhywun yw ei berthynas gyda Iesu. Felly mae'n naturiol fod Cymro Cymraeg eisiau i'r berthynas yna fod yn iaith ei galon."

Mae rhai eglwysi yn darparu offer cyfieithu ar y pryd ar gyfer ymwelwyr, partneriaid di-Gymraeg, neu aelodau o'r teulu. Mae rhai, hyd yn oed, yn cynnal oedfaon Saesneg neu ddwyieithog o bryd i'w gilydd, neu yn edrych am gynulleidfa Saesneg i ddarparu ar gyfer y siaradwyr Saesneg. Mae Oedfaon a chyrsiau ar gyfer dysgwyr hefyd yn cael eu cynnal, a'r rhain yn cael eu bwriadu fel porth i brif ffrwd gweithgarwch yr eglwys, er yn cael eu cynnal ar wahân.

Mewn eglwysi iaith Gymraeg, cynhelir cenhadaeth ar gyfer siaradwyr Saesneg hefyd o bryd i'w gilydd, fel yn achos Banciau Bwyd, cyngor ar ddyled, neu *Fugeiliaid y Stryd*, ond prif ffocws eu cenhadaeth, ac yn arbennig felly efengylu, yw'r gymuned sy'n siarad Cymraeg. Mae'r eglwysi hyn yn gweld cenhadaeth yn yr iaith Saesneg mewn ardaloedd Cymraeg fel ymdrech di-fudd wrth gyflwyno eu cenhadaeth a'u neges:

> "...os ydy'r efengyl yn dod iddyn nhw yn Saesneg bydd yn cael ei weld fel *foreign idea*. Os yw'r efengyl yn cael ei gyflwyno iddyn nhw yn Gymraeg maen nhw'n fwy tebygol o wrando oherwydd ei fod yn dod atyn nhw mewn cyfrwng maen nhw'n agored iddo".

Lle gwneir gwaith plant ac ieuenctid trwy gyfrwng y Saesneg mewn cymunedau Cymraeg:

> "Canlyniad hyn yw bod y Cymry lleol nad ydynt yn adnabod Iesu yn gweld y ffydd Gristnogol fel cyfrwng Seisnigo ac ymosod ar y Gymraeg... Fod rhaid ennill yr hawl i sôn am Iesu mewn cymunedau Cymraeg, a'r ffordd o wneud hynny yw dysgu'r iaith. Mae'r iaith yn bwysig, ond mae llwyddiant yr efengyl yn fwy pwysig".

Nid fod yr arweinydd yn dweud y byddai'n fwy dymunol bod heb genhadaeth yn hytrach na chenhadaeth yn Saesneg, ond yn hytrach os yw cenhadaeth am fod yn effeithiol, rhaid iddo fod yn y Gymraeg, iaith calon y bobl.

Fel gyda'r ymatebion i eglwysi o un grŵp ethnig, mae bodolaeth eglwysi sy'n addoli yn yr iaith Gymraeg yn esgor ar ymateb i'r gwrthwyneb. Rwyf eisoes wedi cyfeirio at sylwadau Cyfarwyddwr Rhyngwladol y Mudiad Lausanne o blaid eglwysi aml-ethnig ac aml-ieithog. Mae'n derbyn, efallai bod yna achos dros eglwysi un iaith, ond hynny fel eithriad, lle mae'n debyg mai dyma'r unig iaith yn y gymuned. Mae'n cynnal fod Eglwys y Testament Newydd yn fwy na diwylliant ac yn torri ar draws y rhaniadau ieithyddol:

> "...yr hyn mae pobl yn ei weld yno yw eglwysi sy'n ymestyn ar draws rhaniadau ethnig, mae i eglwysi o'r fath atyniad gorfodol ac mae hyn i'w weld yn radical iawn yn y Testament Newydd. Os ydym yn pwysleisio eglwysi sy'n canolbwyntio ar un grŵp ethnig neu un diwylliant, wrth gwrs, rhaid iddynt fodoli am resymau ieithyddol o bryd i'w gilydd, ond os ydym yn pwysleisio hynny ar draul Eglwys Crist, eglwys sy'n fwy na rhaniadau ethnig, yna bydd ein tystiolaeth i'r efengyl yn cael ei gwanhau."

Roedd rhai o flaenoriaid eglwys sy'n addoli trwy gyfrwng y Saesneg, oedd ar y pryd yn cynnal cenhadaeth mewn ardal lle'r oedd y Gymraeg yn amlwg, yn gosod yr achos yn gryfach mewn dogfen bolisi ar gyfer eu trafodaethau:

> "...mae plannu eglwysi gwahanol, y naill yn siarad Saesneg a'r lleill yn siarad Cymraeg yng Nghymru yn erbyn ewyllys datguddiedig Duw yn y Testament Newydd, ac mae uno'r siaradwyr Cymraeg a'r siaradwyr Saesneg mewn eglwysi lleol yn agwedd sylweddol o'n tystiolaeth i rym yr efengyl a'i gallu i drawsffurfio ac uno pobl o dan benarglwyddiaeth Crist."

Mae'r papur yn cydnabod, mewn ardaloedd lle mae'r Gymraeg amlycaf, y byddai yna fwy o siaradwyr Cymraeg yn yr eglwys, ond roedd yn rhaid darganfod ateb oedd yn seiliedig ar y gallu i gyfathrebu, nid ateb diwylliannol neu hanesyddol. Er mwyn i'r lleiafrif Saesneg fedru deall a chyfathrebu, mae hyn yn awgrymu'r defnydd o Saesneg fel y cyfrwng priodol.

> "Mae arddangos nerth Duw yn yr efengyl yn ganolog wrth ystyried cwmni amrywiaeth o bobl yn cael eu huno â'i gilydd mewn eglwysi lleol cariadus: eglwysi lleol sydd, o ran iaith a chredo, yn 'gatholig': h.y. yn agored i bob crediniwr."

Mae'r cwestiwn o ba iaith i'w ddefnyddio mewn efengylu i'w benderfynu ar sail iaith y gwrandawyr, ond unwaith mae pobl wedi ymuno ag eglwys, byddent yn siarad yr iaith gyffredin. Mae'r ddogfen bolisi yn mynd ymlaen i nodi'r egwyddor allweddol: "rhaid i bob penderfyniad ym mywyd yr eglwys leol gael ei yrru gan yr efengyl". Ar y cwestiwn hwn mae'r pegynnu ar agweddau tuag at yr iaith Gymraeg yn troi. Os yw effeithiolrwydd cenhadaeth yn cael ei wanhau trwy'r defnydd o Saesneg, p'un ai o fewn yr eglwys neu yn y gymuned ehangach, yna mae'r genhadaeth yna yn aneffeithiol, a hyd yn oed yn aflwyddiannus. Os natur yr eglwys yw bod yn "genhadol", yna mae'n ymddangos mai dyma sydd i benderfynu a yw eglwysi unieithog, nid yn unig yn bethau a ddylid eu caniatáu, ond yn hanfodol. Mae'r gofid y byddai eglwysi sy'n addoli mewn un iaith yn hunanol, neu yn gwadu'r efengyl yn anodd ei gynnal os yw defnyddio iaith gyffredin yn rhwystr i genhadaeth. Mae effaith ac etifeddiaeth yr iaith Saesneg a'i diwylliant ar ei chymydog yn gwneud eglwysi sy'n defnyddio iaith gyffredin yn rhwystr, yn hytrach na hysbyseb i'r efengyl. Daeth Phil Hill i'r un canlyniad:

> "...mae llawer o Gymry Cymraeg yn darganfod hi'n rhy anodd i fyw a gweithredu yn gyfforddus yn Saesneg... Efallai fod y patrwm yma yn ymddangos i bobl Saesneg sy'n byw mewn ardaloedd lle mae'r Gymraeg amlycaf fel rhywbeth sy'n gwrthddweud undod yr eglwys. Ond i Gymry Cymraeg, dyma yw ateb synnwyr cyffredin..." [191]

Dwyieithrwydd

Roedd dwyieithrwydd yn bolisi a fabwysiadwyd gan yr Eglwys Anglicanaidd yng Nghymru fel ymateb i'r ddwy gymuned ieithyddol o fewn eu plwyfi. Roedd Anglicaniaeth yn cael ei adnabod fel rhywbeth dieithr, yn gorff Seisnig gyda chlerigwyr oedd yn siarad Saesneg mewn plwyfi Cymraeg, ac o ganlyniad, bu i Anglicaniaeth ddioddef yn ystod twf Anghydffurfiaeth Gymreig. Gwnaed ymdrech yn ddiweddarach i ymateb yn well i'r cyd-destun trwy fabwysiadu polisi o ddwyieithrwydd, lle defnyddiwyd y ddwy iaith yn gyfartal o fewn y litwrgi. Mae polisi tebyg wedi ei fabwysiadu gan lawer o eglwysi, yn arbennig felly'r rhai sydd mewn cymunedau dwyieithog.

---

191 P. Hill, "Beyond the Celtic Fringe: Christians and Nationalism in Wales," *Third Way* (Ebrill 1978): 8.

> "Ar fore Sul, rydym yn cynnal oedfa ddwyieithog, a dyna yw'r oedfa yn ei hanfod. Yn amlwg, mae'r bregeth yn Saesneg, ac mae gennym astudiaeth Feiblaidd a chyfarfod gweddi dwyieithog... Mae gennym rieni sydd â'u plant mewn ysgolion cyfrwng Cymraeg, ac mae'n ateb y gofyn sy'n dod o'r cyfeiriad hwnnw i gynnal yr oedfaon dwyieithog hyn... Rydym wedi deall yn glir fod angen i ni ddefnyddio'r ddwy iaith."

Roedd dwy eglwys, un Gymraeg ac un Saesneg yn rhannu gweithgarwch ac yn esbonio eu polisi: "Bu'r berthynas rhwng y ddwy eglwys yn fwriadol ddwyieithog. Rydym wedi ymdrechu i ddefnyddio'r ddwy iaith ac annog agwedd sy'n derbyn y bydd defnydd o'r ddwy iaith yn y bartneriaeth, ond hefyd rydym wedi cadarnhau defnydd o'r ddwy iaith a gwneud hynny'n beth positif". Mewn cyfweliad cylchgrawn, sy'n cyfeirio at sut i gyrraedd teuluoedd mewn cyd-destun dwyieithog lle mae hanner y teulu yn siarad Cymraeg a hanner y teulu ddim yn medru'r iaith, mae arweinydd yn gwneud y sylw:

> "Os ydym am gyrraedd teuluoedd, rhaid i ni stopio meddwl yn nhermau gweinidogaeth a chenhadaeth trwy gyfrwng y Gymraeg neu'r Saesneg. I mi, yr allwedd yw dealltwriaeth ynghylch sut i ymgnawdoli'r efengyl a chenhadaeth. Os ydym yn gwasanaethu cymuned ddwyieithog, mae'n anorfod y bydd cenhadaeth yn digwydd yn ddwyieithog".

Mae gwneud hyn yn fwy nag mewn gair yn unig, gan fod gweddïau, caneuon, llenyddiaeth, cyhoeddusrwydd a gwefannau, os nad y pregethu, yn defnyddio'r ddwy iaith. Mewn cymunedau dwyieithog, gwerthfawrogir y polisi oherwydd mae'n cydnabod ffafriaeth a thraddodiadau'r lleiafrif o Gymry Cymraeg. Mae hefyd yn gymorth i'r rhai sy'n dysgu Cymraeg, ac yn galluogi teuluoedd lle mae un partner yn unig yn siarad Cymraeg neu lle mae'r plant mewn ysgolion cyfrwng Cymraeg, i addoli gyda'i gilydd . Mae'n cynorthwyo pawb i addoli, ac mae "pobl sy'n siarad y ddwy iaith yn medru cyfarfod â Duw yn iaith eu calon."

Mae dosbarthiadau a gwasanaethau ar gyfer dysgwyr yn rhan hanfodol o'r dynesiad dwyieithog:

> "...wrth gydnabod y nifer sylweddol o bobl sy'n byw yn lleol ac yn ddysgwyr, rydym wedi cychwyn grwpiau sgwrsio ar gyfer y dysgwyr Cymraeg ... Bob tymor, rydym yn gorffen gyda 'Gwasanaeth ar gyfer y Dysgwyr' sy'n efengylaidd o ran ei natur."

Mae'r rhan fwyaf o eglwysi dwyieithog yn eglwysi Saesneg sy'n ceisio defnyddio'r Gymraeg, ond roedd rhai eglwysi Cymraeg hefyd yn defnyddio'r Saesneg yn eu gwasanaethau, er gyda mesur llai o lwyddiant:

> "Oherwydd natur ddwyieithog y gymuned, rydym wedi darparu cyfieithu ar y pryd yn ein gwasanaethau. Roeddem yn arfer gwneud gwasanaethau dwyieithog, ond anaml maent yn llwyddo'n iawn. Felly mae cyfieithu ar y pryd yn golygu fod rhai sy'n dysgu/parau lle mae un yn unig yn siarad Cymraeg, yn gallu dod."

Mae eglwysi eraill yn mynegi eu dwyieithrwydd trwy grwpiau Cymraeg sydd wedi ffurfio o fewn eglwysi Saesneg, ynghanol yr wythnos neu ar nos Sul. Efallai y gwelir hyn fel trefniant dros dro nes bod y grŵp Cymraeg yn ddigon cryf i fodoli fel eglwys ar wahân. Wedi dweud hynny, mewn eglwysi eraill, does yna ddim bwriad i wahanu. Wrth ystyried y dull yma o ymagweddu, mae'r nifer helaeth o siaradwyr Cymraeg sy'n dewis addoli trwy gyfrwng y Saesneg yn achos tensiwn. Mae'r siaradwyr Cymraeg yn dymuno byw ac addoli yn y Gymraeg, ond wedi methu dod o hyd i eglwys Gymraeg sy'n meddu'r ddiwinyddiaeth briodol, yr adnoddau na'r ddarpariaeth ar gyfer teuluoedd. Mae hefyd yn achos siom i'r rhai sy'n aros ac yn brwydro mewn cynulleidfaoedd llai, sydd â llai o adnoddau.

Mewn cymunedau Cymraeg eu hiaith, mae dwyieithrwydd yn cael ei weld fel cyfaddawd, a all fod yn fygythiad i'r Gymraeg yn y gymdeithas. Mae sgyrsiau dwyieithog, ynghyd â gweithgarwch a siarad cyhoeddus, yn naturiol yn troi i'r Saesneg fel yr iaith gyffredin. O ganlyniad, mae'r iaith Saesneg yn ennill y flaenoriaeth, fel pan ddywedodd un arweinydd, "Rwyf am ddweud hyn yn Saesneg oherwydd ei fod yn bwysig". Mae hyn yn cydnabod y gallai rhai siaradwyr Saesneg golli prif neges y gŵr gan ei fod yn y Gymraeg, ond yn methu â chydnabod fod rhai o'r siaradwyr Cymraeg yn meddu ar ddiffyg hyder i siarad a deall Saesneg. Er hynny, mae polisi dwyieithog mewn ardaloedd lle mae'r Gymraeg amlycaf yn cael ei ystyried fel rhywbeth gwell na'r eglwysi hynny sydd am ddefnyddio'r Saesneg fel unig iaith yr eglwys. Mae polisi Saesneg yn unig mewn cymuned lle mae'r rhan fwyaf yn byw trwy gyfrwng y Gymraeg yn ymddangos fel petai yn atal cenhadaeth, gan ei gwneud hi'n anoddach i bobl glywed y neges. Mae un eglwys Saesneg yn disgrifio'r sialens a'r rhwystredigaeth o fyw mewn ardal Gymraeg:

> "Mae yna fwy o wrthwynebiad ymysg y Cymry Cymraeg nag o du'r mewnfudwyr. Fel eglwys, rydym yn adnabod mwy o fewnfudwyr. Mae gan y bobl leol eu rhwydweithiau... Mae'r mewnfudwyr yn fwy agored i gyfeillgarwch, ond mae'r boblogaeth greiddiol yn amheus... Y peth trist yw bod y credinwyr yn cael eu gwahanu gan iaith... fe allent ddod, ac os byddai'n bosibl i ni dynnu'r siaradwyr Cymraeg sy'n wir gredinwyr i mewn, a chyrraedd y Cymry Cymraeg..." (byddai'n bosibl cael mwy o ddylanwad).

O bersbectif yr arweinydd yma, roedd y ffaith fod siaradwyr Cymraeg ddim yn cymryd rhan ym mywyd eu heglwys yn anhawster yn eu hymdrech i gyrraedd y gymuned Gymraeg. Er hynny, yng ngoleuni'r sylwadau, rhaid holi p'un ai fyddai cenhadaeth o'r math hwn o gyd-destun yn llwyddiannus, hyd yn oed petai siaradwyr Cymraeg yn cael eu perswadio i ymuno â nhw.

Yn y trefi, dinasoedd, Cymoedd ac ardaloedd y ffin, sydd gan fwyaf yn ardaloedd Saesneg eu hiaith, gwelir dwyieithrwydd fel rhywbeth sy'n cael ei orfodi yn erbyn ewyllys y bobl, yn wastraff amser, papur ac adnoddau, yn yr un ffordd ag y mae ffurflenni dwyieithog Llywodraeth y Cynulliad, arwyddion a hysbysrwydd, yn cael eu cwestiynu gan lawer. Er hynny, hyd yn oed yn yr ardaloedd ar y ffin, mae eglwysi yn dewis ymestyn allan at y lleiafrif o siaradwyr Cymraeg, gan wneud hyn mewn rhai achosion yn hanfod cenhadaeth eu heglwysi.

> "I raddau helaeth, ymhob rhan o Gymru, mae yna rywfaint o'r gymuned sy'n siarad Cymraeg ac mae angen i'r eglwysi wneud ymdrech i gyrraedd y bobl hyn - rydym wedi cynnal digwyddiadau yn yr iaith Gymraeg. Petai yna ddigon o bobl yn yr eglwys yn siarad Cymraeg, tebyg y byddem yn rhedeg grwp tŷ Cymraeg ... Mae eglwysi eraill wedi cynnwys caneuon dwyieithog (gan ddarlunio'r geiriau yn Saesneg ac yn Gymraeg)".

Os bydd y patrwm demograffedd yn newid o ran siaradwyr Cymraeg, a hynny oherwydd y cynnydd ymhob ardal mewn addysg cyfrwng Cymraeg, bydd dynesiad o'r fath yn hanfodol ac yn rhywbeth anochel.

Synnwyr o'r Sgwrs

Roedd yna gydnabyddiaeth gyffredinol fod angen eglwysi Cymraeg i gyrraedd y cymunedau Cymraeg eu hiaith, ond bod angen i ffurf yr eglwysi hynny newid yn sylweddol. *"Rhaid inni ddilyn yr Arglwydd a thorri'r cysylltiad â Chapelyddiaeth... Rhaid inni lenwi'r bylchau. Rhaid ni gynyddu'r gefnogaeth a gweinidogaeth ... rhaid llacio ein hymlyniad i batrymau eglwysig".* Fel arall, bydd y siaradwyr Cymraeg yn teithio yn bellach i eglwysi ac, yn aml, i eglwysi sy'n addoli yn y Saesneg, gyda dylanwad Seisnig ac Americanaidd yn cynyddu. Mae'r cyfloedd ymhob man, *"Ar fap o Gymru, gallwn roi chwe phin bawd lle mae pethau da yn digwydd. Mae capeli wedi cyrraedd y pwynt lle maent yn edrych dros y dibyn ... maent yn gwybod nad oes yna ddyfodol, ac o ganlyniad, nid ydynt yn barod i wneud dim o gwbl. Mae hyn wedi torri trwy bob traddodiad, ac mae popeth yn agored i ni bellach."*

Cenhadaeth Ddiwylliedig Gymreig

Yn gyffredinol, roedd addasu i ddiwylliant Cymreig, y traddodiadol a'r poblogaidd, er mwyn cenhadu yn llai amlwg na'r addasu i iaith. Dim ond y *Dull* Rhyddfrydol o ymagweddu oedd yn gweld hybu'r diwylliant Cymreig fel rhywbeth canolog i'w cenhadaeth a hynny trwy eu hymwneud â digwyddiadau diwylliannol yn y categori Dysgu cenhadaeth. Roeddent yn gwasanaethu eu cymunedau, yn arbennig felly'r cymunedau lle'r oedd y Gymraeg yn cael ei siarad, trwy fod yn fan cyfarfod ar gyfer diddordebau llenyddol, barddonol, hanesyddol a chymunedol Cymreig. Ychydig iawn o dystiolaeth sydd fod hyn wedi arwain at dwf yn yr eglwysi, gan fod yr eglwysi hyn, yn gyffredinol, yn dirywio. Maent, er hynny, yn darparu gwasanaeth, ynghyd â mewnbwn eu haelodau i wasanaethau cymunedol eraill, er lles y gymuned. Mae'r gwasanaethau yma'n cael eu darparu, gan fwyaf, i boblogaeth hŷn y cymunedau. Os am gyrraedd cenhedlaeth iau o fewn y cymunedau Cymraeg, mae angen diwylliant gwahanol:

> "Rwyf wedi sylwi ar y genhedlaeth iau, nid oes ganddynt gefndir capel, ac er ein bod ni'n siarad Cymraeg, maent wedi eu dylanwadu'r drwm gan y diwylliant Saesneg... Mae'r *Gymanfa Ganu* yn denu'r rhai hŷn, a noson o fyrgers Americanaidd yn denu'r ieuenctid..."

Mae'n amlwg felly fod natur diwylliant Cymraeg yn newid yn rhannol gyda'r cenedlaethau.

Roedd eglwysi eraill yn gwneud cysylltiadau gyda diwylliant traddodiadol a phoblogaidd Cymreig, er mwyn pontio rhwng yr eglwys a'r gymuned, yn arbennig felly gyda golwg ar efengylu. Mae'r gweithgareddau hyn, a ddisgrifiwyd ynghynt, yn cynnwys digwyddiadau ar gyfer Dydd Gŵyl Dewi, gemau rygbi, a digwyddiadau o amgylch canu emynau a chanu corawl. Roedd pobl yn tybio fod efengylu yn fwy effeithiol os oedd yn meddu "ethos 'Cymreig'". Mae rhai o'r gweithgareddau mewn ardaloedd lle mae'r Saesneg yn cael ei siarad bennaf, yn adlewyrchu dylanwad parhaol diwylliant yr iaith Gymraeg, er bod yr iaith ei hunan wedi diflannu. Roedd arweinydd mewn ardal Seisnig yng nghanolbarth Cymru yn siarad am eu *Cymanfa Ganu*, ond yn canu o "*Sankeys*", ac yn cynnal *Eisteddfod* yn yr iaith Saesneg. Roedd yna gydnabod, yn y ddwy gymuned, fod y diwylliant Cymreig yn parhau i fod yn ddylanwadol, hyd yn oed pan mae'r iaith ei hunan wedi ei cholli:

> "Mae ethos eglwys Gymreig yn wahanol. Nid Saeson yw'r bobl yma. Efallai eu bod yn siarad Saesneg ond mae'r bobl yn dal yn Gymry. Rhaid ei fod yn rhywbeth i'w wneud â thraddodiad, diwylliant a chefndir. Mae 'na lawer o bobl sydd, er heb fod yn siarad Cymraeg, yn dymuno medru gwneud hynny, ond eu rhieni heb eu dysgu..."

Adlewyrchu ar yr Addasiadau i Gyd-destunau Ieithyddol a Diwylliannol

Mae'r agweddau o nodweddion ieithyddol a diwylliannol Cymreig yn ymddangos yn amrywiol iawn o fewn eu cymunedau lle mae'r iaith, a'r diwylliant sy'n perthyn iddi, yn gryf ac yn cael ei amddiffyn; i'r ardaloedd lle mae'r iaith gan fwyaf wedi ei cholli, ond nifer o'r traddodiadau diwylliannol yn parhau; i ardaloedd Seisnig lle nad oes ond olion o ddylanwad yr iaith Gymraeg. O fewn y cymunedau bychain hyn o Seisnigrwydd a Chymreictod, mae pobl yn byw braidd wedi eu hynysu o'r boblogaeth sydd o'u hamgylch. Lle mae eglwysi wedi eu lleoli o fewn un o'r cymunedau bychain hyn, mae eu cenhadaeth i gymuned ehangach yn cael ei amharu.

Mae'r drafodaeth dros y priodoldeb o ddiogelu eglwysi iaith Cymraeg yn dangos fod pobl yn cyfiawnhau eu persbectif o safbwynt Beiblaidd. Mae'r rhai sy'n gwrthwynebu eglwysi un iaith yn pwysleisio natur aml-ethnig yr eglwys, cymuned o bobl sy'n cymodi gwahaniaethau rhwng Duw a phobl, a rhwng pobl a phobl. Gall eglwysi, er hynny, fod yn cymryd rhan mewn cenhadaeth yn erbyn hiliaeth, casineb, a thensiynau cymunedol, heb ymuno â rhyw endid nad yw'n perthyn yn naturiol i'r un o'r cymunedau.

Os yw'r tueddiadau ieithyddol a diwylliannol yng Nghymru'n parhau i gyfeiriad dwyieithrwydd a Seisnigrwydd, yna, hyd yn oed yn yr ardaloedd lle mae'r iaith Gymraeg yn parhau'n gryf, bydd angen i genhadaeth ddilyn y tueddiadau hyn. Os yw'r adfywiad yn yr iaith Gymraeg mewn ysgolion, yn y wasg, ac mewn llywodraeth yn arwain at dro pedol mewn tueddiadau cymdeithasegol, bydd angen i'n cenhadaeth ymateb i hynny. Ar gychwyn yr unfed ganrif ar hugain, bydd angen cymysgedd o eglwysi Saesneg eu hiaith sy'n adlewyrchu diwylliant Cymreig poblogaidd, eglwysi Saesneg ar gyfer diwylliant traddodiadol, eglwysi dwyieithog, ac eglwysi sy'n gweithredu trwy gyfrwng yr iaith Gymraeg yn unig ar gyfer cenhadaeth effeithiol.

Cymdeithasol: Pwy ydym ni'n eu gwasanaethu?

Wrth ddisgrifio'r cyd-destun Cymreig, nodwyd droeon yr ymwybyddiaeth gref o'r undod a'r cydweithrediad sy'n bodoli. Mae traddodiadau sy'n deillio o gymdeithas egalitaraidd wedi darganfod mynegiant yn y syniad o *Werin* Anghydffurfiol, ac yna mewn Sosialaeth, wrth i ffyddlondeb gwleidyddol gymryd lle ffyddlondeb i gapel. Mewn graddau amrywiol, a chyda mynegiant gwahanol, fe berthyn i gymunedau lleol Cymru elfen barhaus o gymdeithas sy'n gofalu am ei gilydd trwy rwydweithiau cymdeithasol, wedi eu cysylltu gan deuluoedd estynedig. Mae'r nodweddion yma'n amlwg yn nhirwedd cymdeithasol Cymru, rhaid i'n cenhadaeth addasu i'r patrymau hyn.

Bydd y graddau y mae eglwysi yn cymryd rhan yn y gymuned trwy berthynas, trwy ofal a gwasanaeth cymdeithasol, yn penderfynu p'un ai yw'r eglwysi hynny yn rhan o'r gymuned, neu'n sefyll ar wahân i'r gymuned. Mewn cymuned leol, lle mai gofalu am eich gilydd a sefyll gyda'ch gilydd yw'r arferol, bydd eglwys sy'n byw ei bywyd ar wahân yn cael ei gweld fel pobl nad ydynt yn dymuno cyfrannu i'r gymuned honno. Yn ddiau, bydd dynesiad i genhadaeth sy'n fewngyrchol, sy'n ymddangos fel petai'n tynnu pobl allan o'r gymdeithas i mewn i gymuned yr eglwys, yn tueddu i ddieithrio'r bobl sydd o'r tu allan. Mae dynesiad allgyrchol a chenhadol yn dwyn yr eglwys at y bobl, gan wneud y gweithgareddau crefyddol yn agored i fwy o bobl. Mae cyfrannu i fywyd ac anghenion y gymuned yn ffactorau allweddol wrth ystyried p'un ai yw eglwys leol yn addasu'n briodol ar gyfer ei chyd-destun cymdeithasol, a bydd hyn yn effeithio ar sut bydd ei neges yn cael ei chlywed.

Mae Adran Dau yn disgrifio sut roedd y chwe *Dull* gwahanol o ymagweddu at genhadaeth yn ymwneud â chyd-destun cymdeithasol Cymru ac awgrymwyd gwersi o bob *Dull*. Mae'r gwersi hyn yn ganolog i genhadaeth gyd-destunol yng Nghymru, ac mae'n rhaid iddynt fod yn rhan allweddol o strategaeth yr eglwys i'r dyfodol. Yn hytrach nag ailadrodd y gwersi yn y bennod yma, byddaf yn cyfeirio atynt ac yn cyfeirio'n benodol at y materion gwaelodol fydd angen eu hystyried.

Pwysigrwydd Cyfalaf Cymdeithasol

Mae gwaith eglwys leol, sy'n cyfarfod ag anghenion ei chymuned, i fod yn rhan o "gyfalaf cymdeithasol" y gymuned honno, ac yn cyfrannu tuag ato. Bydd hyn yn rhoi hygrededd ynghyd â derbyniad i neges yr eglwys.[192] Rhaid i'r newyddion da gael ei weld, ynghyd â chael ei glywed:

> "Os mai pwrpas yr eglwys yw cyhoeddi ac arddangos cariad y Duw sy'n ein cymodi, yna natur yr eglwys yw creu'r math o gymuned lle mae gras rhyfeddol yn cael ei sylweddoli. Rhaid i bobl fedru gweld gwerthoedd gras yn cael ei ymarfer yn y math o gymuned sy'n cael ei chreu gan yr efengyl".[193]

Mae Gethin Russell-Jones yn amlinellu deg o weithgareddau sy'n cael eu hyrwyddo gan eglwysi lleol, yn aml mewn partneriaeth ag awdurdodau lleol, sy'n "newid wyneb Cymru".[194] Mae'r rhain yn cynnwys gweithio gyda gweithwyr, Banciau Bwyd, Bugeiliaid y Stryd, cartrefu'r digartref, cyngor ar ddyled, llochesi dros nos, cyrsiau rhianta, gwaith gyda mewnfudwyr, darpariaeth ar gyfer teuluoedd sy'n siarad Cymraeg, a gweithgarwch ar brynu a gwerthu pobl.

---

192 Morgan, *Span*, 278.

193 M. Robinson, *Planting Mission Shaped Churches Today* (Oxford: Monarch, 2006), 94.

194 G. Russell-Jones, *Power of 10* (Cardiff: Gweini, 2013), 7-41.

Mae anawsterau nifer o eglwysi E1, ar waethaf ymdrech a gweddi, yn awgrymu fod angen mwy o gysylltiadau gyda'u cymunedau, a hyder yn eu cymunedau. Mae'r newidiadau sydd wedi digwydd yn y byd ôl-Gristnogol yn golygu fod y cyfryngau oedd yn arfer cael eu defnyddio ar gyfer cenhadaeth, sef y cyhoeddi a'r gwahodd, wedi colli eu heffeithiolrwydd. Mae cynorthwyo i adeiladu cyfalaf cymdeithasol yn arddangos lefel o berthnasedd a chysylltiad sy'n adeiladu hyder a pherthynas. Heb hyn, nid yw neges yr eglwys yn ymddangos fel petai'n cysylltu ag anghenion y gymuned mae'n ceisio ei chyrraedd.

Synnwyr o'r Sgwrs

Yn y rhan fwyaf o Gyfarfodydd, roedd yna frwdfrydedd o blaid gweinidogaethau o drugaredd gan gyfeirio at y ffordd yr oedd y rhain yn allweddol wrth i eglwysi gysylltu â'u cymunedau, lle *"mae'r eglwysi yn perchnogi'r gwacter mewn cymuned"*. Rhaid i ni fod *"yn eglwys sy'n pregethu'r efengyl gyda gwydriad o ddŵr"*. Roeddent hefyd yn cyfeirio at y ffaith fod eglwysi'n cydweithio gyda'i gilydd mewn Banciau Bwyd, mewn gwaith ieuenctid, mewn cyngor ar ddyled, Bugeiliaid y Stryd ... a bod undod newydd ymhlith yr arweinwyr, â'u bod yn siarad â'i gilydd! Roedd teimlad fod Awdurdodau Lleol mewn cyswllt uniongyrchol â mudiadau Cristnogol ... *"Mae'r Banciau Bwyd wedi gwneud y gwahaniaeth yn y ffordd y mae'r rhain yn gweld yr eglwys. Nid yn unig yn y gymuned ei hunan, ond yn yr Awdurdodau Lleol. Nid yw'r Banc Bwyd yn efengylaidd fel y cyfryw, ond yn sicr, mae wedi darparu llwyfan i ddatblygiad pellach"*.

Pwysigrwydd Ymwneud Cymdeithasol

Un o ganlyniadau Pietistiaeth oedd bod Cristnogion wedi eu "cymryd allan o'r byd", o'i gymharu â galwad ar yr Eglwys i fod yn "ymgnawdoledig", lle mae'n ymwneud yn uniongyrchol gyda dioddefaint ag angen y byd. Os yw'r eglwys yn sefyll ar wahân, rhaid i'w chenhadaeth dynnu pobl i mewn i'w byd trwy ddenu. Os yw'n "ymgnawdoledig", mae'n cyrraedd cylch angen fel gweithred o drugaredd ac achubiaeth. Mae'r gair yn cael ei ddefnyddio'n unigryw i ddisgrifio'r ffordd y daeth Iesu i'r byd, ac mae'r defnydd ohono ar gyfer cenhadaeth yr eglwys yn ymddangos yn ymestyniad annaturiol, ond mae yna elfen o gyfochredd. Gyda'r *Dulliau Missio Dei*, Rhyddfrydol ac Egin Eglwysi o ymagweddu at genhadaeth, gwneir yn fach o'r gwahaniaethau rhwng cymdeithas a'r eglwys leol, ac mewn rhai achosion, mae'r gwahaniaeth yn cael ei wadu yn llwyr. Er hynny, i eglwysi sy'n pwysleisio efengylu ac eglwysi Lausanne, gwelir y byd oddi amgylch fel maes cenhadol, y maes mae'n rhaid i'r eglwys fynd iddo i wasanaethu, trawsffurfio ac ennill. Yn y ddau achos, mae'r rhwystrau a'r gwahaniaethu cymdeithasol yn cael eu symud i bwrpas cenhadaeth. Mae Timmis a Chester yn cymharu awyrgylch y siop betio a'r eglwys, gan ddisgrifio sut mae'r naill yn lle dieithr iawn i'r llall, gan awgrymu fod rhaid i'r naill fel y llall fod yn gyfarwydd gyda'i gilydd.[195] Mae lletygarwch, a theuluoedd yn ymestyn i gynnwys eu cymdogion, yn cael ei awgrymu fel allwedd genhadol.

Rydym wedi cyfeirio at waith gweinidogion fel bugeiliaid yn eu cymunedau, yn arbennig felly yn yr eglwysi Rhyddfrydol sy'n addoli yn y Gymraeg. Mae eu hymwneud â'u cymuned, yn yr un ffordd ag yr oedd yr hen offeiriad plwyf, wedi arwain at ddylanwad sylweddol, ynghyd â rhai ychwanegiadau i'r eglwys. Mae dynesiad cynhwysol cymunedol wedi adeiladu cysylltiadau i ysgolion lleol, i glybiau ieuenctid, a chyda theuluoedd, fel bod y rhieni yn ailgysylltu gyda'r eglwys wrth iddynt symud i'r pentref neu gychwyn magu teulu. Mae cyfleoedd yn parhau, yn arbennig felly mewn cymunedau iaith Gymraeg, i batrymau traddodiadol o gysylltu cymunedol.

195 Timmis a Chester, *Gospel-Centred*, 24-25

Trugaredd fel Abwyd neu fel Greddf

O ran *Dull* ymagweddu y grwpiau sy'n pwysleisio efengylu, mae yna ddyhead i achub pobl o fyd pechadurus a'u cynnwys ym mywyd yr eglwys leol. Mae'r eglwys leol yn gwasanaethu ei chymuned er mwyn sylweddoli'r achubiaeth yma. Mae cenhadaeth o'r fath, cenhadaeth o ymwneud â'r gymuned a gwasanaethu, mewn perygl o gael ei hadnabod fel un sydd ag agenda cuddiedig i'r hyn a welir ar yr wyneb. Mae defnyddio gweithgarwch cymdeithasol fel abwyd i dynnu pobl tuag at broffesu Crist yn rhywbeth nad yw'n amlwg wrth gyfarfod ag anghenion cychwynnol. Pan welir cenhadaeth efengylaidd yn y goleuni hwn, mae'n awgrymu elfen o dwyll. Mae *Dulliau* o ymagweddu at genhadaeth, ac eithrio'r rhai sy'n pwysleisio efengylu, yn cyflawni gweithgarwch cymdeithasol am resymau dyneiddiol, er bod yna obaith y bydd y rhai sydd yn elwa yn ystyried y neges Gristnogol fel canlyniad. Mae Boucher yn siarad am y rhai sy'n "caru nes mae pobl yn gofyn pam".[196] Mae gweithgarwch cymdeithasol, hyd yn oed yn y *Dulliau* hyn o ymagweddu, yn fodd i gyrraedd y nod hefyd.

Mae'r argraff fod trugaredd yn cael ei ddefnyddio fel abwyd, er hynny, ond yn fater o bwyslais. Petai'r gwasanaeth mor amlwg dwyllodrus ag sy'n cael ei awgrymu, buan iawn y byddai'r sawl sy'n derbyn gwasanaeth, naill ai trwy'r Banc Bwyd neu'r lloches, yn amau'r diffyg didwylledd. Mae'r rhai sy'n ymwneud â gweithgarwch cyngor ar ddyled yn glir ynglŷn â phwy ydynt a pham eu bod yn barod i gynorthwyo.[197] Yn ymarferol, mae'r ffiniau rhwng y grwpiau gwahanol yn amwys, ac os yw'r cymhelliad mewnol yn efengylaidd neu yn ddyneiddiol, ychydig o Gristnogion fyddai'n gwrthwynebu cydnabod eu hawydd i weld pobl yn gofyn mwy. Os yw gweithgarwch cymdeithasol yn cael ei gyflawni am resymau

196 D. Boucher, *Taking Our Place: Church in the Community* (Cardiff: Gweini: Facevalues, 2003), 79.
197 J. Kirkby, *Nevertheless: The Incredible Story of One Man's Mission to Change Thousands of Lives* (Bradford: CAP, 2009), 189-201.

twyllodrus, doedd dim tystiolaeth o hyn yn amlwg yn yr holiadur nag yn yr ymatebion i'r cyfweliadau. Roedd eglwysi o bob *Dull* o ymagweddu yn gweld trugaredd at y tlawd a'r anghenus fel rhan o'u cyfrifoldeb, a hynny p'un ai a fyddent yn gweld canlyniad i hyn, ai peidio. Roedd y rhan fwyaf o eglwysi E1 yn cyflawni gweithgarwch o drugaredd ar gyfer yr anghenus fel rhan o'u gweinidogaeth fugeiliol, neu fel rhan o'u rhoi personol, efallai yn gobeithio am ymateb crefyddol, ond nid oeddent yn gweld gweithgarwch o'r fath fel rhan o'u cenhadaeth, yn rhedeg yn gyfochrog â chenhadaeth, neu mewn rhyw ffordd yn cymryd lle efengylu.

Adlewyrchu ar yr Addasiadau i Gyd-destun Cymdeithasol

Roedd y blaenoriaethu cenhadol yn amrywio o bwysleisio cyfrifoldeb yr eglwys i gyhoeddi heddwch gyda Duw, i ddarparu heddwch ar y ddaear. Mae rhai yn addasu eu cenhadaeth i'w cyd-destun cymdeithasol fwy nag eraill, ond mae natur egalitaraidd y gymdeithas Gymreig yn golygu bod rhaid i genhadaeth yr eglwys fod ar sail perthynas. Mae'r eglwysi hynny sy'n sefyll ar wahân i'w cymunedau, ac eithrio ambell ymosodiad efengylaidd i mewn i'r byd er mwyn achub, neu i sicrhau tröedigaethau, yn dangos arwyddion o ddirywiad wrth i'r byd Cristnogol ddiflannu dros y gorwel.

Mae'r pwysau ariannol cynyddol ar y gwasanaethau cymdeithasol yn rhoi cyfleoedd cynyddol i fudiadau gwirfoddol neu fudiadau'r "trydydd Sector".[198] Mae partneriaethau gydag awdurdodau lleol yn galluogi eglwysi i arddangos y newyddion da, ynghyd â chyhoeddi'r newyddion hwnnw. Wrth wneud hynny, mae'r eglwysi'n dod yn rhan o'r cyd-destun cymdeithasol Cymreig. Mae'n ymddangos fod gweithgarwch cymdeithasol yn hanfodol, nid yn ddewisol, yng nghenhadaeth eglwysi yn yr unfed ganrif ar hugain.

198 Boucher, *Taking Our Place*, 22-24.

Gwleidyddiaeth: Beth am Cesar?

Mae ymlyniad gwleidyddol yng Nghymru wedi ei ddisgrifio'n fras gan ddilyn categorïau rhanbarthol Balsom. Mae'r Gymru Brydeinig, lle mae hunaniaeth Gymreig a Phrydeindod yn gorgyffwrdd, yn tueddu i ddangos cefnogaeth i'r Rhyddfrydwyr neu i'r Blaid Geidwadol. Mae'r Gymru ôl-ddiwydiannol yn dangos ymlyniad i'r Blaid Lafur, ond mae gafael y blaid ar y grŵp yma yn pylu, oherwydd y dadrithiad cynyddol. *Y Fro Gymraeg* yw canolbwynt yr ymlyniad i Blaid Cymru, er bod poblogrwydd y blaid yn tyfu i mewn i ardaloedd eraill hefyd.

Mae tirwedd gwleidyddol Cymru wedi newid ers sefydlu amryw o sefydliadau cenedlaethol Cymreig yn ystod rhan gyntaf yr ugeinfed ganrif, ac yn arbennig ers sefydlu Cynulliad Cenedlaethol Cymru yn 1998. Mae llywodraethiad yng Nghymru, gyda pholisïau rhanbarthol, yn rhoi cyfleoedd newydd i eglwysi fod yn rhan o'u cymunedau. Bydd angen i genhadaeth gyd-destunol ymateb i'r newidiadau hyn ac mi fydd yr ymatebion hyn yn amrywio o alwad pietistaidd am wahanu, i uniaethu llwyr a phartneriaeth gyda chyrff gwleidyddol.

Amrywiadau Rhanbarthol mewn Ymwneud Gwleidyddol

Roedd arweinwyr y grwpiau gwahanol a'u *Dull* o ymagweddu at genhadaeth yn ymwybodol o'r realiti gwleidyddol mewn rhannau gwahanol o Gymru, ac roeddent yn ymateb iddynt mewn ffyrdd amrywiol. I eglwysi yn *y Fro Gymraeg*, roedd materion megis cenedlaetholdeb, a hybu'r iaith Gymraeg, yn rhan allweddol o'r diddordeb gwleidyddol. Mae eglwysi a'u haelodau yn cymryd rhan mewn protestiadau gwleidyddol a gweithredu uniongyrchol, sefyllfa allai greu rhaniad rhwng eglwysi sy'n gwasanaethu'r ddwy gymuned ieithyddol. Mae eglwysi mewn ardaloedd o'r fath, sy'n ymddangos fel petaent yn hybu ymlyniad i wleidyddiaeth Seisnig neu Brydeinig, yn debyg o ddieithrio mwyafrif y boblogaeth leol.

I eglwysi yng Nghymru, nid yw'r Blaid Lafur yn parhau i fod y grym yr oedd yn arfer bod, er bod y rhan fwyaf o Gynghorau a'r Cynulliad Cenedlaethol ar hyn o bryd yn cael eu harwain gan y blaid. Mae eglwysi sy'n cefnogi gweithgarwch y llywodraeth ym meysydd tlodi, prynu a gwerthu pobl, digartrefedd, clybiau ar ôl ysgol, ac yn y blaen, wedi eu gwerthfawrogi ar bob lefel o lywodraeth. Maent hefyd wedi derbyn cymorth gan lywodraeth leol a chenedlaethol, gan gynnwys ariannu rhai o'u rhaglenni. Mae cyfleoedd ar gyfer partneriaethau, ynghyd â chyfle i aelodau i sefyll mewn etholiadau, wedi cynyddu'r cyfleoedd cenhadol yn y byd gwleidyddol.

Mae eglwysi yn y Gymru Brydeinig lle mae ffyddlondeb ar draws y ffin yn gryf, yn debyg o wynebu gelyniaeth tuag at genedlaetholdeb a'r Cynulliad Cenedlaethol, ac o ganlyniad, bydd angen gweithio yn agos gyda'r lleol, yn hytrach na'r llywodraeth genedlaethol. Mae'r prif faterion gwleidyddol yn perthyn i'r lleol, yn hytrach nag i agwedd sosialaidd neu genedlaetholgar. Dewiswyd un arweinydd eglwysig fel Cynghorydd Sir annibynnol, ac mewn trafodaethau ac anghytundeb dros ofal yn y gymuned, fe ddewiswyd ef fel llefarydd i'r wasg genedlaethol. Trwy hyn, gwelir darlun clir ac ymarferol o effeithiolrwydd cenhadaeth yn y defnydd o ymwneud gwleidyddol.

Lobïo Gwleidyddol a Phrotest

Roedd eglwysi o bob un o'r grwpiau yn ymwneud â lobïo a phrotestio, ac yn annog eu haelodau i gymryd rhan mewn gweithgarwch o'r fath. Roedd yr ymrwymiad yn hanfodol ar sail unigol, ac ar wahân i ddwy eglwys oedd yn cefnogi *Plaid Cymru* yn agored, roedd gweddill yr eglwysi yn anwleidyddol gyda golwg ar gefnogi unrhyw blaid benodol. Disgrifir ymwneud gwleidyddol fel ymwneud gydag "g fach", ac ymwneud â "materion penodol" yn hytrach na gwleidyddiaeth plaid. Roedd hyn yn cynnwys llythyru neu ymweliadau ag aelodau o'r Cyngor lleol, y Cynulliad Cenedlaethol, neu Lywodraeth San Steffan, ac yn cynnwys protestio, ac arwyddo deisebau. Byddai gweithredu o'r fath ar faterion tebyg i brynu a gwerthu pobl, digartrefedd, ffoaduriaid, cyfiawnder, tlodi, heddwch, deddfwriaeth ar briodas, a'r iaith Gymraeg. I Menna Machreth, mae'r cyfle i ddefnyddio'r iaith yn hawl dynol, yn fater o ryddid ac o gyfiawnder, tebyg i faterion eraill ym myd hawliau sifil sydd angen brwydro drostynt. Mae'n siarad am yr angen i weithredu'n uniongyrchol gan Gristnogion trwy brotest, a'r angen i weld hyn fel rhywbeth gwerthfawr yn ei hun, yn hytrach nag fel cyfrwng i efengylu:

> "Ni allwn anwybyddu pwy ydym. Ni allwn anwybyddu'r hyn sydd wedi ein clwyfo. Mae Cristnogion yn meddu ar ddoethineb oddi wrth Dduw ac yn fwy nag abl i ddelio gyda rhywbeth mor ymfflamychol â hunaniaeth. Ar y llaw arall, mae'n fater o ddigalondid pan mae Cristnogion efengylaidd yn gweld yr iaith fel modd yn unig i gyrraedd pobl er mwyn sylweddoli tröedigaethau, yn hytrach nag fel rhan hanfodol o'u hunaniaeth yng Nghrist."[199]

Mae casglu'r farn gyhoeddus wedi dod yn rhan werthfawr o lunio polisi ar bob lefel o lywodraeth, felly mae'r gweithgarwch yma o lobïo yn cael ei groesawu, a chyfleoedd i wneud hynny'n bersonol neu dros y we yn aml.

199 Machreth, "Ethnicity," n.p.

Er hynny, mae eglwysi sydd mewn partneriaeth gyda gwleidyddion lleol a gwleidyddion y Cynulliad eisoes wedi adeiladu perthynas fydd yn eu cynorthwyo wrth fynegi barn. Gall protest yn erbyn polisïau'r llywodraeth fod yn llai effeithiol gan eglwysi nad ydynt yn ymwneud ag adrannau'r llywodraeth yn ymarferol, gan eu bod yn cael eu dehongli fel rhai sydd ddim ond ag agweddau negyddol.

Partneru gyda Llywodraeth Leol a Chenedlaethol

Mae nifer o'r partneriaethau rhwng eglwysi a llywodraeth leol a chenedlaethol wedi'i disgrifio yn barod lle mae ariannu, cydweithrediad ac arbenigedd yn cael ei gynnig i'r eglwysi ar gyfer canolfannau dydd, canolfannau chwaraeon, galeri gelf, ynghyd â gofal dros yr henoed a'r rhai sy'n wynebu heriau gydag iechyd meddwl. Mae partneriaethau o'r fath yn cymryd mantais o'r agwedd gadarnhaol sydd tuag at y sector wirfoddol, tra ar yr un pryd yn estyn hygrededd ac atebolrwydd i'r gwasanaethau mae'r eglwysi'n eu cynnig. Ni chafwyd unrhyw dystiolaeth o ymateb anffafriol, nac ychwaith o amodau caethiwus yn cael eu gosod ar gyfleusterau a phrosiectau sy'n cael eu hariannu trwy gyllid cyhoeddus.

Synnwyr o'r Sgwrs

"Mae yna elfen llawer mwy agored o fewn y gymuned, mwy o sgwrsio ar y stryd a mwy o gydnabyddiaeth yn y Sefydliad a'r Cyngor ... eu bod ein hangen, ac nid oes angen i ni ymddiheuro oherwydd mai'r efengyl yw'n cymhelliad yn yr un ffordd ag yr oeddem yn gorfod ei wneud deng mlynedd yn ôl. Rydym ymhell y tu ôl i'r cyfleoedd fel eglwysi ... ond mae yna arwyddion clir fod y ffordd y mae pobl yn gweld yr eglwys yn newid... Roedd gan bobl eu rhagdybiaethau o'r hyn yw'r eglwys ... ac nid oeddent am weld yr eglwys fel rhan o'u bywyd! Bellach mae yna agwedd fwy agored. Mae pobl yn gweld eglwys sy'n gofalu ... Mae awdurdodau lleol yn fwy agored i'n cymorth, mae'r ysgolion yn agored ... ond mae pobl yr eglwys wedi blino ac yn ceisio dal bywyd ynghyd."

Mae *Gweini*, sef y Cyngor ar gyfer y Sector Wirfoddol Gristnogol yng Nghymru , yn cael ei arwain gan gyfarwyddwr polisi sydd hefyd yn gweithredu fel Swyddog Cyswllt i'r Cynulliad Cenedlaethol ar ran y Gynghrair Efengylaidd yng Nghymru. Trwy ei waith, mae gan eglwysi sy'n pwysleisio efengylu ac eglwysi Lausanne sianel swyddogol a llais ar bob lefel o lywodraeth yng Nghymru. Mae *Gweini* yn darparu cyngor ar Gytundebau gydag Awdurdodau Lleol, gyda Chynghorau Gwirfoddol Sirol, mewn perthynas â deddfwriaeth Cymunedau'n Gyntaf, a chyngor ar wneud ceisiadau ariannol i asiantaethau'r llywodraeth. Mae gwaith a chefnogaeth *Gweini* yn adlewyrchu ymdrech gynyddol eglwysi E2 a Lausanne i addasu i'r newidiadau yn hinsawdd wleidyddol Cymru.

Adlewyrchu ar yr Addasiadau i'r Cyd-destunau Gwleidyddol

Mae cyd-destun gwleidyddol cyfyng ar gyfer cenhadaeth yng Nghymru yn arddangos yn glir y modd y mae pob *Dull* gwahanol o ymagweddu yn gweithio yn y maes hwn. Mae Pietistiaeth, sy'n gweld teyrnas Crist yn cael ei fynegi ymhlith pobl Crist, i'w gymharu ag efengyl gymdeithasol Rhyddfrydiaeth lle mae teyrnas Crist i'w darganfod yn y byd yn gyffredinol. Yn yr amrywiaeth hyn o safbwyntiau, gwelir ymwneud gwleidyddol fel cyfaddawd neu gyfrifoldeb. Er hynny, mae'r dylanwad cenhadol mwyaf i'w weld ymhlith yr eglwysi lle mae geiriau a gweithredoedd yn cael eu cynnwys gyda'i gilydd. Roedd rhai o'r gweithredoedd yma yn weithredoedd gwleidyddol. Yng ngeiriau Stott:

> "Mewn rhai achosion o angen, ni ellir cychwyn ateb yr anawsterau heb weithredu gwleidyddol (gellir delio â'r modd mae caethweision yn cael eu trin, ond nid â chaethwasiaeth ei hunan; rhaid oedd cael gwared â chaethwasiaeth.) ... Mae bob amser yn beth da i fwydo'r newynog, ond mae'n well i ddileu achosion newyn. Os ydym yn caru'n cymdogion ac am

eu gwasanaethu, efallai y bydd ein gwasanaeth yn ein gorfodi i ymgymryd â gweithredu gwleidyddol ar eu rhan."[200]

Mae'r ymwneud â chyd-destun gwleidyddol a'r mynegiant o hynny wedi newid wrth i strwythurau gwleidyddol yng Nghymru esblygu. Mae Cynulliad Cenedlaethol Cymru wedi rhoi cyfleoedd cynyddol o fewn y sector wirfoddol i eglwysi lleol i gyfrannu, ac i gael eu hariannu. Mae'r eglwysi sydd wedi ymateb i'r cyfleoedd hyn wedi gwneud cyfraniadau sylweddol i'w cymunedau, gan greu cyfleoedd i'r cymunedau hynny ddod yn agosach at yr eglwysi, ac i glywed neges yr eglwysi. Mae'r eglwysi hynny sydd wedi cyfrannu yn unig i'r broses wleidyddol trwy brotest, neu lobïo dros bolisïau sy'n gyson â'u hargyhoeddiadau, wedi gweld cyfyngu ar eu dylanwad o ganlyniad i hyn.

Bydd gweithredu i amddiffyn yr iaith neu'r cymunedau Cymraeg yn wahanol iawn i'r hyn sy'n addas mewn ardaloedd o dlodi sylweddol yn y Cymoedd ôl-ddiwydiannol, neu i'r hyn sy'n addas yn y trefi Seisnig ar y ffin. Yn yr ardaloedd trefol, efallai y bydd yr holl weithgareddau yn briodol mewn ardaloedd cyfochrog. Mae'r cyd-destun gwleidyddol yn dangos yr angen i eglwysi addasu i'r amodau gwahanol sydd o'u hamgylch. Mae hefyd yn dangos yr angen i ni fod yn rhan o'r grymoedd sy'n newid cymdeithas, yn hytrach na'u derbyn yn ddi-gwestiwn. Mae hyn yn galw am eglwysi cenhadol, sy'n cymryd rhan ym mywyd cymdeithas er mwyn sylweddoli newidiadau gwleidyddol a chymdeithasol, ochr yn ochr neu fel pont i iachawdwriaeth ysbrydol.

---

200 J. R. W. Stott, *Issues Facing Christians Today* (Basingstoke: Marshalls, 1984), 12

Crynodeb:

Arwyddion i'n Cyfeirio ar gyfer y Dyfodol

Mae gan Gymru nifer o gyd-destunau unigryw i genhadaeth. Mae'r cyd-destunau yma'n amrywio o ardal i ardal, fel clytwaith, ond mae yna elfennau cyffredin wedi eu hadnabod. Mae'r chwe *Dull* o ymagweddu at genhadaeth yn arddangos llwyddiant i raddau gwahanol, ac mae eu heffeithiolrwydd i'w briodoli yn rhannol i'r modd y maent yn addasu eu hagwedd i'w cyd-destun. Mae gwersi wedi eu nodi sy'n awgrymu ymarfer effeithiol i'r dyfodol, a allai fod o gymorth i ailadeiladu eglwysi yng Nghymru, yn hytrach na derbyn y dirywiad anochel.

Rwyf wedi ceisio dangos pa mor effeithiol y mae'r chwe *Dull* gwahanol o ymagweddu at genhadaeth wedi addasu i'r cyd-destun Cymreig, ac mae'r canfyddiadau yn Adran Tri i fod yn gymorth i gynorthwyo cenhadaeth yng Nghymru dros y degawdau nesaf. Mae'r patrymau o fywyd eglwysi sy'n anhawster i'n cenhadaeth angen newid, mae angen newid y neges a'r modd y maent yn addasu'r neges ar gyfer y cyd-destun.

- Mae'r patrymau traddodiadol sy'n perthyn i eglwysi Cymreig Anghydffurfiol a'u cenhadaeth wedi dod yn anhyblyg, ac mae eu cysgod dros y dyfodol yn mynd i fod yn un sy'n rhwystr ac yn rheswm dros wneud yr eglwysi hyn yn amherthnasol. Mae Seciwlariaeth a realiti'r byd ôl-Gristnogol wedi newid tirwedd crefyddol Cymru i'r graddau bod eglwysi sy'n dibynnu ar genhadaeth fewngyrchol yn wynebu dirywiad anochel. Bydd angen i eglwysi lleol yn yr unfed ganrif ar hugain ddiosg y traddodiadau a'r ffurfioldeb oedd yn perthyn i'r bedwaredd ganrif ar bymtheg. Mae eglwysi sy'n pwysleisio perthynas yn eu bywyd, yn hytrach na ffurfioldeb, yn gyfoes o ran eu gweithgarwch, ac yn allgyrchol yn eu cenhadaeth, yn eglwysi sy'n tyfu o ran rhif ac o ran dylanwad. Mae hefyd yn werth nodi fod mwy na dwy ran o dair o eglwysi 5:2 yn eglwysi Pentecostalaidd neu yn Garismataidd eu mynegiant, p'un ai yn eglwysi annibynnol neu yn eglwysi Bedyddiedig. Mae'r disgwyliad am y gwyrthiol a phresenoldeb yr Ysbryd yn y gwaith yn ymddangos fel elfen hanfodol i genhadaeth.

- Fel "gwlad o bentrefi", mae Cymru angen eglwysi a chenhadaeth sy'n lleol, ac wedi ei wreiddio yn y cymunedau. Mae ceisio denu pobl i gymunedau cyfochrog neu i deithio ymhell yn ymddangos fel ymdrech i fabwysiadu patrwm sy'n ddieithr ac yn mynd yn erbyn y diwylliant Cymreig ac ymwybyddiaeth y Cymry o gynefin.

- Nid un ethnie yw Cymru mwyach. Wedi dweud hynny, mewn cymunedau lleol, yn arbennig y rhai hynny sydd ag ychydig iawn o fewnfudwyr, neu lle mae'r bobl newydd yn byw bywyd ar wahân i'r boblogaeth gynhenid, bydd angen i genhadaeth barchu Cymreictod. Gellir mynegi grwpiau ethnig unigol a chenhadaeth trwy gymuned eglwysig aml-ethnig, neu trwy eglwysi ar wahân sy'n cydweithio i gyrraedd ac i wasanaethu'r grwpiau gwahanol yma. Er hynny, mae eglwysi mewn ardaloedd â chymunedau ethnig ar wahân, eglwysi sy'n gweithredu polisi o beidio gwahaniaethu, yn siŵr o gyfyngu ar y nifer sy'n mynychu, a'r rhai sy'n cael eu cyrraedd, i'r ychydig yn y gymuned sy'n dymuno'r math yma o integreiddio. Rhaid i genhadaeth barchu amlygrwydd ethnig, tra'n modelu cydweithrediad a pharch at ethnigrwydd.

- Bydd yr un gwahaniaethau ar waith mewn cymunedau sy'n cael eu rhannu gan iaith. Mae mynnu bod grŵp iaith leiafrifol yn cydymffurfio â grŵp iaith fwyafrifol yn siŵr o greu gelyniaeth a chenhadaeth aneffeithiol. Rhaid i gymuned eglwysig, addoliad a chenhadaeth fynd gyda graen y gymuned ehangach, yn hytrach nag ymddangos fel rhywbeth sy'n peryglu'r gymuned.

- Bydd cymunedau sy'n egalitaraidd o ran ethos yn disgwyl i eglwysi fod yn cymryd rhan ym mywyd y gymuned. Mae sefyll ar wahân, gan geisio tynnu pobl allan o'r gymuned ehangach i mewn i gymuned yr eglwys, yn siŵr o fod yn milwrio yn erbyn y diwylliant. Rhaid i eglwysi geisio bod yng nghalon eu cymunedau, hyd yn oed, os yn nhermau gwerthoedd a chredoau nad ydynt yn cydymffurfio'n llawn. Mae gwasanaethu pobl yn ymarferol ac mewn trugaredd, naill ai fel canlyniad neu fel pont, yn hanfod canolog i genhadaeth yr eglwys.

- Cenedl yw Cymru sydd bellach yn meddu ar sefydliadau gwleidyddol, rhaglenni, a pholisïau sy'n agored i unigolion ac eglwysi. I genhadaeth fod yn effeithiol, yn meddu ar adnoddau, a hyd yn oed yn gyfreithiol, mae'n rhaid cysylltu a chydweithredu gyda sefydliadau gwleidyddol yn lleol, ac ar lefel y Cynulliad. Mae'r cyd-destun gwleidyddol yma yn esblygu'n gyflym, a rhaid i genhadaeth yr eglwys esblygu ochr yn ochr â hyn.

Os gwneir yr addasiadau hyn, dywed Chambers nad yw dirywiad yn anochel. Yn wir, mae'n cyfeirio at orwel gobeithiol, lle mae eglwysi'n ceisio bod yn gyfoes ac yn genhadol.[201] Ond nid yw dyfodol o'r fath yn anochel chwaith. Ni fydd y dyfodol hwn yn cael ei sicrhau trwy edrych yn ôl ar ddyddiau gwell, ond yn hytrach yn rhoi llawer mwy o sylw i'r dyfodol. Rhaid inni ddeall y tueddiadau yng Nghymru sy'n penderfynu'r cyd-destun cyfoes. Mae'r Adroddiad, a gomisiynwyd gan Gymdeithas Genhadol yr Eglwys, ac sy'n edrych ar y bwlch rhwng yr eglwysi a diwylliant yn ne Cymru, yn siarad am strategaeth o aileni, yn hytrach na goroesi. I sylweddoli hyn, rhaid i eglwysi fod â llai o ddiddordeb mewn diogelu'r gorffennol, gan ganolbwyntio'n hytrach ar hau hadau i mewn i dir Cymru heddiw, gan ddisgwyl dyfodol gwell.[202]

Elfen allweddol i newid o'r fath yw addasu ein cenhadaeth mewn ffordd briodol i'r lle a'r cyd-destun y cawn ein hunain yn gweinidogaethu ynddo. Rhaid i natur ein cenhadaeth fod yn fwy nag ymdrech i ail greu cyd-destun gwahanol, neu gyfnod gwahanol, lle gwelwyd dull penodol o ymagweddu yn effeithiol. Mae hyn yn arbennig o wir gydag eglwysi newydd, neu gyda'r gwaith o blannu, sydd heb gael y budd sy'n deillio o ymrwymiad hirdymor neu gysylltiadau yn y gymuned. Rhaid i'n cenhadaeth fod wedi ei deilwra yn briodol:

> "Mae wedi ei gyfeirio at angen, ysbrydol ac ymarferol, yn hytrach na model fyddai'n gweithio yn rhywle ac o ganlyniad yn gorfod gweithio lle'r ydym ni... Does 'na fawr o gyfrolau sy'n ein dysgu sut mae cyrraedd ardaloedd fel y Cymoedd. Rhaid i ni ein hunain fesur y tymheredd a, gerbron Duw, asesu sut medrwn gyfarfod â'r anghenion yn ôl pob achos unigol... Rhaid dangos empathi eang i'r hyn sy'n digwydd o'n hamgylch."

Mae ymateb i'r hyn sy'n unigryw yn lleol yng Nghymru, a mabwysiadu agwedd briodol genhadol, yn hanfodol os yw eglwysi yng Nghymru i

---

201 Chambers, "Out of Taste," 95-96.
202 R. J. Sudworth, *The Outside-In Church: Researching opportunities for CMS in the Welsh Context* (London: Church Missionary Society, 2003), 7.

lwyddo eto. Bydd ein cenhadaeth, mewn gair a gweithred, yn golygu newid y patrymau a etifeddwyd, ynghyd ag amlygu parodrwydd i fod yn hyblyg o fewn cyd-destunau lleol Cymru sy'n parhau i esblygu. Efallai na fydd Cymru byth eto yn genedl Anghydffurfiol, yn genedl un iaith neu un ethnie, ond mi fydd yn parhau i roi pris ar hunaniaeth leol ac ar gymuned, ac efallai bydd yn dod yn gynyddol genedlaetholgar, yn dod yn wlad lle bydd y defnydd o'r iaith Gymraeg yn cynyddu, ac yn wlad sy'n pellhau fwyfwy oddi wrth y cymydog dros y ffin.

Bydd eglwysi lleol yn llwyddo gyda'r cyfleoedd newydd yma os byddant yn addasu eu cenhadaeth i'w cyd-destun penodol ac yn byw eu neges gyda hygrededd. Daeth Iesu Grist i'r byd, gan gerdded lle'r oedd pobl yn cerdded, gan aberthu ei hunan i gymodi, i brynu ac i adfer. Fe atgyfododd eto i adeiladu ei eglwys ac i deyrnasu am byth. Bydd angen i eglwysi yng Nghymru'r unfed ganrif ar hugain gyhoeddi gwirionedd yr hyn a gyflawnodd, tra ar yr un pryd uniaethu gyda rhai y daeth i'r byd er eu mwyn, a'u gwasanaethu er mwyn sylweddoli pob mantais ar gyfer y bobl.

Ôl-nodyn

Nid yw llyfrau yn newid unrhyw beth os nad yw eu darllen yn ein cymell i feddwl a gweithredu mewn ffordd wahanol. Diolch am ddarllen cyn belled, ond rhaid i weithgarwch ddilyn. Rhaid i arweinwyr siarad ag arweinwyr, yn eu heglwysi eu hunain a chydag eraill, er mwyn deall sut mae ymateb. Mae newid wastad yn anodd, ond mae'n haws ac yn bosibl o'i wneud gyda'n gilydd.

Meddyliwch....

- Beth petaem i gyd yn adnewyddu ein hymrwymiad i efengyl Iesu Grist, a'n hawydd i wneud y newydd da hwn yn hysbys. Does gan bobl heddiw fawr o synnwyr am eu hangen i gael eu cymodi â Duw sanctaidd, nac ychwaith am yr angen am faddeuant drwy farwolaeth Iesu, nac am y bywyd a'r gobaith newydd ddaw trwy ei atgyfodiad.

- Petaem yn cymryd o ddifrif yr angen am eglwysi sy'n gyfoes, yn berthnasol, sy'n edrych allan, gyda chymuned Gristnogol ym mhob cymuned, pob grŵp diwylliannol ac ieithyddol. Rhaid i bobl weld mynegiant o eglwys y medrant uniaethu â hi, a theimlo'n 'gartrefol' ynddi.

- Pe byddem yn cychwyn y gwaith o adeiladu pontydd i mewn i'n cymunedau, ein cymdeithas, ein canolfannau gwleidyddol, fel y bydd pobl yn ein gweld fel newyddion da, ynghyd â phobl sy'n siarad am newyddion da. Mae pobl angen gweld bywydau a chymunedau sydd wedi eu newid heddiw os ydynt am ystyried y posibilrwydd o weld newid yn eu bywydau eu hunain.

- Pe byddem yn edrych ar gymunedau ac ardaloedd cyfochrog inni, a hyd yn oed ymhellach, lle nad oes yna fynegiant byw o eglwys a chenhadaeth. Ni fydd pobl yn yr ardaloedd hyn yn clywed na gweld y newyddion da os nad awn atynt.

Beth os na wnawn..?

Atodiad:

Siartiau Arolwg Cymrugyfan

Mae pob siart bar, ac eithrio Siart 29

wedi eu graddio o 0 - 100%

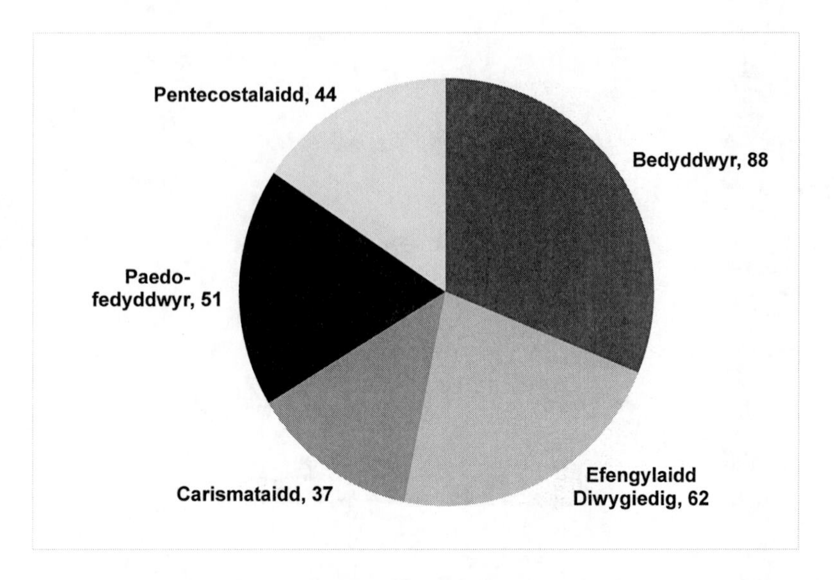

Siart 1. Canran a rhifau'r arweinwyr o'r enwadau gwahanol a gwblhaodd Arolwg 2012

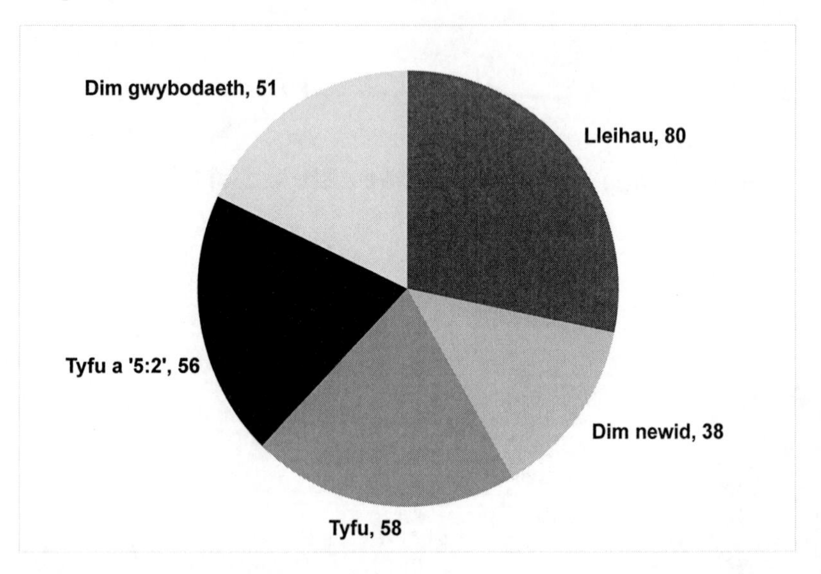

Siart 2. Canran a rhifau'r Eglwysi oedd yn Lleihau, Heb Newid, Yn Tyfu neu Yn Tyfu yn ôl graddfa 5:2

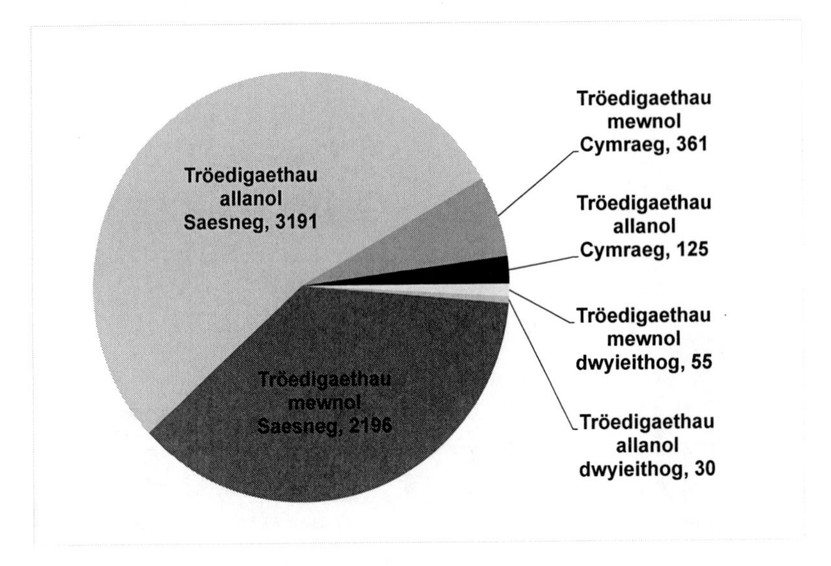

Siart 3. Canran a rhif yr ychwanegiadau o'r tu fewn ac o'r tu allan i'r eglwysi, yn ôl yr iaith a ddefnyddir.

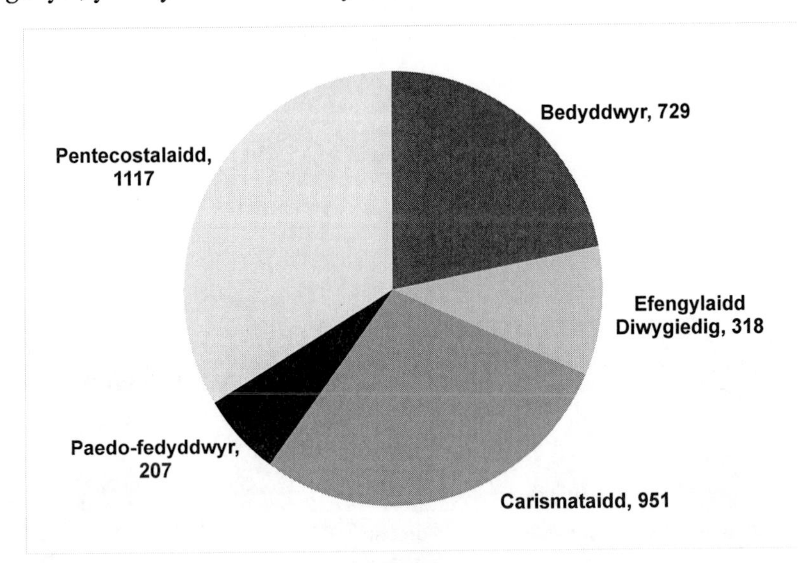

Siart 4. Canran a rhif yr ychwanegiadau mewn perthynas â chysylltiad enwadol.

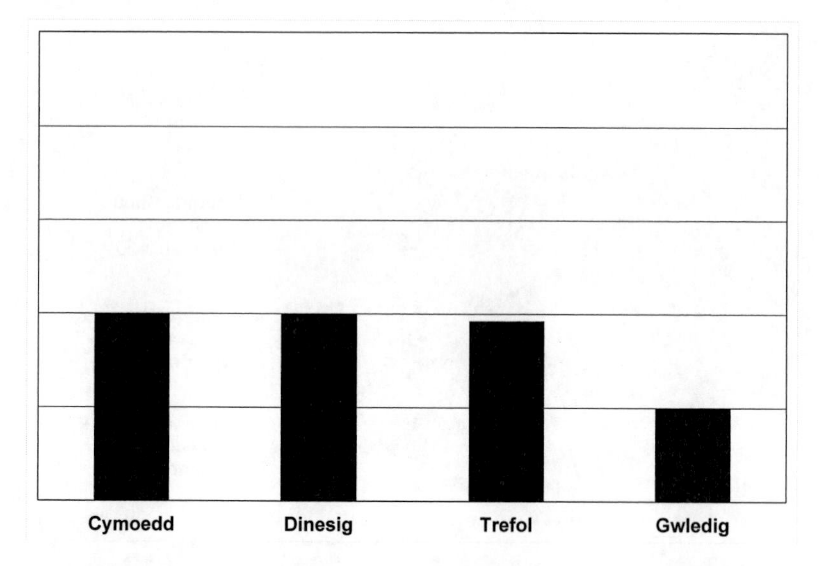

Siart 5. Canran pob eglwys a ymatebodd fel 5:2 yn ôl lleoliad.

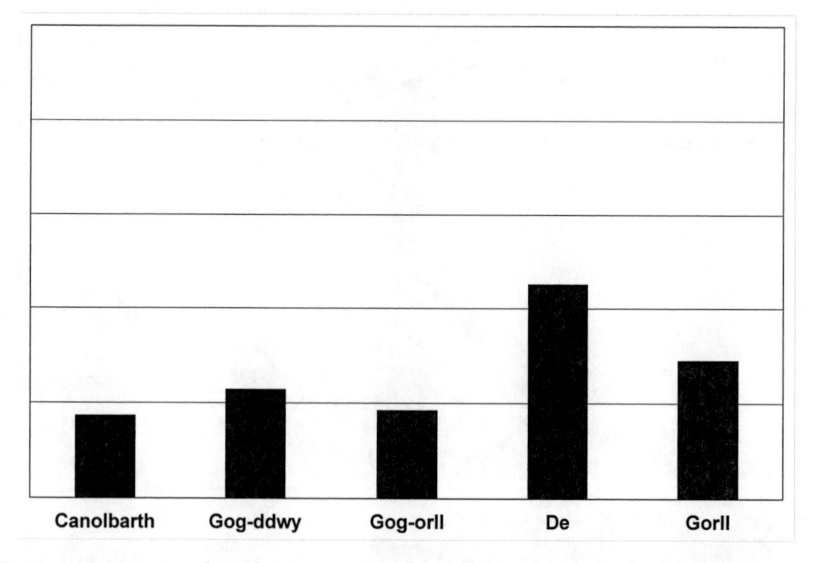

Siart 6. Canran pob eglwys a ymatebodd fel 5:2 yn ôl rhanbarth.

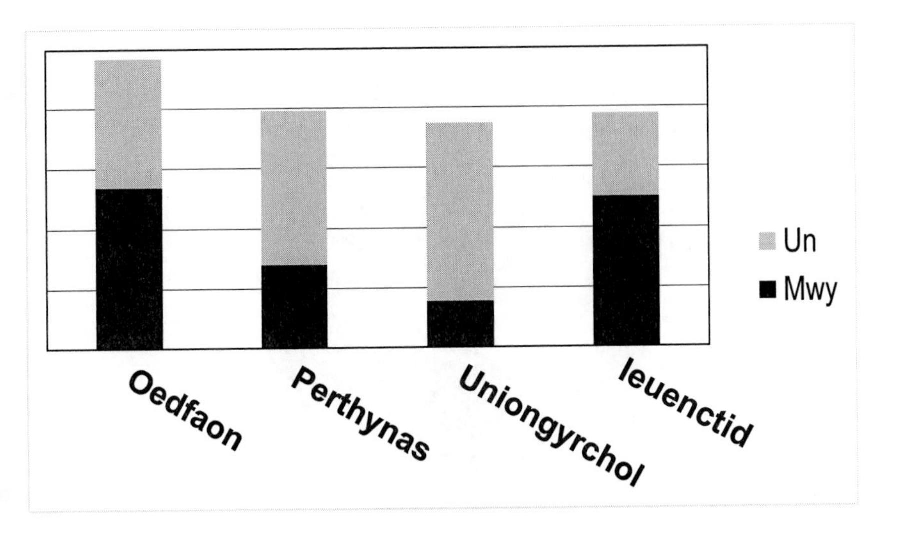

Siart 7. Canran yr eglwysi sy'n defnyddio un neu fwy elfen o bob grŵp o ddulliau i gyfathrebu eu neges.

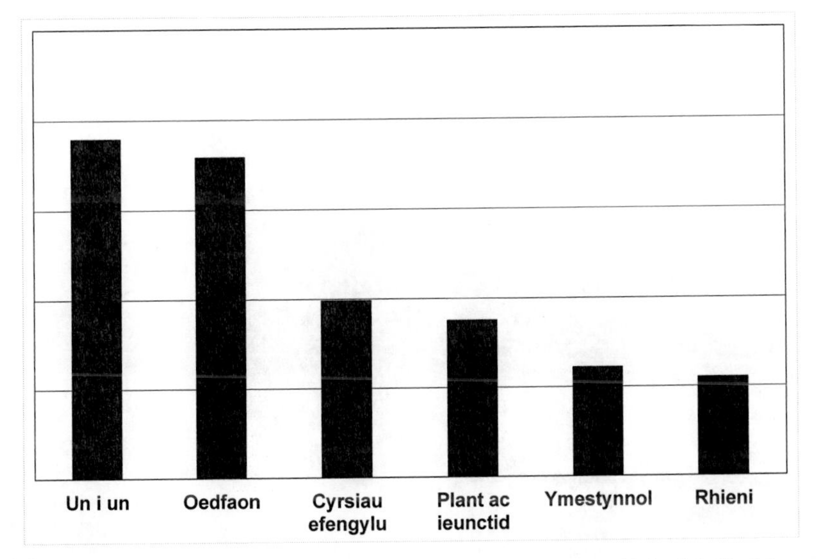

Siart 8. Y dulliau a ddefnyddiwyd wrth i unigolion ddod i ffydd yng Nghrist.

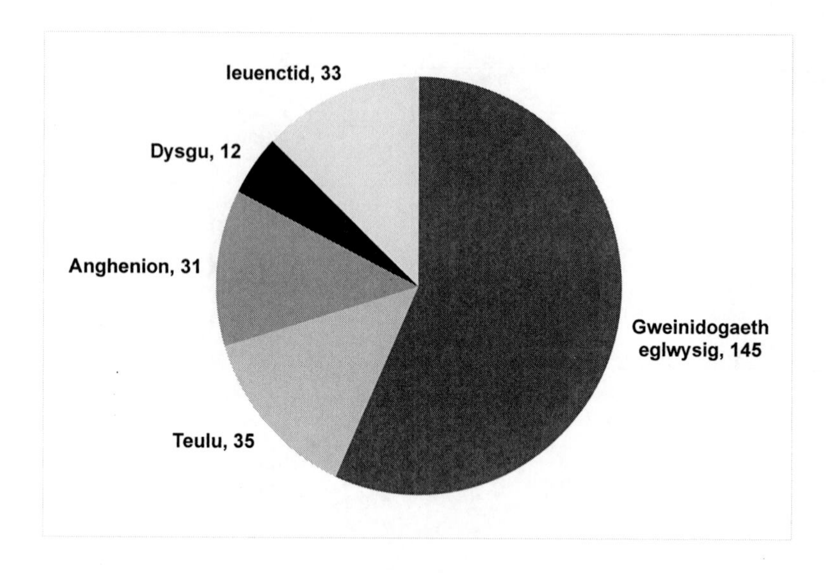

Siart 9. Sut oedd yr eglwysi yn creu cysylltiad â'u cymuned.

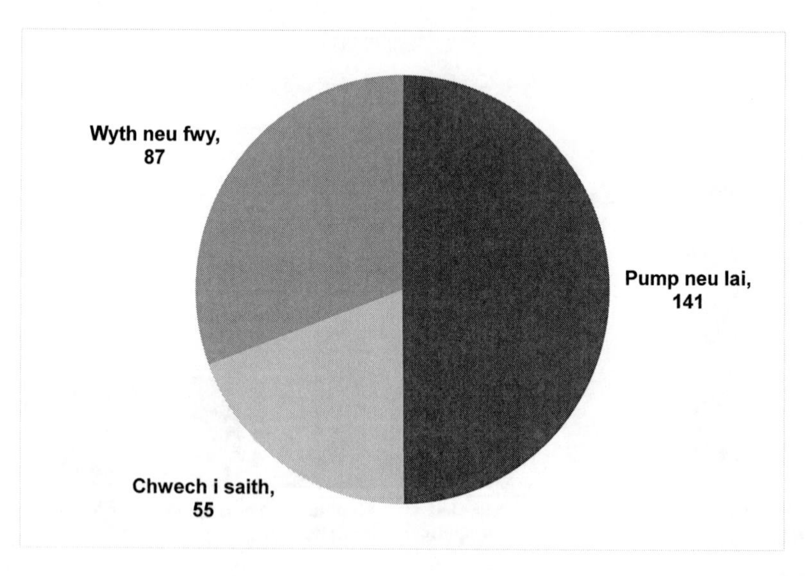

Siart 10. Nifer cysylltiadau'r eglwysi â'u cymuned.

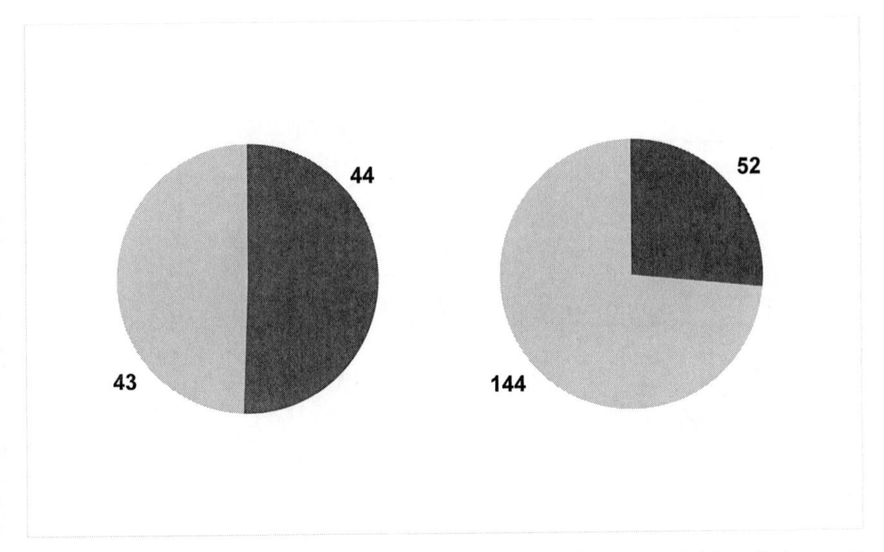

Siart 11. Eglwysi sydd ag 8 neu fwy o gysylltiadau (chwith) a llai nag 8 (dde) gan ddangos y canran a'r rhifau sy'n 5:2 (rhan dywyll).

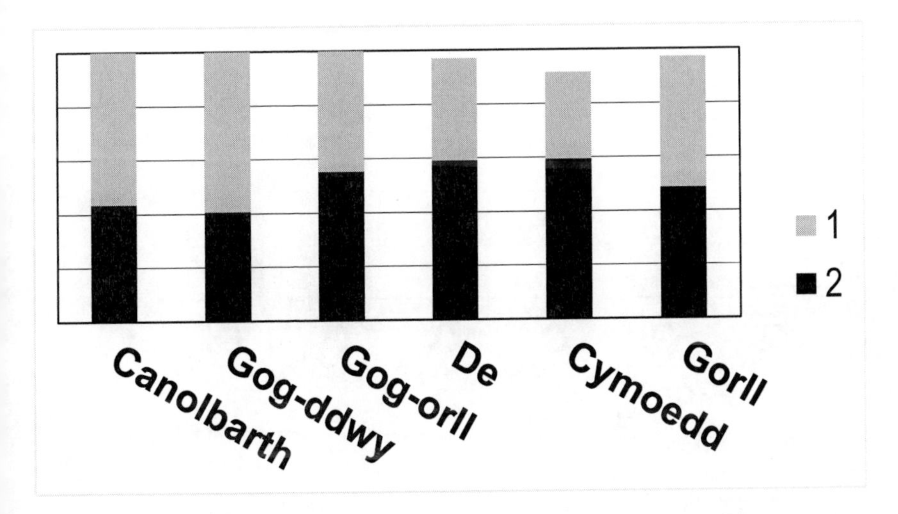

Siart 12. Canran o eglwysi sy'n defnyddio un neu fwy o weithgareddau yn y categori Gwasanaethau i hybu eu neges yn y rhanbarthau gwahanol.

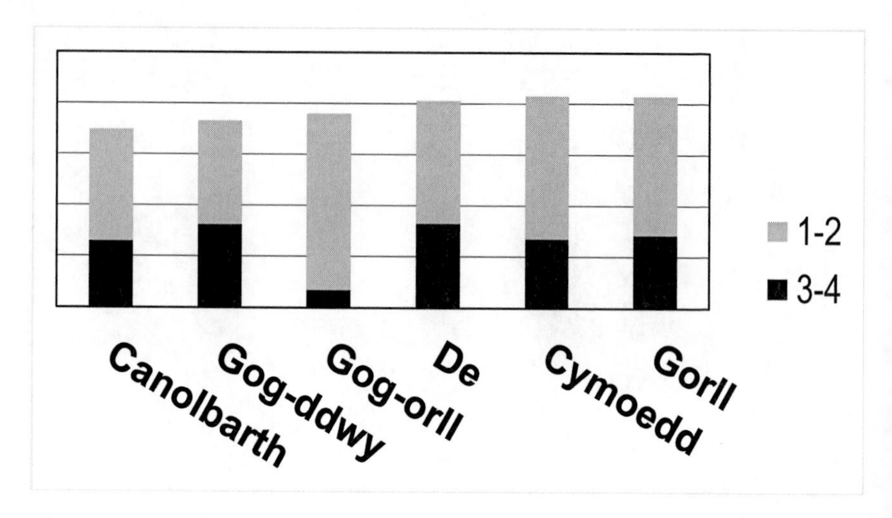

Siart 13. Canran o eglwysi sy'n defnyddio un neu fwy o weithgareddau yn y categori Perthynas i hybu eu neges yn y rhanbarthau gwahanol.

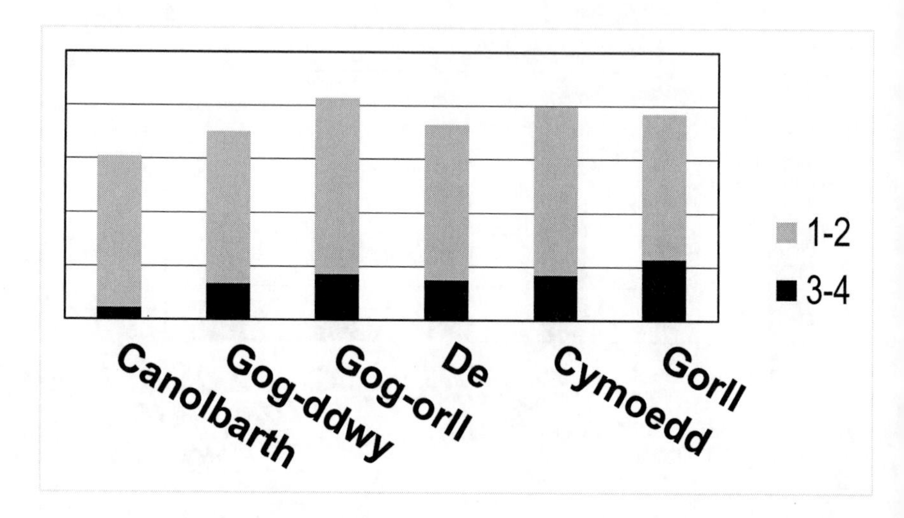

Siart 14. Canran o eglwysi sy'n defnyddio un neu fwy o weithgareddau yn y categori Uniongyrchol i hybu eu neges yn y rhanbarthau gwahanol.

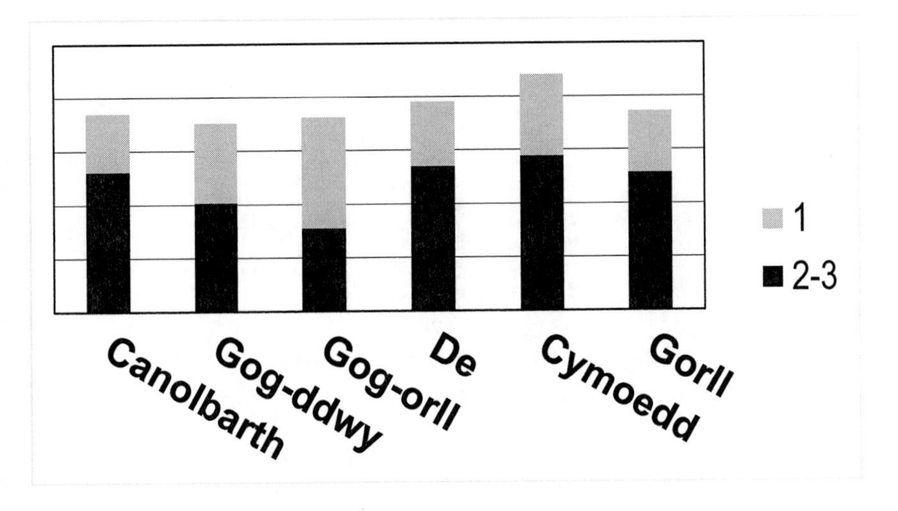

Siart 15. Canran o eglwysi sy'n defnyddio un neu fwy o weithgareddau yn y categori Ieuenctid i hybu eu neges yn y rhanbarthau gwahanol.

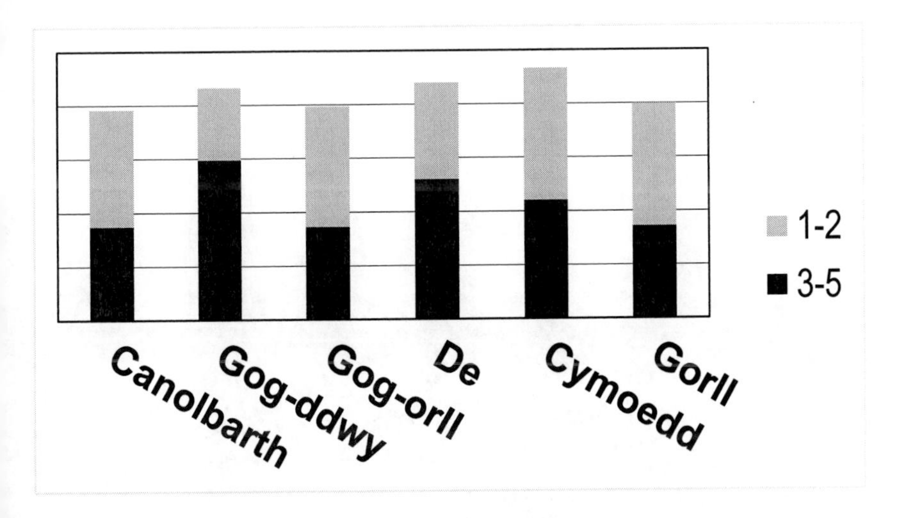

Siart 16. Canran o eglwysi sy'n defnyddio un neu fwy o weithgareddau Cysylltiedig â'r Eglwys i hybu eu neges yn y rhanbarthau gwahanol.

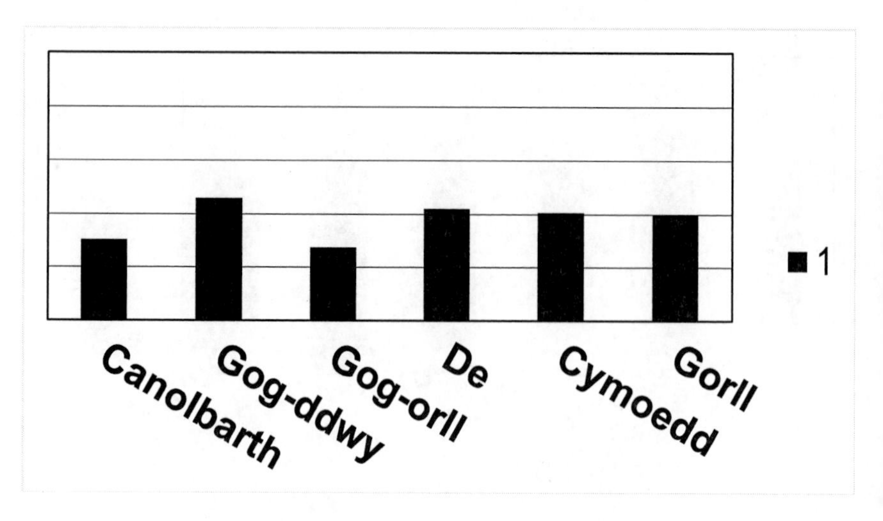

Siart 17. Canran o eglwysi sy'n defnyddio un neu fwy o weithgareddau Cysylltiedig â Chaffi i hybu eu neges yn y rhanbarthau gwahanol.

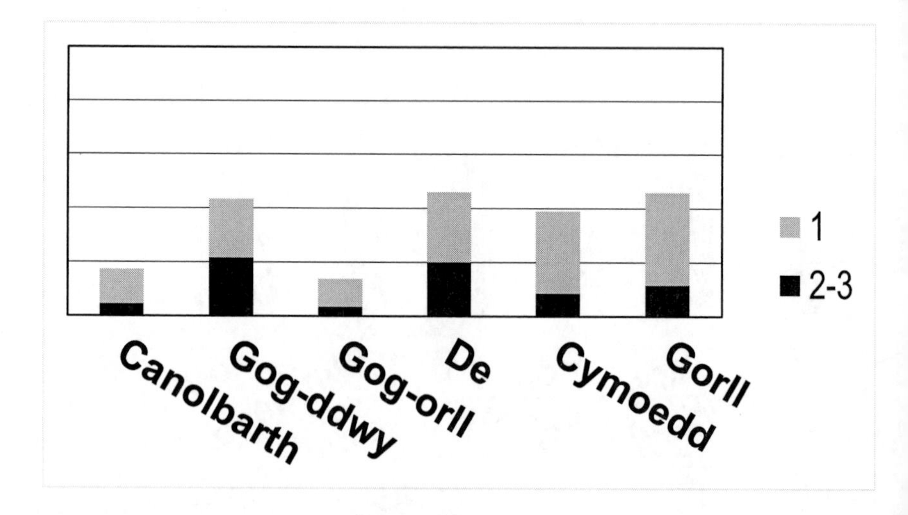

Siart 18. Canran o eglwysi sy'n defnyddio un neu fwy o weithgareddau Cysylltiedig â Theuluoedd i hybu eu neges yn y rhanbarthau gwahanol.

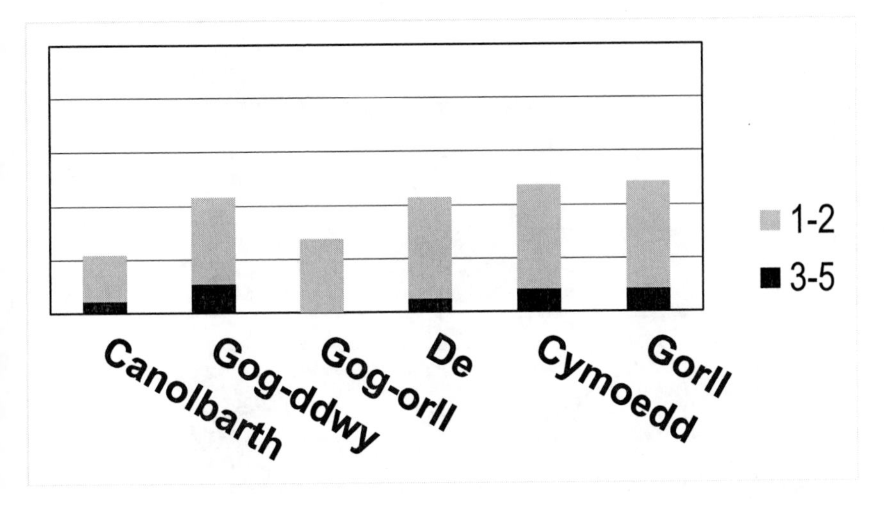

Siart 19. Canran o eglwysi sy'n defnyddio un neu fwy o weithgareddau Cysylltiedig ag Angen i hybu eu neges yn y rhanbarthau gwahanol.

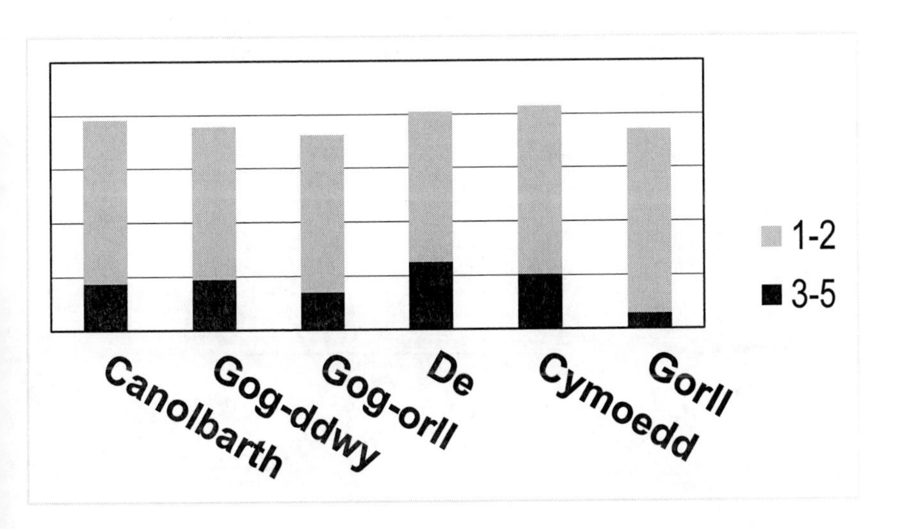

Siart 20. Canran o eglwysi sy'n defnyddio un neu fwy o weithgareddau Cysylltiedig ag Ieuenctid i hybu eu neges yn y rhanbarthau gwahanol.

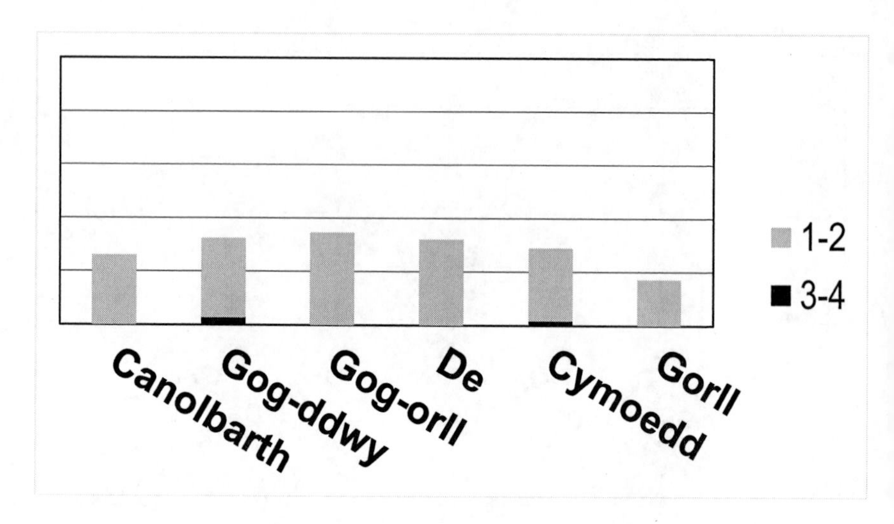

Siart 21. Canran o eglwysi sy'n defnyddio un neu fwy o weithgareddau Cysylltiedig â Hyfforddiant i hybu eu neges yn y rhanbarthau gwahanol.

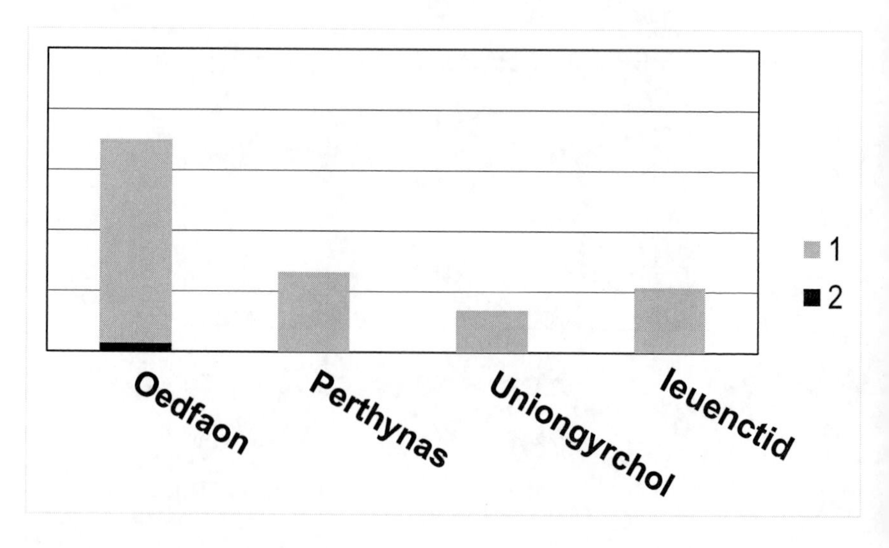

Siart 22. Y dulliau efengylu, a sawl un o bob categori a 'ddefnyddir amlaf' gan eglwysi E1.

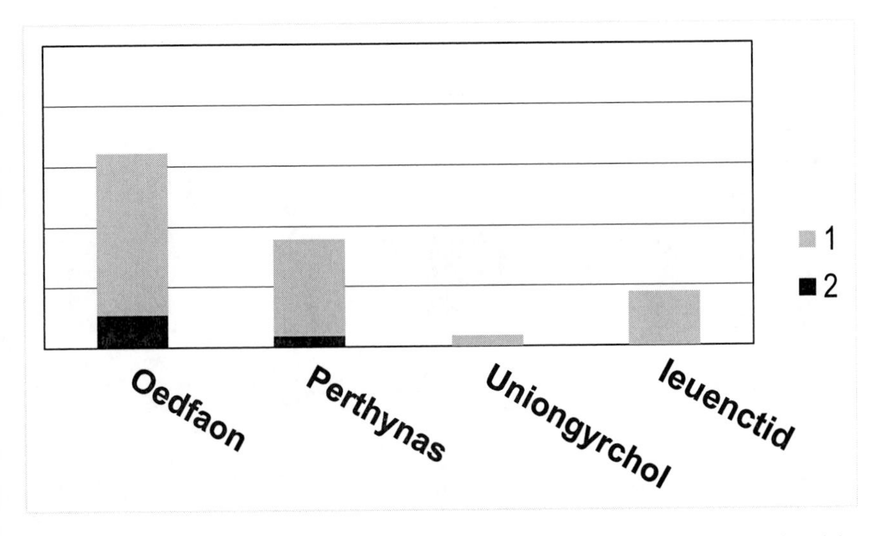

Siart 23. Y dulliau efengylu, a sawl un o bob categori a 'ddefnyddir amlaf' gan eglwysi E2.

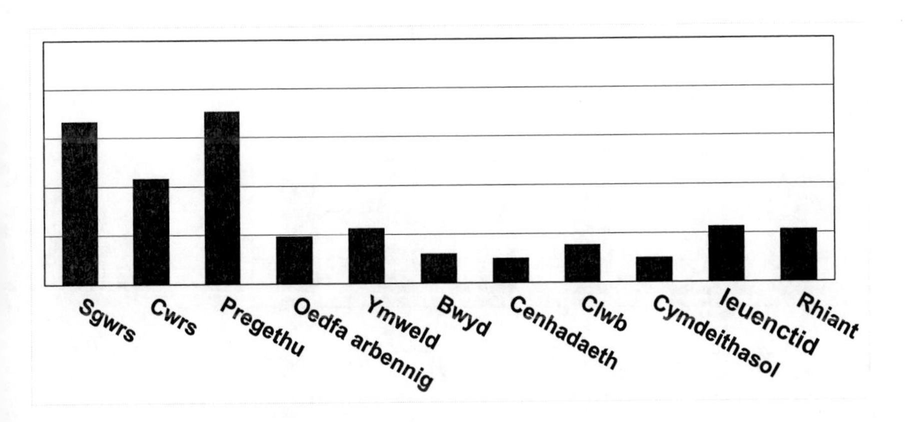

Siart 24. Canran o eglwysi E1 a welodd bobl yn dod i ffydd yng Nghrist drwy'r moddion amrywiol.

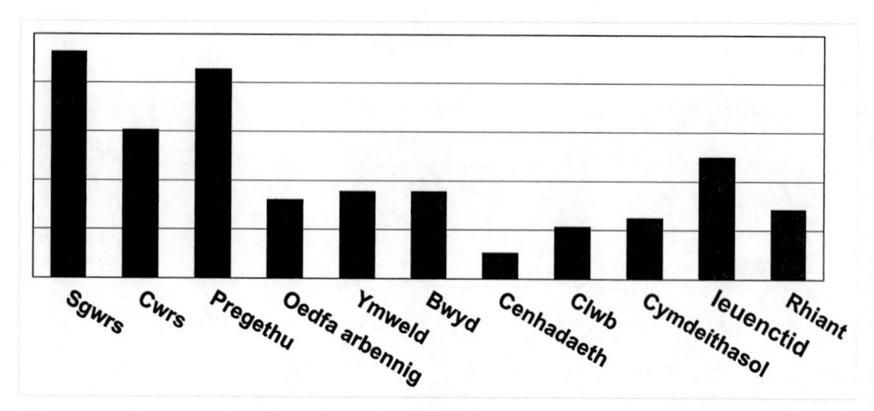

Siart 25. Canran o eglwysi E2 a welodd pobl yn dod i ffydd yng Nghrist drwy'r moddion amrywiol.

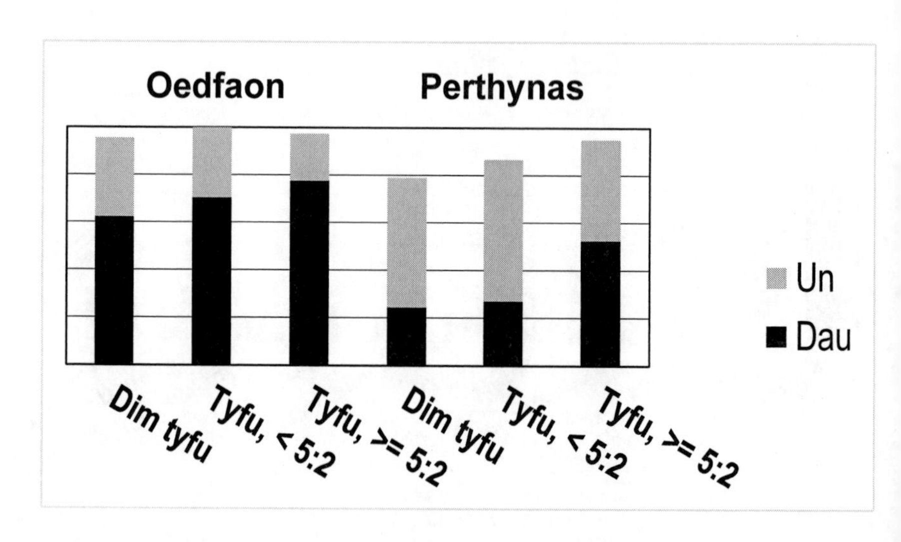

Siart 26. Defnydd eglwysi sy'n pwysleisio efengylu o Wasanaethau a dulliau ar sail Perthynas, o ystyried patrymau twf.

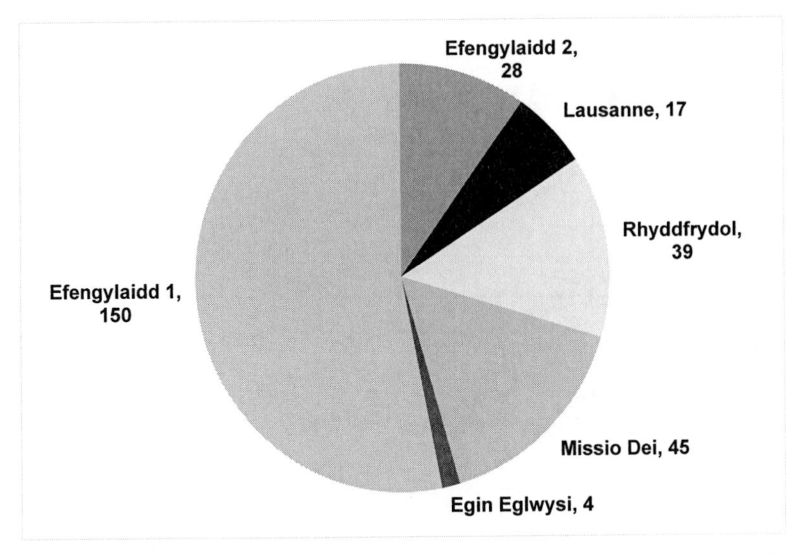

Siart 27. Rhif a chanran yr eglwysi i gyd o ran Dull o ymagweddu at genhadaeth.

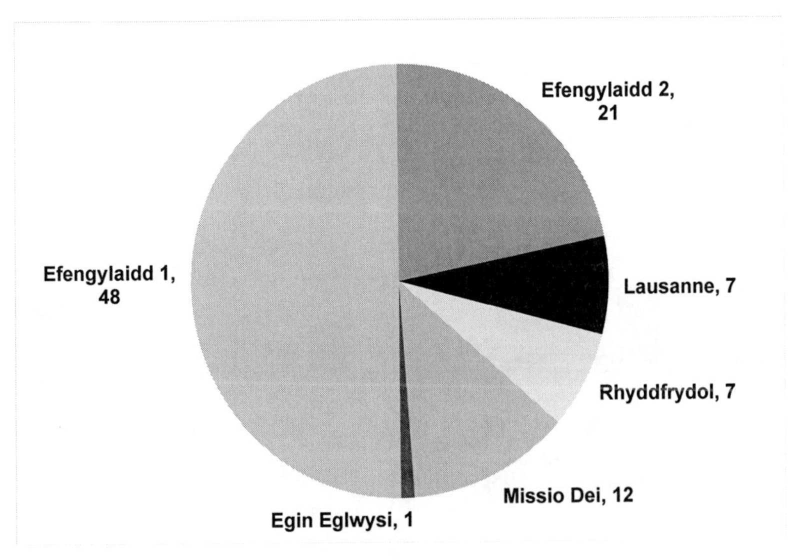

Siart 28. Rhif a chanran eglwysi 5:2 o ran Dull o ymagweddu at genhadaeth.

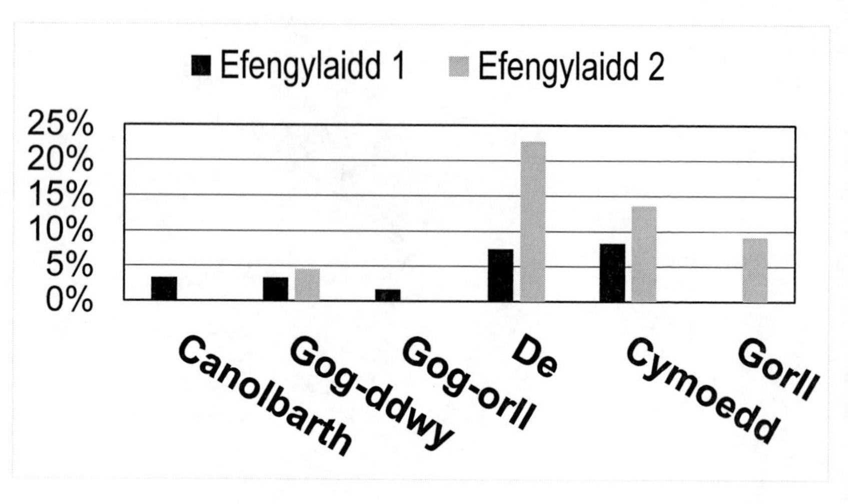

Siart 29. Canran 5:2 o eglwysi E1 a E2 yn y gwahanol ranbarthau.

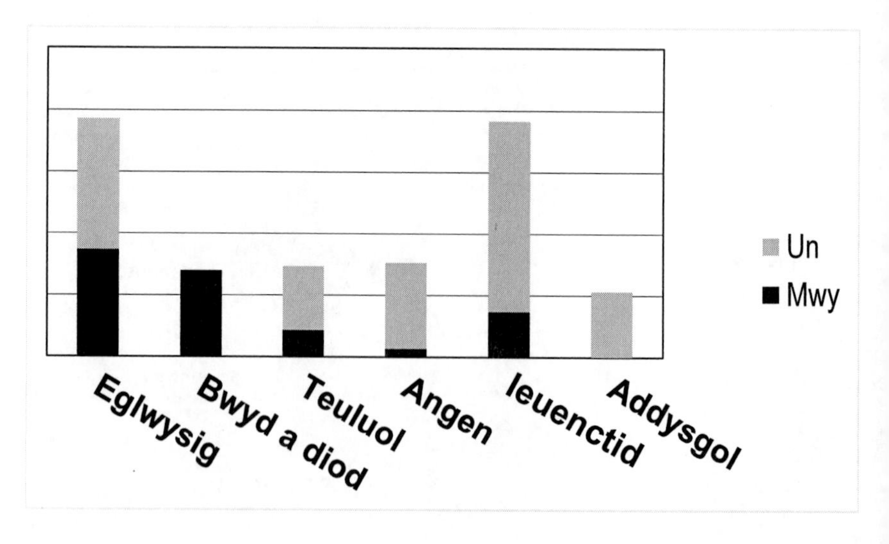

Siart 30. Graddau a natur cysylltiadau E1 a'r gymuned

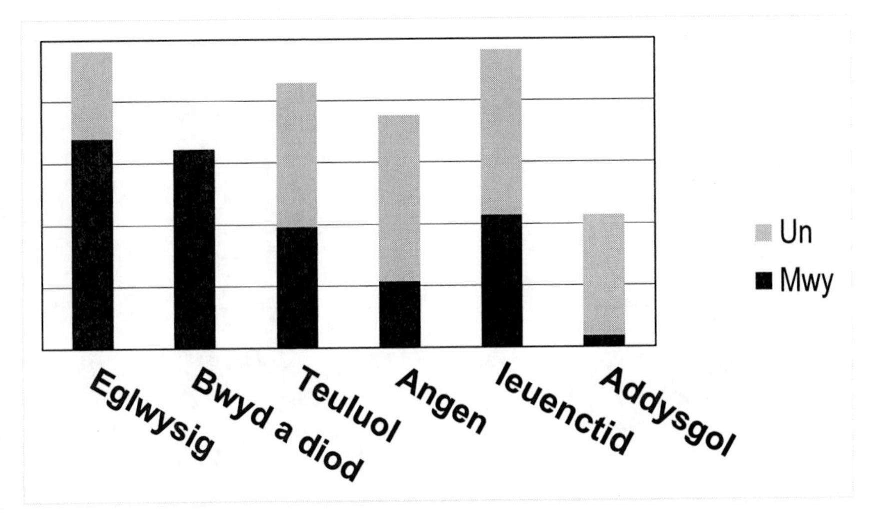

Siart 31. Graddau a natur cysylltiadau E2 a'r gymuned

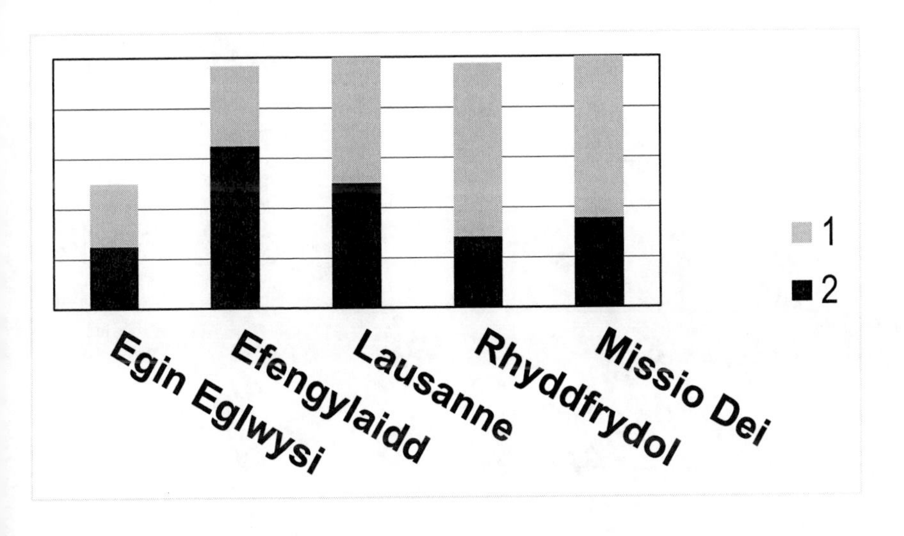

Siart 32. Canran yr eglwysi sy'n defnyddio dulliau Gwasanaethau i hybu eu neges.

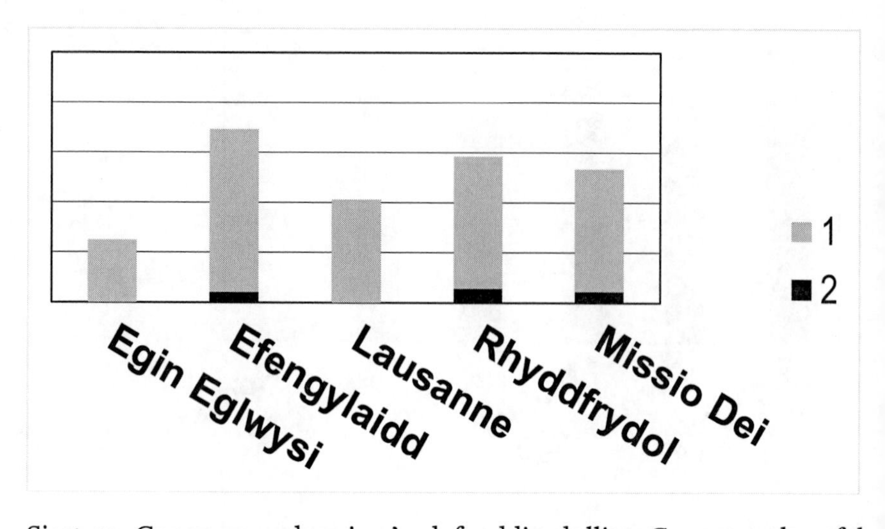

Siart 33. Canran yr eglwysi sy'n defnyddio dulliau Gwasanaethau fel 'amlaf' i hybu eu neges.

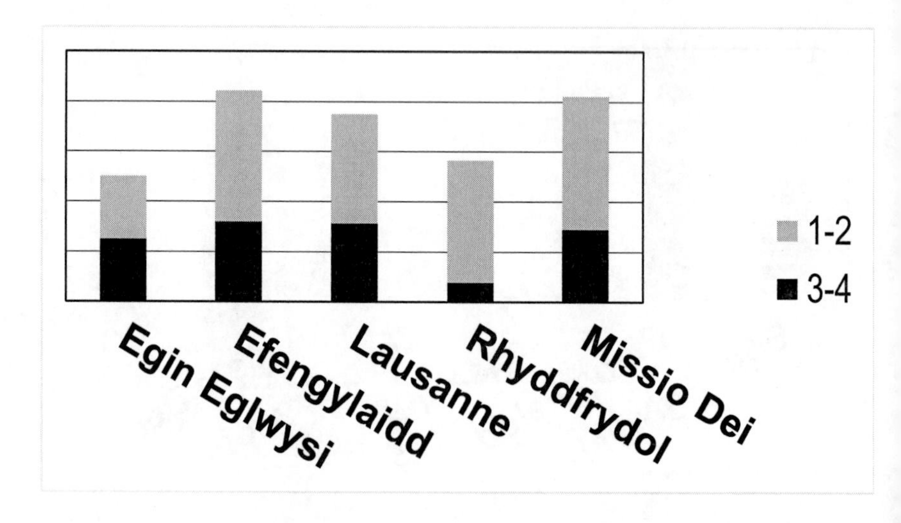

Siart 34. Canran yr eglwysi sy'n defnyddio dulliau Perthynas i hybu eu neges.

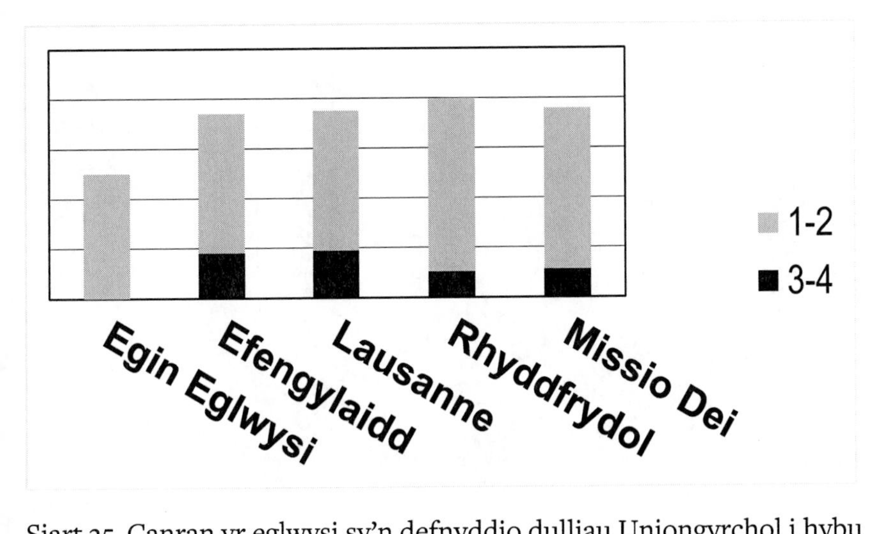

Siart 35. Canran yr eglwysi sy'n defnyddio dulliau Uniongyrchol i hybu eu neges.

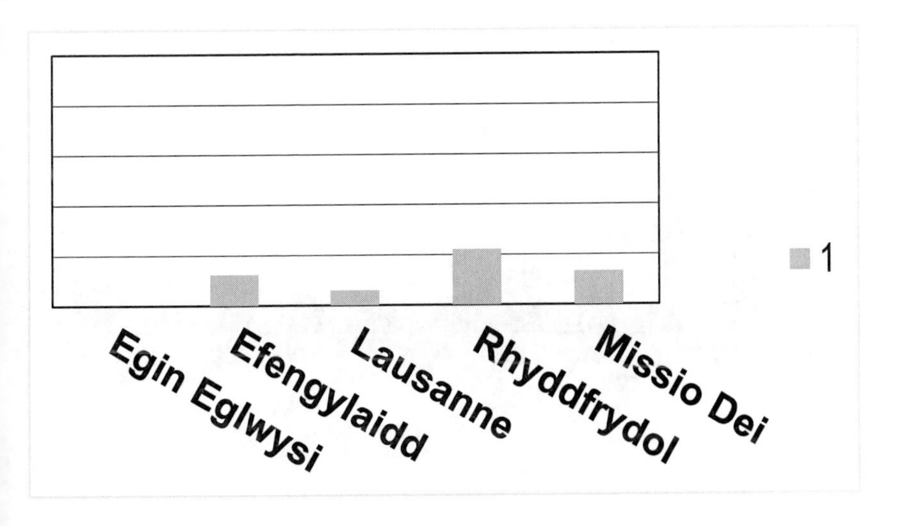

Siart 36. Canran yr eglwysi sy'n defnyddio dulliau Uniongyrchol fel 'amlaf' i hybu eu neges.

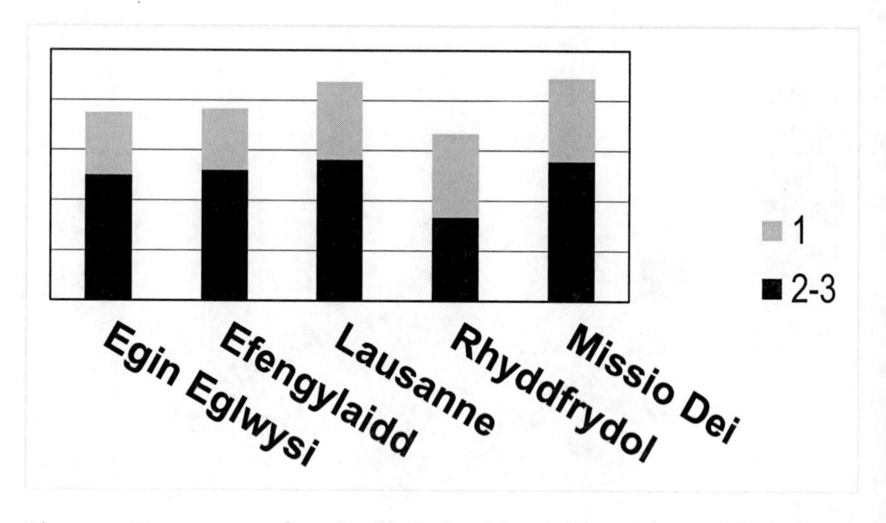

Siart 37. Canran yr eglwysi sy'n defnyddio dulliau Ieuenctid i hybu eu neges.

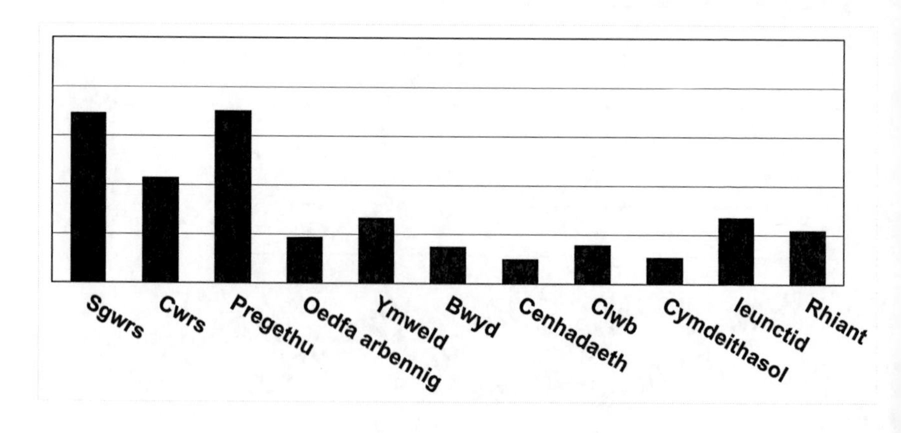

Siart 38. Sut y daeth pobl i ffydd a'u hychwanegu i'r eglwys, ym mhob eglwys.

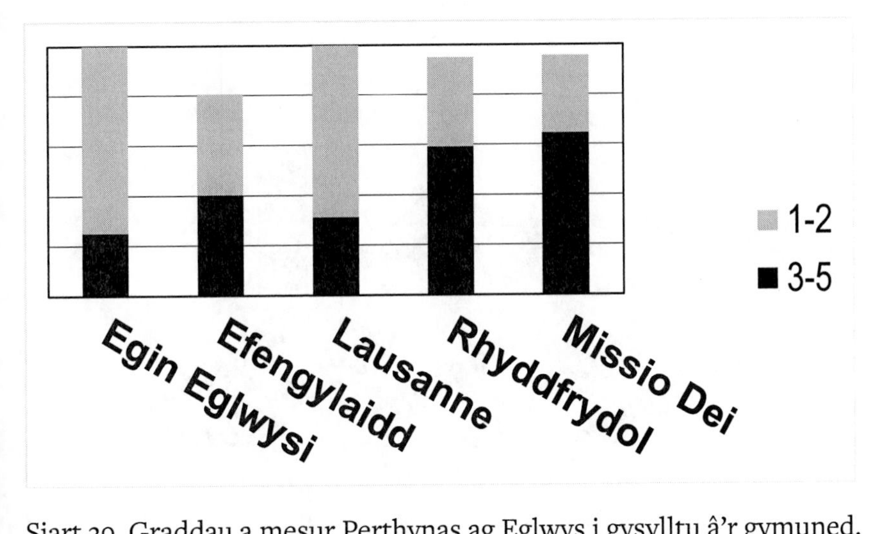

Siart 39. Graddau a mesur Perthynas ag Eglwys i gysylltu â'r gymuned.

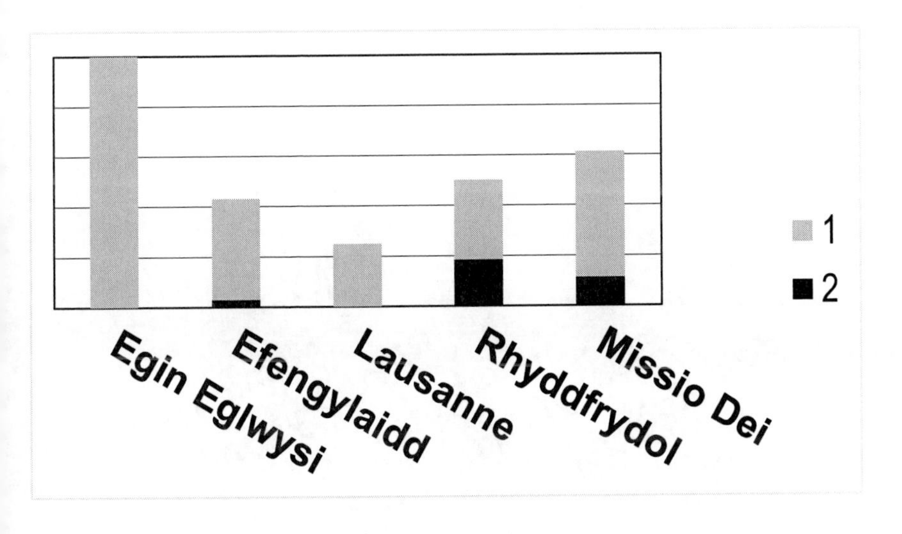

Siart 40. Graddau a mesur Perthynas ag Eglwys fel 'amlaf eu defnydd' i gysylltu â'r gymuned.

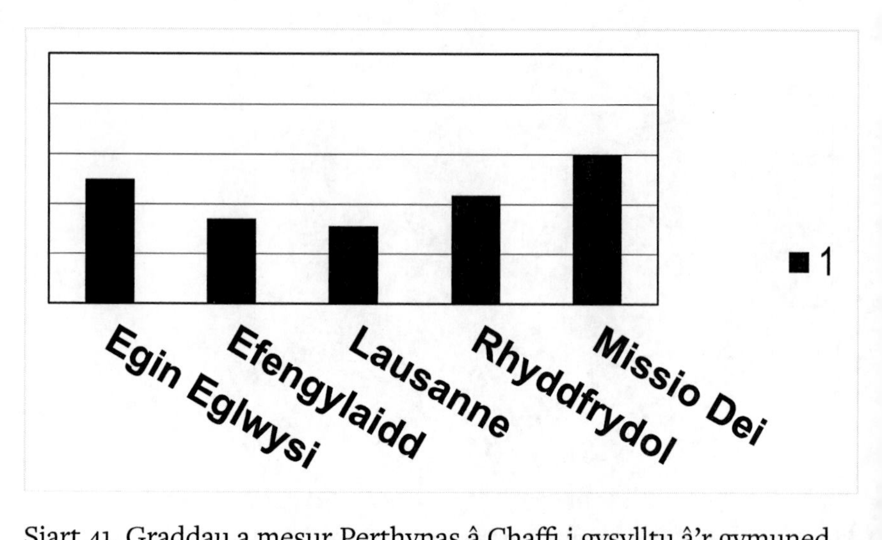

Siart 41. Graddau a mesur Perthynas â Chaffi i gysylltu â'r gymuned.

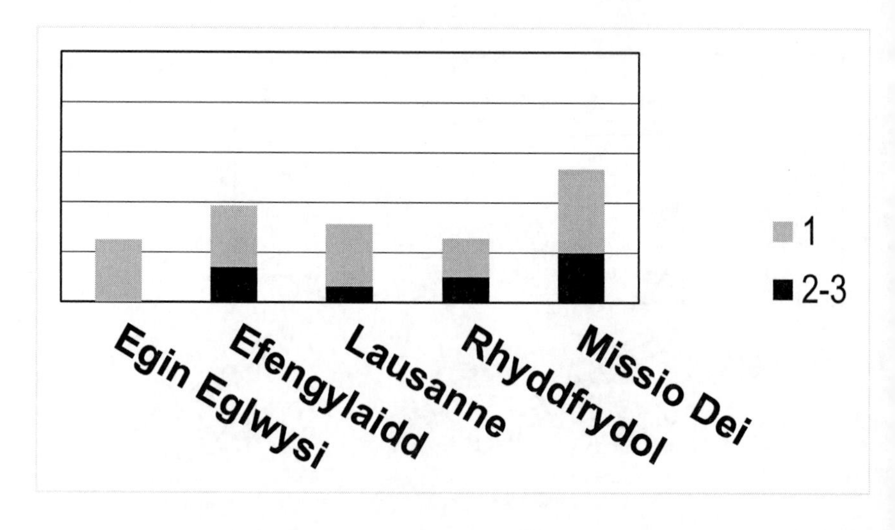

Siart 42. Graddau a mesur Perthynas â Theulu Eglwys i gysylltu â'r gymuned.

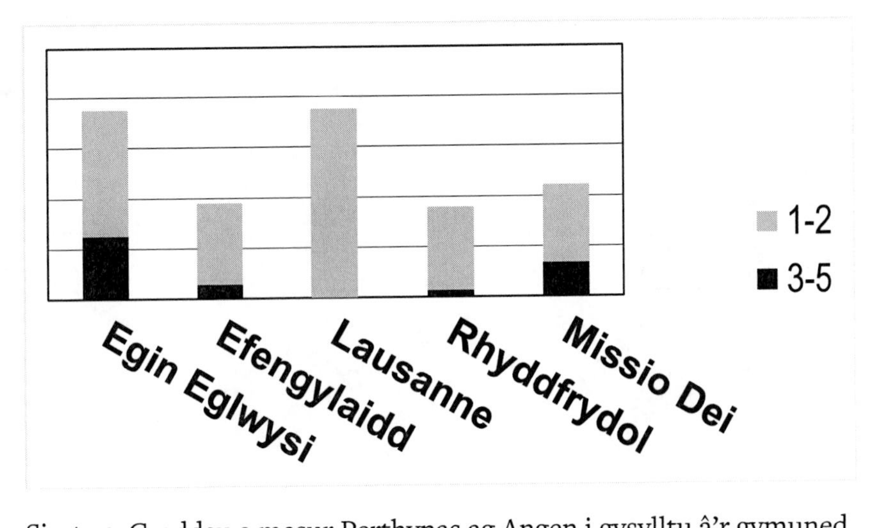

Siart 43. Graddau a mesur Perthynas ag Angen i gysylltu â'r gymuned.

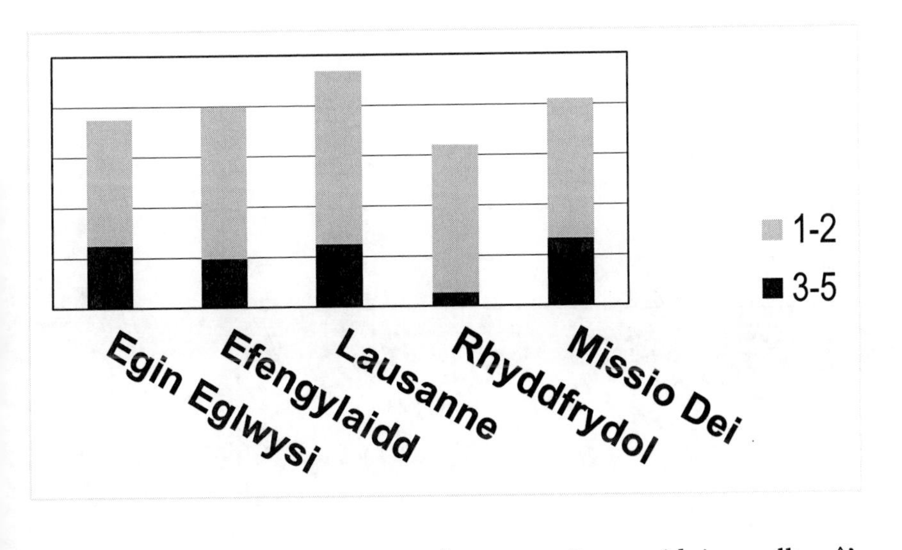

Siart 44. Graddau a mesur Perthynas ag Ieuenctid i gysylltu â'r gymuned.

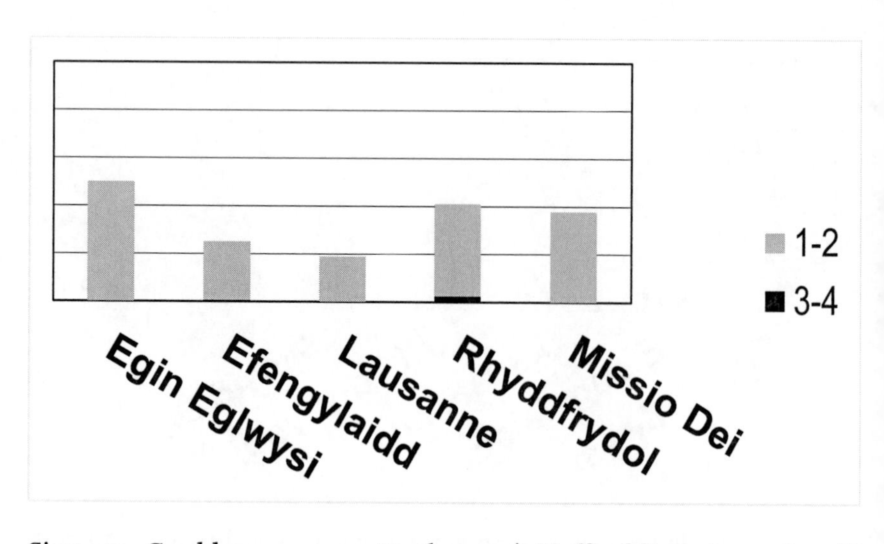

Siart 45. Graddau a mesur Perthynas â Hyfforddiant i gysylltu â'r gymuned.

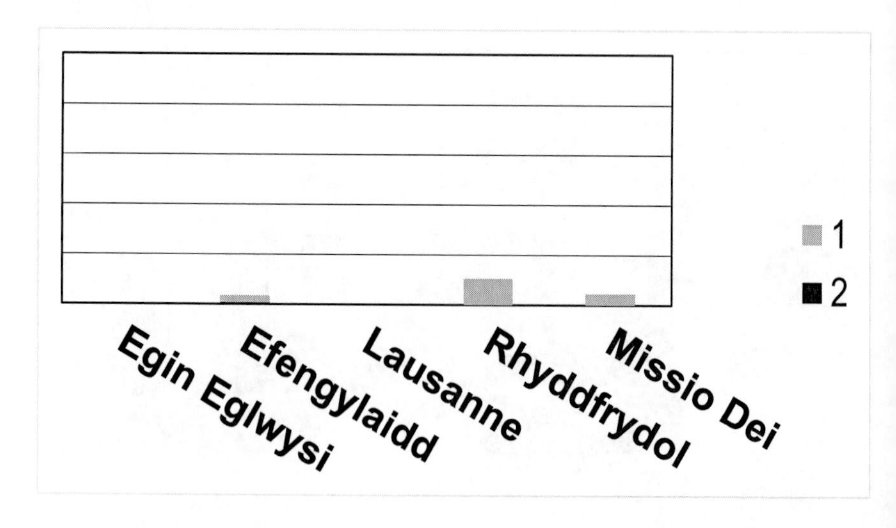

Siart 46. Graddau a mesur Perthynas â Hyfforddiant fel 'amlaf' i gysylltu â'r gymuned.

	Pwysleisio efengylu	Lausanne	Missio Dei	Rhyddfrydol	Egin eglwysi
Dim	34%	0%	0%	15%	0%
Cenedlaethol	14%	0%	25%	30%	17%
Lleol	34%	100%	75%	55%	67%
Lobïo	45%	50%	62%	45%	50%
Pob agwedd	45%	50%	62%	45%	50%

Siart 47. Y canran o Eglwysi sy'n ymwneud â gwleidyddiaeth ar gyfer pob Dull o ymagweddu at Genhadaeth.

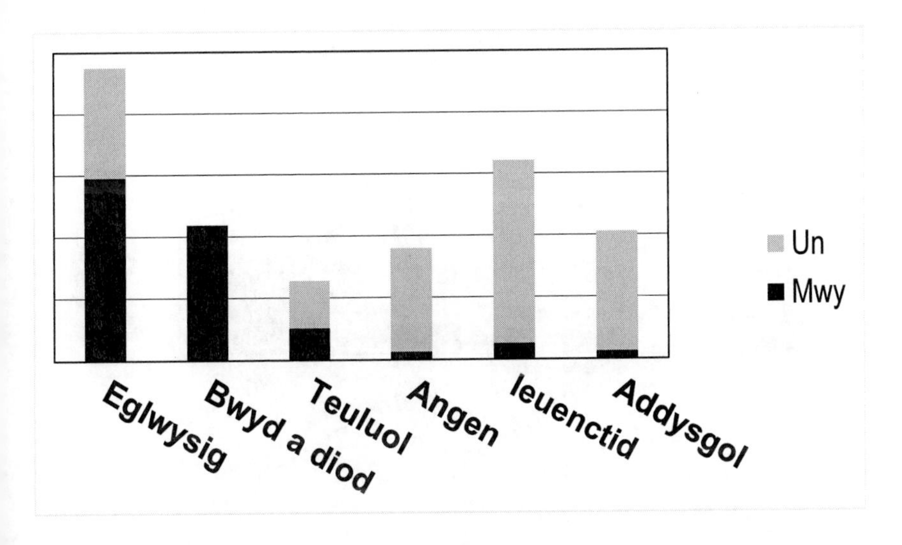

Siart 48. Sut yr oedd eglwysi Rhyddfrydol yn cysylltu â'u cymunedau, gan ddefnyddio sawl dynesiad gwahanol mewn grŵp.

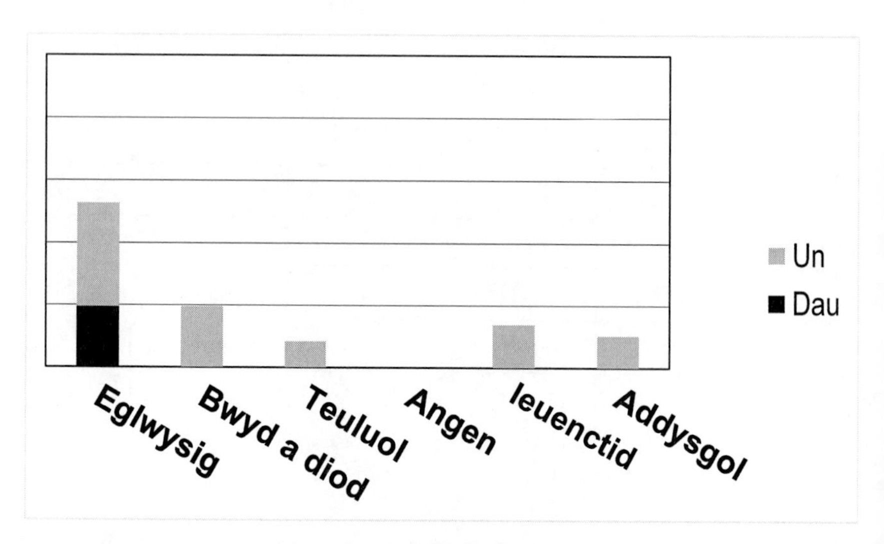

Siart 49. Sut oedd eglwysi Rhyddfrydol yn cysylltu 'amlaf' ac a oedd yr 'amlaf' yn dod o'r un grŵp.

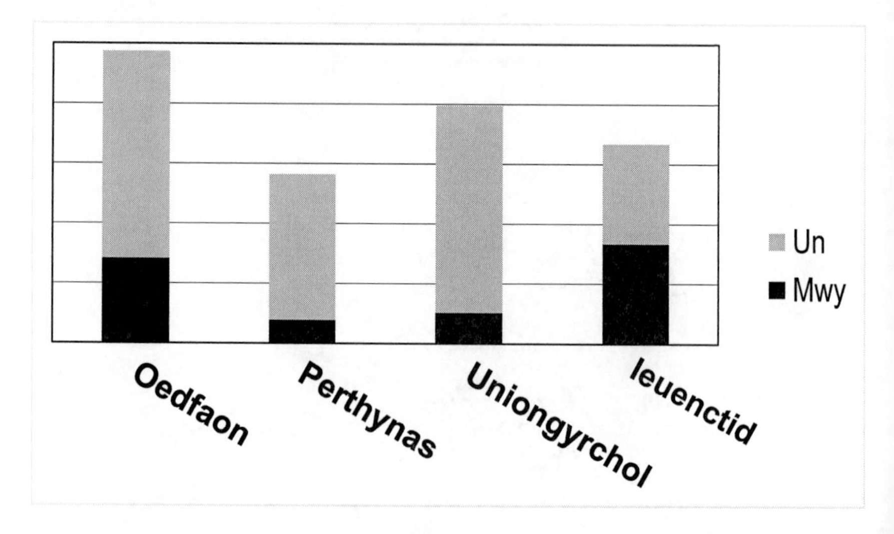

Siart 50. Sut oedd yr eglwysi Rhyddfrydol yn ceisio cyfathrebu eu neges, gan ddangos y canran o bob grŵp a sawl dynesiad mewn grŵp.

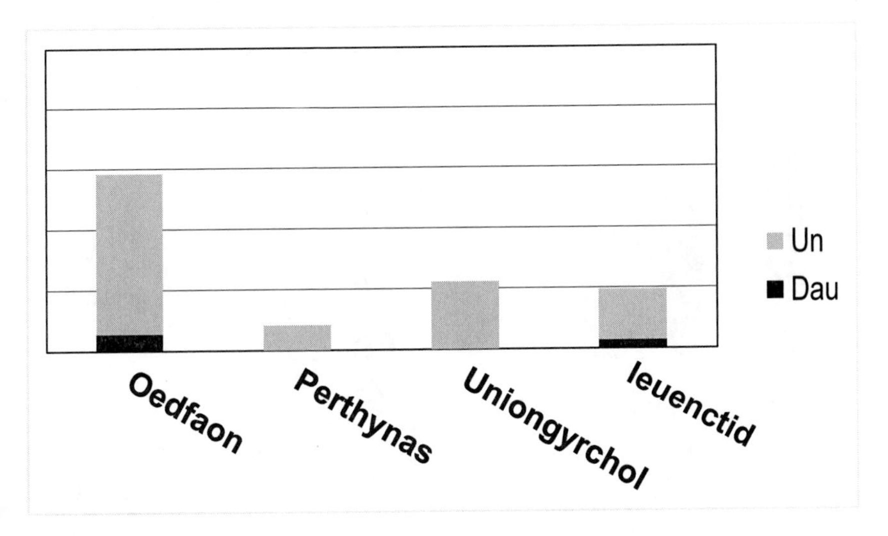

Siart 51. Sut oedd yr eglwysi Rhyddfrydol yn adnabod y dull yr oeddent yn ei ddefnyddio, ac a oedd yr 'amlaf eu defnydd' yn dod o'r un grŵp.

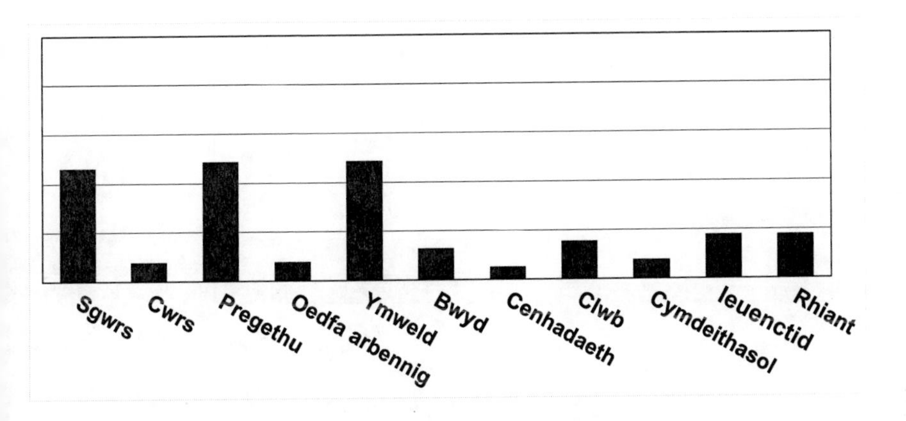

Siart 52. Sut oedd pobl yn dod i ffydd a chael eu hychwanegu i'r eglwys ymhlith yr eglwysi Rhyddfrydol.

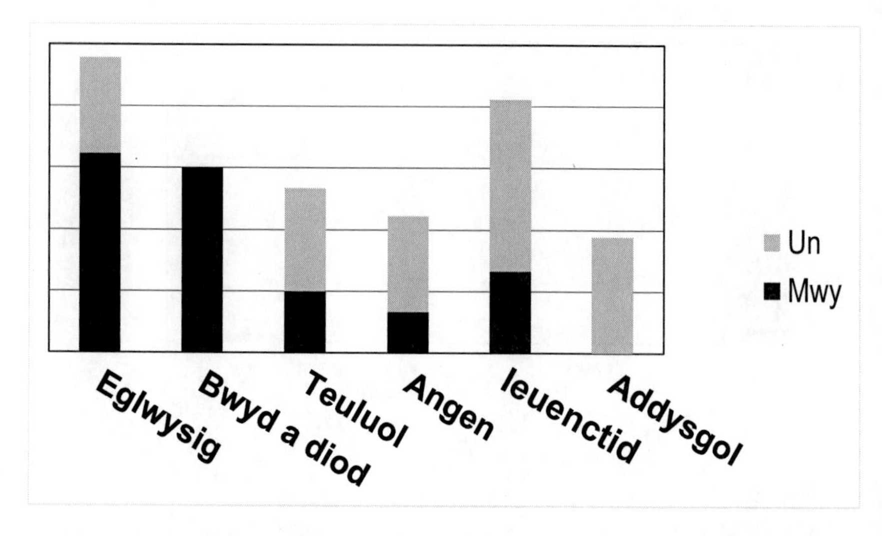

Siart 53. Sut oedd yr eglwysi *Missio Dei* yn cysylltu â'u cymunedau, gan ddefnyddio sawl dull gwahanol mewn grŵp.

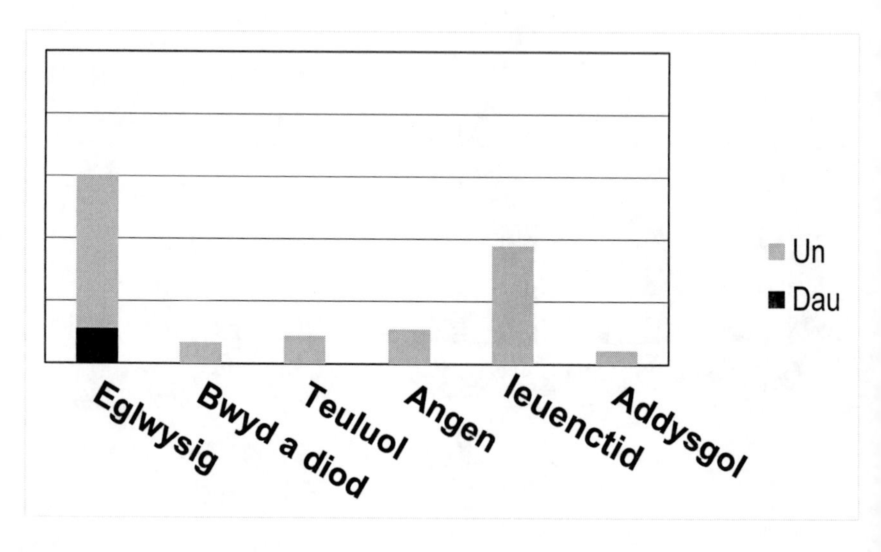

Siart 54. Sut oedd yr eglwysi *Missio Dei* yn cysylltu 'amlaf' ac a oedd yr 'amlaf' yn dod o'r un grŵp.

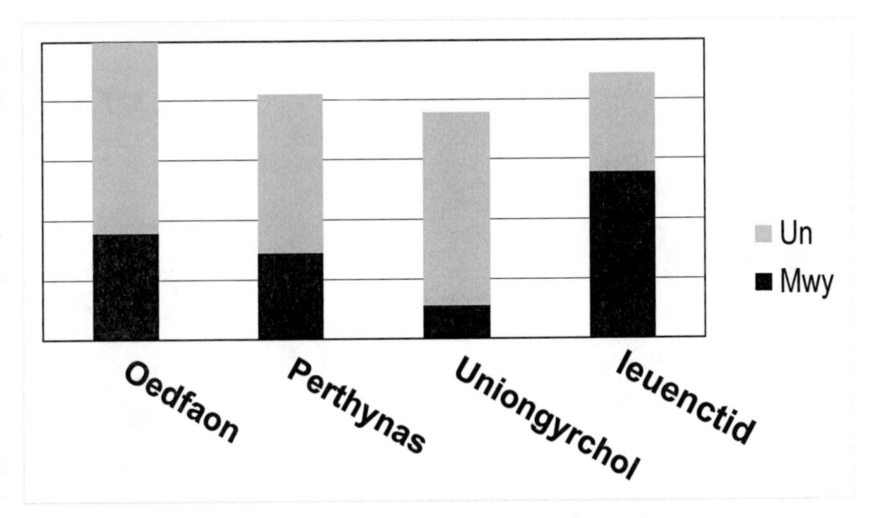

Siart 55. Sut oedd yr eglwysi *Missio Dei* yn ceisio cyfathrebu eu neges, gan ddangos y canran o bob grŵp a sawl dull mewn grŵp.

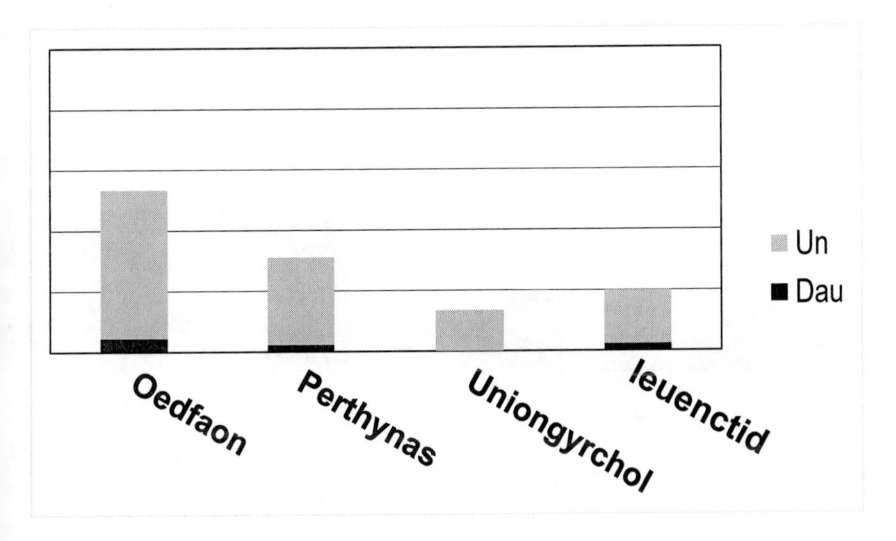

Siart 56. Sut oedd yr eglwysi *Missio Dei* yn adnabod y dulliau yr oeddent yn eu defnyddio, ac a oedd yr 'amlaf' yn dod o'r un grŵp.

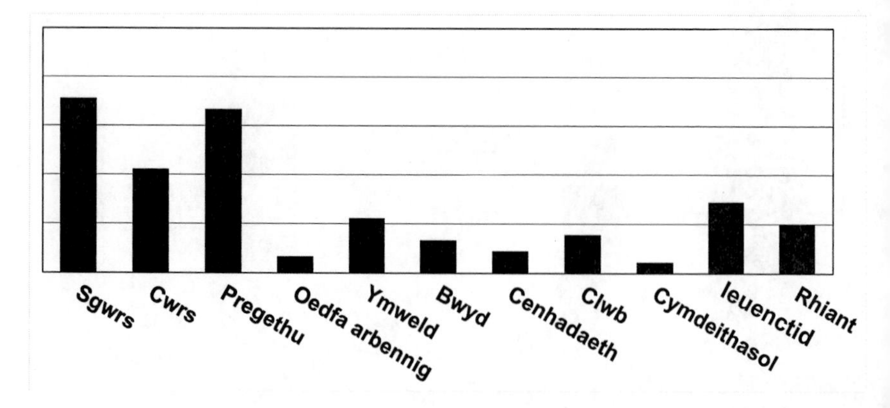

Siart 57. Sut oedd pobl yn dod i ffydd a chael eu hychwanegu i'r eglwys ymhlith yr eglwysi *Missio Dei*.

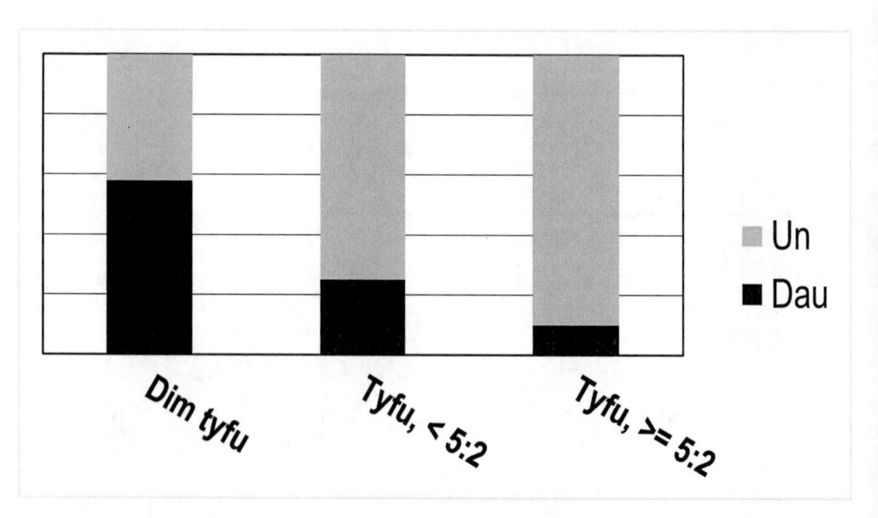

Siart 58. Defnydd eglwysi *Missio Dei* o Wasanaethau i gyfathrebu eu neges mewn perthynas â phatrymau twf.

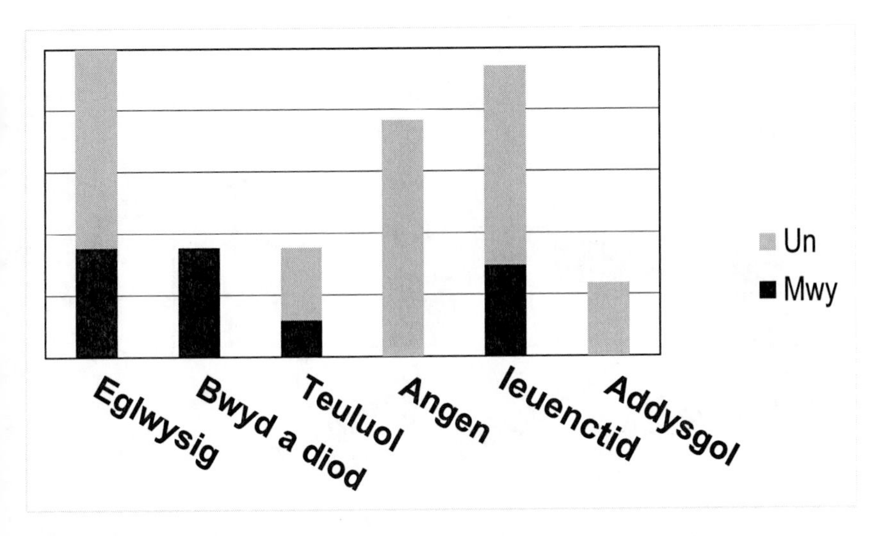

Siart 59. Sut oedd yr eglwysi Lausanne yn cysylltu â'u cymunedau, gan ddefnyddio sawl dull gwahanol mewn grŵp.

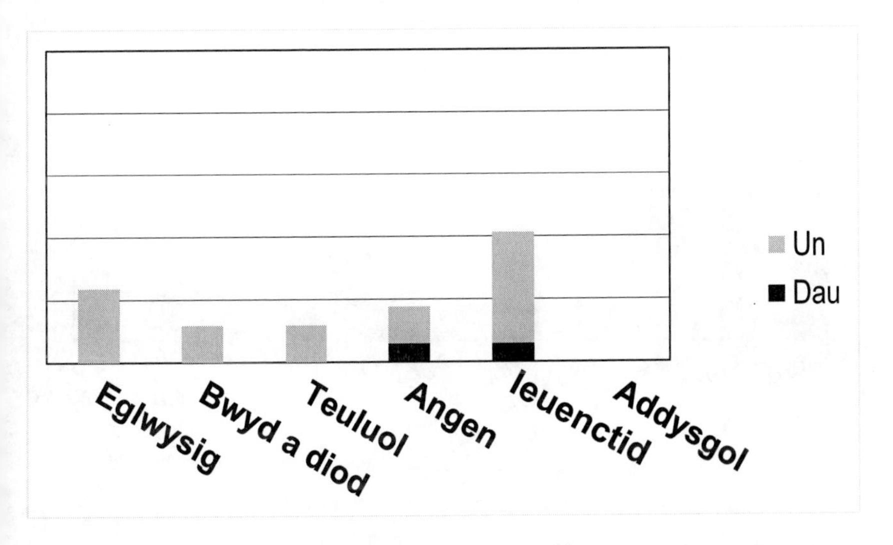

Siart 60. Sut oedd yr eglwysi Lausanne yn cysylltu 'amlaf' ac a oedd yr 'amlaf eu defnydd' yn dod o'r un grŵp.

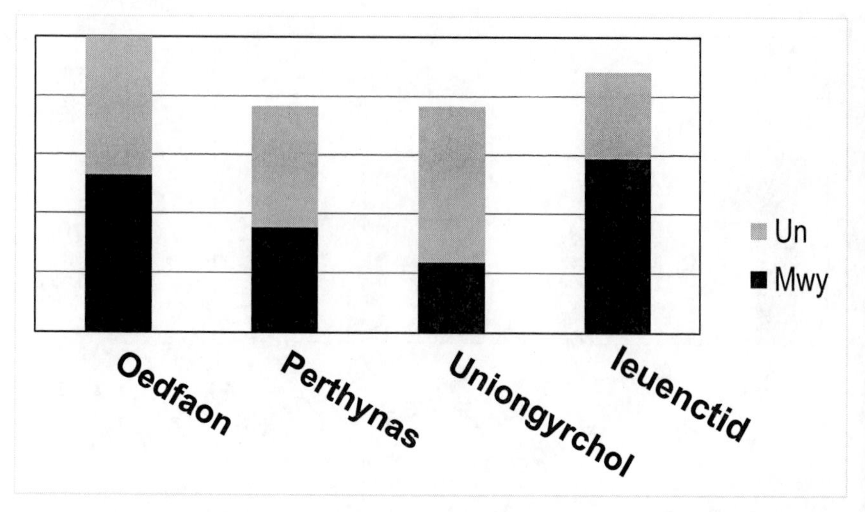

Siart 61. Sut oedd yr eglwysi Lausanne yn ceisio cyfathrebu eu neges, gan ddangos y canran o bob grŵp a dulliau amrywiol mewn grŵp.

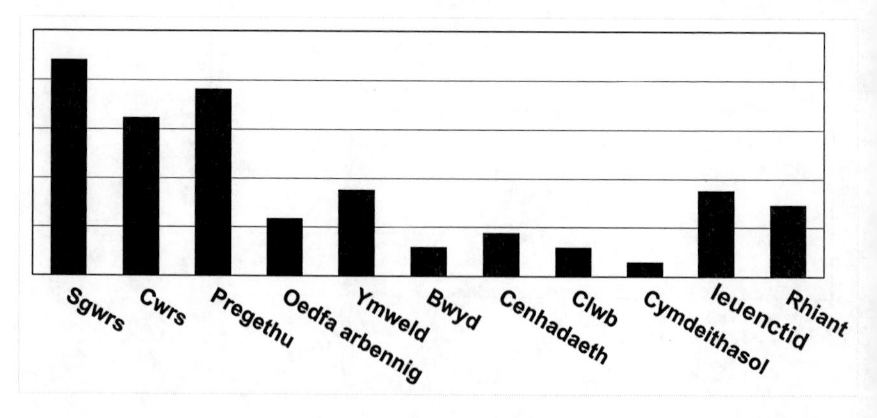

Siart 62. Sut oedd pobl yn dod i ffydd a chael eu hychwanegu i'r eglwys ymhlith yr eglwysi Lausanne.

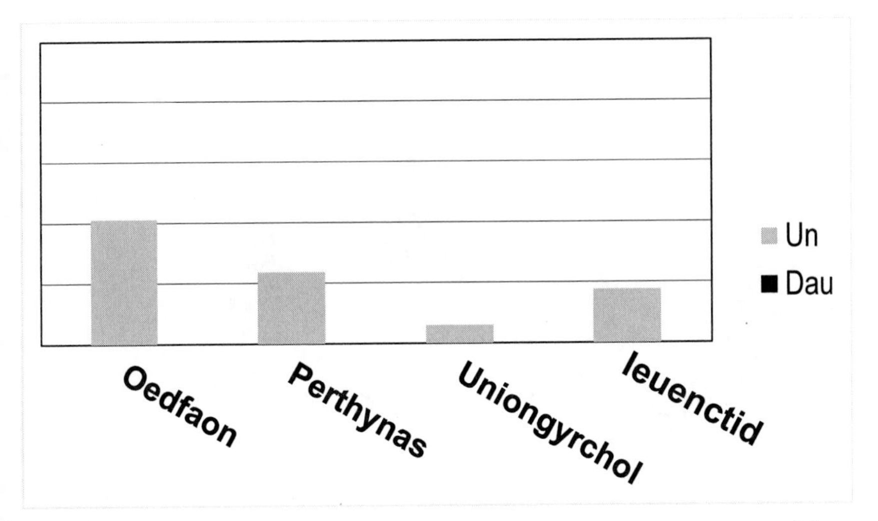

Siart 63. Sut oedd yr eglwysi Lausanne yn adnabod y dulliau yr oeddent yn eu defnyddio amlaf, ac a oedd yr 'amlaf eu defnydd' yn dod o'r un grŵp.

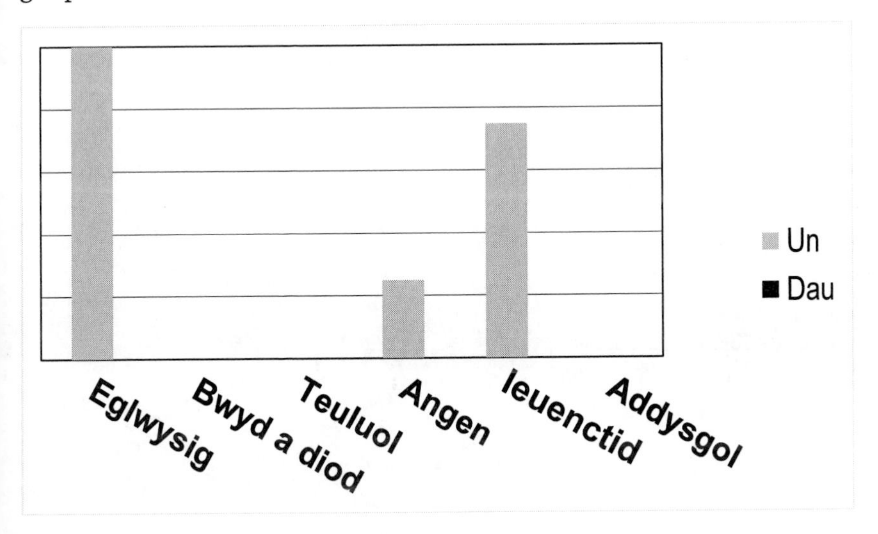

Siart 64. Cysylltiadau 'amlaf eu defnydd' Egin Eglwysi efo'u cymunedau.

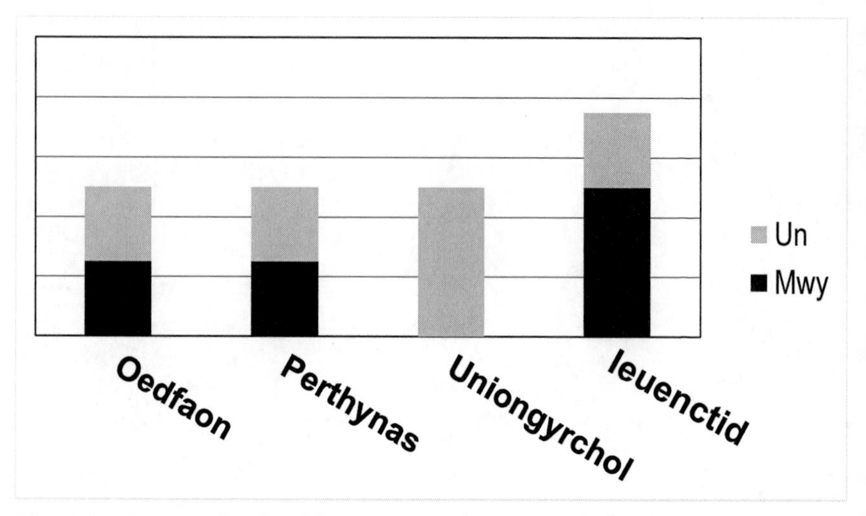

Siart 65. Sut ymdrechodd yr Egin Eglwysi i gyfathrebu eu neges, gan ddangos y ganran a ddefnyddiwyd o bob grŵp, a dulliau gwahanol ym mhob grŵp.

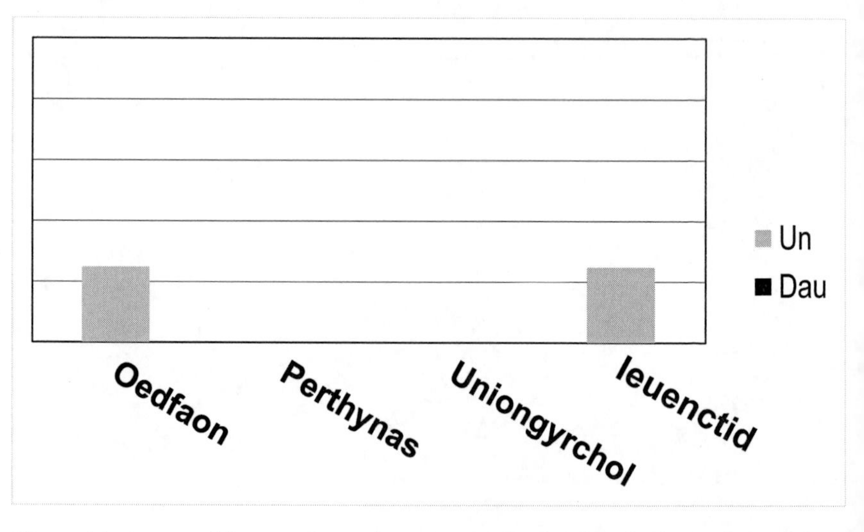

Siart 66. Sut oedd yr Egin Eglwysi yn adnabod y dulliau yr oeddent yn eu defnyddio amlaf, ac a oedd yr 'amlaf eu defnydd' yn dod o'r un grŵp.

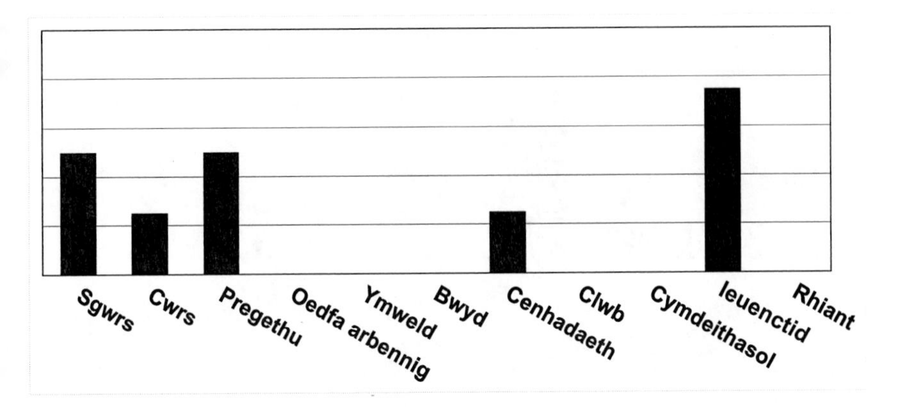

Siart 67. Trwy ba foddion yr oedd pobl yn cael eu hychwanegu at yr Egin Eglwysi.

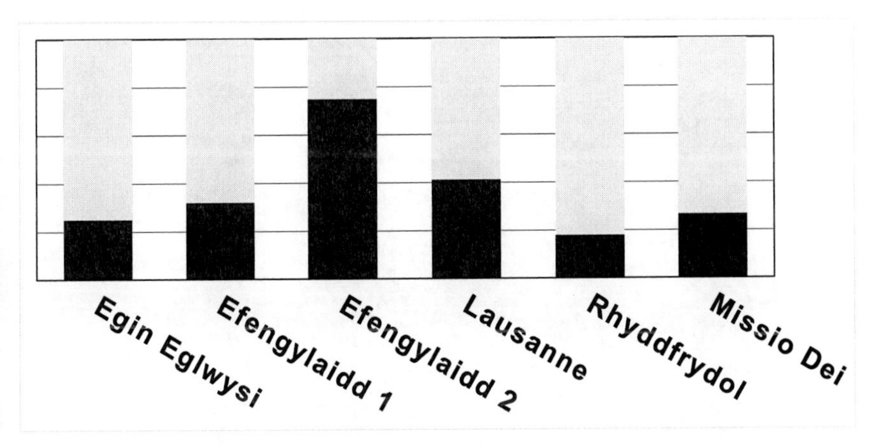

Siart 68. Y canran o eglwysi 5:2 ym mhob Dull o ymagweddu at genhadaeth (y lliw tywyll yw 5:2).

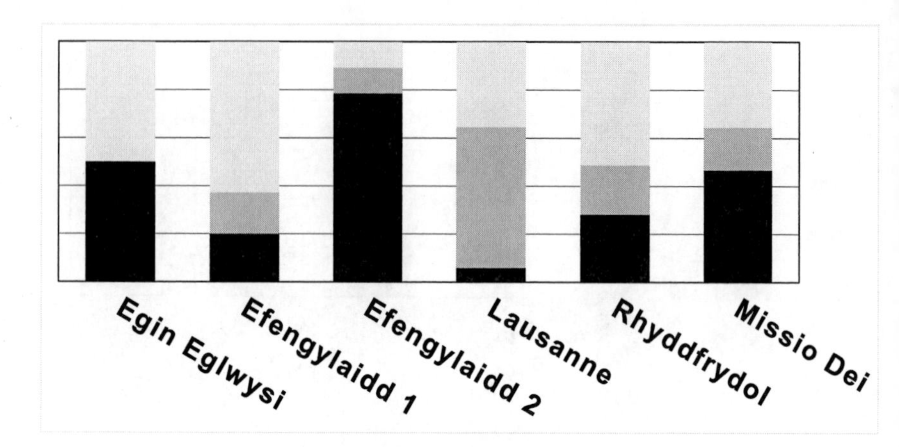

Siart 69. Y canran o eglwysi sydd a >5 a >7 o gysylltiadau gyda'u cymunedau. (>7 yw'r tywyllaf, >5 yw'r un canolig, a <5 yw'r un mwyaf golau.)